Dietrich Staritz:
Die Gründung der DDR
Von der sowjetischen Besatzungsherrschaft
zum sozialistischen Staat

Deutscher
Taschenbuch
Verlag

Originalausgabe
1. Auflage November 1984
2. Auflage September 1987: 11. bis 16. Tausend
© Deutscher Taschenbuch Verlag GmbH & Co. KG,
München
Umschlaggestaltung: Celestino Piatti
Vorlage: Proklamation der Deutschen Demokratischen Re-
publik am 7. 10. 1949. Blick zum Präsidium des Volksrates
während der Eröffnungsansprache von Pieck (vor dem Mi-
krophon); in der ersten Reihe Grotewohl (dritter von links)
und Nuschke (rechts von Pieck) (Bilderdienst Süddeutscher
Verlag)
Gesamtherstellung: C. H. Beck'sche Buchdruckerei,
Nördlingen
Printed in Germany · ISBN 3-423-04524-8

Der Autor

Prof. Dr. Dietrich Staritz, geb. 1934 in Berlin, studierte nach einer Banklehre Wirtschaftswissenschaften, Politologie und Soziologie, war Redakteur beim ›Spiegel‹, habilitierte sich, war Professor für Politische Wissenschaft an der Freien Universität Berlin und ist heute geschäftsführender Leiter des Arbeitsbereichs Geschichte und Politik der DDR am Institut für Sozialwissenschaften der Universität Mannheim. Zahlreiche Veröffentlichungen zur politischen und sozialen Entwicklung der DDR und zum Parteiensystem der Bundesrepublik, u. a.: ›Sozialismus in einem halben Lande‹ (1976); ›Das Parteiensystem der Bundesrepublik‹ (Hrsg., 2. Aufl. 1980); ›Die KPD (1945–1956)‹ in: Richard Stöss (Hrsg.), Parteien-Handbuch, Bd. 2 (1984), Geschichte der DDR, Frankfurt/M., 2. Aufl. 1986.

Deutsche Geschichte der neuesten Zeit
vom 19. Jahrhundert bis zur Gegenwart

Herausgegeben von Martin Broszat,
Wolfgang Benz und Hermann Graml
in Verbindung mit dem Institut für Zeitgeschichte, München

Inhalt

Das Thema 7

I. Deutschland, Sommer 1952
  9. Juli: der erste Tag 9
  10. Juli: der zweite Tag 25

II. Auf dem Wege zur Volksdemokratie
  1. Einer neuen Zeit Beginn? 37
     Vorgeschichte, Ausgangsbedingungen, Konzepte 37
     Industrie und Landwirtschaft 48 Die Sozialstruktur
     der SBZ 59 Konzepte für ein neues Deutschland 63
  2. Die Etablierung der Macht 75
     Kommunisten und Sozialdemokraten: Annäherung
     und Konflikt 75 CDU und LDP: Der Weg in den
     Block 93 Die »Antifa-Komitees«: ungeliebte Ba-
     sis? 96 Die Entnazifizierung: Aufstieg der neuen
     Machtelite 99 Die Betriebsräte: Massenbasis für den
     Neubeginn? 103 Die formelle Enteignung der Groß-
     industrie und die Bodenreform 108
  3. Die Festigung der Macht. 112
     Die Vereinigung von KPD und SPD 112 Der Beginn
     der Planwirtschaft 123 Die Zerschlagung der Be-
     triebsräte und der Funktionswandel der Gewerk-
     schaften 132 Die Transformation des Parteiensy-
     stems 141
  4. Die Vollendung der Volksdemokratie. 147
     Zum Zusammenhang von SBZ- und Ostblockent-
     wicklung 147 Die SED wird Kaderpartei 151 Die
     Gründung der DDR 163 Der Ausbau des Staatsappa-
     rats und der Wirtschaftsplanung 169 Das Jahr 1950:
     Kurs auf ganz Deutschland? 174 Das Jahr 1952: Die
     Verkündung der Volksdemokratie. Sozialismus in ei-
     nem halben Lande 178

Dokumente. 188
Quellenlage, Forschungsstand, Literatur. 226
Zeittafel 232

Karte der DDR 239
Abkürzungen 240
Die Reihe ›Deutsche Geschichte der neuesten Zeit‹ 242
Personenregister 244

Das Thema

Thema des Bandes ist die Entstehung des ostdeutschen Teilstaates, von den Anfängen der sowjetischen Besatzungszone bis zur Entscheidung der SED 1952, in der DDR den Sozialismus aufzubauen. Im Mittelpunkt der Betrachtung steht die bewußte Formierung sozialer und politischer Strukturen, die nach den ursprünglichen Vorstellungen der DDR-Gründer ganz Deutschland prägen sollten. Gefragt wird nach den Entwürfen für die »neue Gesellschaft«, den Bedingungen, unter denen sie modifiziert und durchgesetzt wurden, den Methoden, deren sich die neuen Macheliten bedienten. Erörtert wird das Spannungsverhältnis von Ostintegration und nationaler Zielsetzung, das den Transformationsprozeß der DDR-Gesellschaft bis 1952 besonders deutlich bestimmte, und noch heute die Politik der SED belastet. Mitgedacht werden muß dabei jedoch auch immer die (im Teil I schlaglichtartig beleuchtete) Entscheidung der bundesdeutschen Politik für die Westintegration. Dieser Zusammenhang, den die DDR-Historiographie zuweilen als »Dialektik von sozialer und nationaler Zielsetzung« umschrieb, soll durch die jetzt herrschende DDR-Lehrmeinung vom »einheitlichen revolutionären Prozeß« geglättet werden. Die Entwicklung der DDR wird häufig so dargestellt, als sei die Parteiführung einem Konzept gefolgt, das von Anfang an auf den »realen Sozialismus« in einem Teilstaat zielte.

Tatsächlich aber fiel es selbst SED-Führern lange Zeit schwer, den Sozialismus in einem halben Lande als akzeptable Perspektive zu denken. Sowohl 1953 als auch zwischen 1956 und 1958 sprachen sich Spitzenfunktionäre im Interesse gesamtdeutscher Lösungen für ein Abbremsen der »sozialistischen Umgestaltung« aus. Diese oppositionellen »Fraktionen« (ihre Repräsentanten waren 1953 u. a. der Staatssicherheitsminister Wilhelm Zaisser und der Chefredakteur des ›Neuen Deutschland‹, Rudolf Herrnstadt, Führungskader wie der Zaisser-Nachfolger Ernst Wollweber und der Parteitheoretiker Fred Oelßner) konnten sich jedoch nicht durchsetzen. Ihre Exponenten verloren ihre Partei- und Regierungsämter und wurden (wie Zaisser und Herrnstadt) aus der SED ausgeschlossen.

Erst im Dezember 1961 – im Schatten der Mauer – bekannte sich die Parteiführung öffentlich zu der Politik, die ihre Mehrheit schon sehr früh verfolgt hatte. Damals hob Hermann Axen (heute Mitglied des SED-Politbüros) die Leistung Walter Ulbrichts im Kampf gegen »revisionistische und dogmatische« Abweichungen in der nationalen Frage hervor. Als dogmatisch galt ihm eine Sicht, nach der sich »die sozialistische Revolution überall nur und sofort im gesamtnationalen Rahmen entwickeln könne und müsse«. Zwar wußte auch Axen, daß für Marx und Engels Kommunismus »empirisch« nur denkbar gewesen war als Folge von Revolutionen in den entwickelten Ländern »auf einmal«. Bekannt war ihm auch, daß sogar Lenin und zeitweilig selbst Stalin »Sozialismus in einem Lande« mit Blick auf die Lebensqualität der neuen Gesellschaft höchst problematisch erschien. Gleichwohl zog er den Schluß, unter den »Bedingungen des sozialistischen Weltsystems« könne – »wie die DDR beweist« – der Sozialismus »zunächst auch in einem Teil eines Landes zum Siege geführt werden . . .«. Auch in dieser Aussage wurde die Möglichkeit eines gesamtdeutschen Sozialismus immerhin noch angedeutet. An ihr hält die SED grundsätzlich auch heute noch fest. Seit dem Beginn der siebziger Jahre aber gilt ihr die nationale Frage als gelöst. Nach ihrer Lesart hat sich in der DDR eine sozialistische Nation herausgebildet, die Gemeinsamkeiten mit der »imperialistischen Nation« in der Bundesrepublik Deutschland nur noch in der Sprache und in der Geschichte hat.

9. Juli: der erste Tag

Die Nacht war frisch und klar gewesen in Berlin. Am Tage wurde es heiß und trocken: gegen Mittag kletterten die Temperaturen auf nahezu 30 Grad. In Bonn hatte es geregnet, bis zum späten Morgen. Auch danach blieb es feucht, und Schwüle kam auf: Zu Mittag stieg das Thermometer hier nur auf 23 Grad. Volle Bäder aber hier wie dort, Sommerferien.

In der alten Aula der Pädagogischen Hochschule zu Bonn, gleich am Rheinufer, dominiert dunkles Tuch. Weste, Anzug und Krawatte, da und dort auch ein Kleid oder Schneiderkostüm, Farbton: dezent bis feierlich. Hier tagt der Deutsche Bundestag – zum 221. Mal in seiner ersten Legislaturperiode.

In Ostberlin, Bezirk Prenzlauer Berg, im drangvollen Rechteck der Werner-Seelenbinder-Halle, einst ein »Bauch«, ein Großmarkt von Berlin, haben Proletkult, Staatsräson und der Sommertag die Kleiderordnung geschrieben: Hemdsärmel, blaue FDJ-Blusen, Sommerkleider, häufig auch Uniformen, graugrüne der »Volks-«, weiße der »Seepolizei«, selten Anzug und Krawatte. Hier tagt die SED – eine Parteikonferenz, ein Ersatzparteitag, der zweite in der schon sechsjährigen Geschichte der Einheitspartei, und die erste große Heerschau seit dem 3. ordentlichen SED-Kongreß im Juli 1950.

Die Bonner Parlamentarier waren im Auto angereist oder mit der Bundesbahn, einzeln und aus ihren Wahlkreisen zumeist. Manche von ihnen wohl noch oder schon in Feriensstimmung: Die letzte Plenarsitzung lag dreizehn Tage zurück und vor ihnen, bis zur Sommerpause, nur noch ein Zehn-Tage-Programm.

In Bussen und Sonderwaggons der Reichsbahn, mit Fahnen und Transparenten drapiert, waren die SED-Vertreter gekommen – aus allen Ländern der DDR, nach Delegationen der Landesverbände getrennt. Die meisten hatten eben noch ihren Plan erfüllt, in Industrie und Landwirtschaft, in Behörden und Kasernen oder in Parteibüros. Zur Vorbereitung auf die Parteikonferenz waren sie schon am Montag, dem 7. Juli, in ihre Landeshauptstädte beordert worden, nach Dresden, Weimar, Halle, Potsdam und Schwerin.

Am Nachmittag des 8. Juli waren sie dort feierlich verabschiedet worden. Und am Abend, nun schon im »Demokratischen Sektor« Berlins, hatten die Delegationsleiter sie zum letzten Mal eingewiesen in das große Ereignis, an dem teilzuhaben die Genossinnen und Genossen bestimmt worden waren. Hier hörten sie wieder, wie wichtig sei, was da bevorstehe, und daß die Partei Vertrauen und Geschlossenheit von ihnen erwarte.

Doch wozu, das sollten sie erst tags darauf erfahren, von Walter Ulbricht, dem Generalsekretär ihrer Partei. Publiziert worden war Anfang Juni nur eine karge Allerwelts-Tagesordnung: ›Die gegenwärtige Lage und die neuen Aufgaben der Sozialistischen Einheitspartei Deutschlands‹. Referent: Walter Ulbricht.

Schon bei der ersten Ankündigung im Februar war nicht deutlich geworden, warum eine Parteikonferenz abgehalten werden sollte, und nicht – wie es nach dem Statut an der Zeit gewesen wäre – der 1952 ohnehin fällige IV. Parteitag. Parteikonferenzen waren nach der Satzung nur vorgesehen, wenn es »zwischen den Parteitagen« galt, »dringende Fragen der Politik und Taktik der Partei« zu erörtern. Klarheit über die Dringlichkeit hatte ein Resolutionsentwurf bringen sollen. Er war vom ZK (Zentralkomitee), dem es oblag, zwischen den Parteitagen die Richtlinien der SED-Politik zu bestimmen, beim Politbüro in Auftrag gegeben worden. Doch das Politbüro, der fünfzehnköpfige Exekutivausschuß des ZK für die politische Arbeit zwischen den ZK-Tagungen (neun Mitglieder, sechs Kandidaten ohne Stimmrecht, darunter eine Frau), hatte diesen Auftrag nicht erfüllt. Auch auf den Landesdelegierten-Konferenzen, die die zur Parteikonferenz ausgewählten Kader formell bestätigten, war nicht erkennbar geworden, welche neuen Aufgaben auf die Partei warteten. Man hatte über den »Plan«, die Arbeit der Verwaltungen, den »aggressiven Imperialismus« und die zunehmend bedrohte Sicherheit der DDR referiert, den nordkoreanischen Genossen in ihrem Krieg mit den südkoreanischen »USA-Marionetten« mit Resolutionen den Rücken gestärkt, der westdeutschen »Volksbewegung« im Kampf gegen den »Generalkriegsvertrag« Hilfe versprochen sowie aufs neue Zustimmung zur nationalen Politik der Parteiführung erklärt. Doch dies alles war nicht neu, war Resolutions-Alltag seit gut zwei Jahren.

Mehr erfuhren die Genossen – erschienen waren 1565 ordentliche Delegierte, 494 Gastdelegierte und mehr als 2500 Gäste, insgesamt 4568 Personen, darunter 553 aus der Bundesrepublik

– zunächst auch nicht, als sie am Morgen des 9. Juli die Werner-Seelenbinder-Halle (benannt nach einem kommunistischen Ringer, den die Nazis ermordeten) betraten. Hier, in den Wandelgängen der Halle, fanden sie dekorativ ausgestellt, was die Werktätigen der Republik der Partei hatten zukommen lassen: Mappen mit Produktionsverpflichtungen zu Ehren der Konferenz, elektrische Geräte, auch einen Fernseher, Maschinenteile. Und auch im Halleninnern deutete auf eine Neuerung wenig hin. Es war, wie stets bei Anlässen dieser Art, reich ausstaffiert: ein ausladendes Präsidiumspodest für in- und ausländische Parteiprominenz und hinter ihm, so schwelgte später der Arbeiterschriftsteller Jan Koplowitz, »mächtige Banner ... tiefrot ... wie das Blut des Kampfes und der Revolution«. Dazwischen Porträts von Marx, Engels, Lenin und Stalin auf rotseidenem Untergrund. Vier langgestreckte Sitzblöcke, nach Delegationen unterteilt und aufgereiht wie Marschkolonnen, stoßen auf die Tribüne. »Die Tausende haben ihre roten Mappen vor sich, lesen und diskutieren die Tagesordnung ... ein gebändigtes Summen ... durch das Glasdach strahlt die Sonne.«

Es war 10 Uhr, als Wilhelm Pieck, zusammen mit Otto Grotewohl Vorsitzender der SED und seit 1949 Präsident der DDR, ans Rednerpult ging, um die Konferenz zu eröffnen, und erstmals deutete die Parteiführung an, daß mehr zu erwarten war, als die blasse Tagesordnung angekündigt hatte. Der Präsident: »Zur selben Stunde, zu der wir uns hier zu ernster Beratung versammelt haben, tritt in Bonn der westdeutsche Bundestag zusammen, um die erste Lesung des Generalkriegsvertrages vorzunehmen.«

Tatsächlich hatte der Deutsche Bundestag bereits um 9 Uhr mit der Arbeit begonnen. Die 365 anwesenden Volksvertreter (unter ihnen sechzehn West-Berliner ohne Stimmrecht) erledigten bis etwa 10 Uhr Routinegeschäfte: Sie gratulierten einander zum Geburtstag, nahmen Abwesenheiten zur Kenntnis und akzeptierten in namentlicher Abstimmung einen Vorschlag des Vermittlungsausschusses von Bundesrat und Bundestag zur Neuverteilung der Einkommens- und Körperschaftssteuer.

Was zur gleichen Zeit in Ostberlin geschah, erwähnte niemand. Weder Bundestagspräsident Hermann Ehlers (CDU) noch Bundeskanzler Konrad Adenauer, der, etwa zur gleichen Zeit wie in Ostberlin Wilhelm Pieck, in Bonn ans Pult trat und erklärte: »Die Entscheidung, die Sie, meine Damen und Herren, zu treffen haben, ist von wahrhaft geschichtlicher Bedeu-

11

tung. Ihr Ja wie Ihr Nein wird entscheidend sein für das Schicksal Deutschlands und Europas.«

Auch wenn der Taktiker Adenauer das »Schicksal« häufig nur rhetorisch bemühte, auf die Juli-Tage traf das Wort zu. Zur Diskussion standen in Bonn zwei seit Monaten diskutierte, schon im Mai von den Regierungen der Vertragspartner Frankreich, Großbritannien, USA und Bundesrepublik unterzeichnete Verträge: der Deutschland-Vertrag, der das Besatzungsstatut von 1949 ablösen sollte, und das mit ihm eng verzahnte Abkommen über die Gründung einer mit den USA verbundenen (West)Europäischen Verteidigungsgemeinschaft (EVG). Diese Entwicklung zu verhindern, hatte die Sowjetunion – so die Einschätzung der Westmächte und der Regierungsparteien – am 10. März 1952 den Westmächten eine Deutschlandnote geschickt und in ihr die Wiedervereinigung Deutschlands (in den Grenzen von 1945) und seine Neutralisierung zwischen den Machtblöcken vorgeschlagen.

Obschon Parteien und Medien heftig darüber stritten, ob der Kurs der Westintegration unbeirrt fortgesetzt werden solle, ohne den Grund der Sowjetnote auszuloten, war sich Adenauer seiner Sache sicher. Schon im Juni hatte er John McCloy, den amerikanischen Hohen Kommissar, beruhigt. Aufgrund der Mehrheitsverhältnisse im Bundestag liege das Abstimmungsergebnis »im großen und ganzen fest«.

Über Mehrheitsverhältnisse brauchte die SED-Führung nicht nachzudenken. Sie konnte sich auf die Disziplin der Delegierten verlassen, auch wenn sie es ganz offengelassen hatte, worum es bei der Parteikonferenz überhaupt ging. Die letzten Gegenstimmen auf zentralen Parteikongressen hatte es beim Vereinigungsparteitag 1946 gegeben. Zudem war der Parteiapparat an nationalen Fragen offenbar weit weniger interessiert als die Führung. Die hatte noch Ende März gerügt, daß »auf den Landesleitungssitzungen der Kampf um den Friedensvertrag, die Einschätzung der Entwicklung in Westdeutschland, wie sie Genosse Walter Ulbricht auf der letzten Tagung des ZK gegeben hat, wenig, in einigen Sitzungen gar nicht diskutiert wurde«. Es bestehe eine »offensichtliche Unterschätzung der großen Bedeutung des Kampfes um den Abschluß eines Friedensvertrages und die Herstellung der demokratischen Einheit Deutschlands«. Um dieses Desinteresse der regionalen Leitungen nicht auf die Mitgliederschaft durchschlagen zu lassen, war zur »ideologischen Vorbereitung der II. Parteikonferenz« verfügt worden, im Par-

teilehrjahr (der vierzehntägigen Mitgliederschulung) am ersten
März-Abend zum Thema ›Die gegenwärtige Lage in Westdeutschland und der Kampf um einen Friedensvertrag für
Deutschland‹ zu referieren. Den Rednern war aufgetragen, dabei insbesondere die Funktion der »Adenauer-Regierung als
Hauptstütze des amerikanischen Imperialismus« zu entlarven,
die Zeichen der »herannahenden ... politischen Krise« in der
Bundesrepublik nachzuweisen und aufzuzeigen, welche Bedeutung »der friedliche Aufbau, die Demokratie und die Entfaltung
der deutschen Kultur in der DDR« für die Westdeutschen
hätten.

Daß dieser Einfluß groß sei, ließ die Parteiführung durch ihre
Agitations-Abteilung nachdrücklich verbreiten. Die SED-Pres-
se betonte beharrlich, die Kampfbereitschaft der westdeutschen
Bewegung für den Abschluß eines Friedensvertrages wachse
täglich, die Vorschläge der Sowjetunion und der DDR fänden
negative Resonanz allein bei Adenauer und seinen »Scharfma-
chern«, und es gebe eine gute Chance, auch die Sozialdemokratie als Bündnispartner zu gewinnen. Zu diesem Zwecke schickte
das ZK wieder einmal einen Brief an den SPD-Parteivorstand
und bot Gespräche darüber an, »wie in dieser ernsten Stunde
gemeinsam zu handeln« sei und »welchen Platz das arbeitende
Volk in einem vereinten Deutschland einnehmen« solle. Doch
mochte dies auch strittig sein, klar war den SED-Agitatoren,
wie das künftige einheitliche Deutschland aussehen würde.

›Am Tage danach‹ nannte ein Parteijournalist eine Reportage
›Reise durch das Deutschland von morgen‹. Eine Rundfunk-
meldung bildete den Ausgangspunkt seiner Politfiktion: »›Vor
einer Stunde haben die Außenminister der am Kriege mit
Deutschland beteiligt gewesenen Staaten und der Außenminister Deutschlands den Friedensvertrag unterzeichnet.‹ Jetzt sitze ich bereits im D-Zug, der mich heute nacht nach Hannover
bringen wird ...« und von dort quer durch den Teil Deutschlands, der gestern noch die Bundesrepublik war. Überall trifft
der Reisende glückliche Menschen, die sicher sind, daß nun
alles anders werde. Zum Beispiel Hamburg: »Über 110 000 Ar-
beitslose hat die Stadt. Auf den Werften sieht es wie ausgestor-
ben aus. Das wird jetzt alles anders werden. Das wird so werden, wie es in Wismar und Rostock ist.« »Am Abend waren wir
auf der Reeperbahn. Lichter, Matrosen, Hafenarbeiter, Mäd-
chen, Ausgelassenheit – aber keine Damenschlammringkämp-
fe.« Zum Beispiel Dortmund: »... auf dem Hansa-Platz, auf

13

dem in den vergangenen Jahren Max Reimann so oft zu den Bergarbeitern gesprochen hatte, auf dem Lehrs Polizei (Dr. Robert Lehr war damals Innenminister der Bundesrepublik) die Bergarbeiterjungen verprügelte, findet heute abend wieder eine große Kundgebung statt. Aber die Lehr-Polizei ist nicht mehr dabei.« Zum Beispiel Frankfurt: »Die Amis gröhlten gar nicht mehr so auf der Straße wie früher ... Die Leute aus Kentucky und Texas wirken fast manierlich. Wahrscheinlich liegt ihnen der Schrecken der baldigen Heimkehr in den Gliedern.« Und, wieder einmal im Zug, trifft er auf Handwerker, die von den Steuergesetzen der DDR schwärmen: »Das kommt jetzt natürlich bei uns auch so.«

Ein Interview, das Stalin am 31. März 1952 einer Gruppe amerikanischer Journalisten gegeben hatte, bestätigte diesen Optimismus allerdings nur bedingt. Auf die Frage, ob er der Meinung sei, »daß der gegenwärtige Zeitpunkt für eine Vereinigung Deutschlands geeignet ist«, hatte Stalin zwar deutlich, aber auffällig lakonisch geantwortet: »Ja, ich bin der Meinung.« Dagegen bezogen sich 45 der 62 Worte, mit denen er auf die ihm vorgelegten vier Fragen antwortete, auf die (von ihm bejahte) Möglichkeit einer friedlichen Koexistenz von Kapitalismus und Kommunismus, und dabei plädierte er vergleichsweise beredt für Gleichberechtigung und Nichteinmischung. Gleichwohl ließ die DDR-Presse das Volk dem »großen Führer« der UdSSR begeistert danken, die Fußballer von »Turbine« Halle dankten für die »neue Kraft«, die Stalin ihnen »für den Kampf um die Einheit unseres Vaterlandes« geschenkt, die Genossen des Stickstoffwerkes Piesteritz für den »Lichtblick«, den er »den Werktätigen der ganzen Welt« gegeben habe. Zum 30. Jahrestag der Wahl des »geliebten Genossen Stalin« zum Generalsekretär der Partei der Bolschewiki am 3. April 1922 erinnerte das ZK der SED in einem Glückwunsch daran, daß die Gründung der DDR tatsächlich einen »Wendepunkt in der Geschichte Europas« markiere, so wie es der Sowjetführer damals, am 13. Oktober 1949, telegraphiert hatte, und daher »unlösbar« mit seinem Namen verbunden bleibe. Zugleich versprach das ZK, alle »patriotischen Kräfte« Deutschlands im »Kampf gegen die amerikanischen Kriegsbrandstifter und ihre Helfershelfer zu mobilisieren, um die Pläne zur Verwandlung Westdeutschlands in ein Aufmarschgebiet für einen Krieg zu durchkreuzen und die Einheit Deutschlands in Frieden und Freiheit zu erringen«.

Unter den 85 Losungen, die die Parteiführung zum 1. Mai

1952 verabschiedete, waren freilich nur 21, die dieses Ziel unmittelbar propagierten. Die Mehrzahl der übrigen feierte die Stärkung der DDR, »unser Bollwerk im Kampf um Frieden, Einheit und Aufbau« (Nr. 29), die Solidarität mit Nordkorea, im Kampf gegen die »amerikanischen Kannibalen« (Nr. 12) oder eben Stalin, den »Bannerträger im Kampf um den Weltfrieden«, den »besten Freund des deutschen Volkes« (Nr. 4). Dem »Bollwerk«, dem Ausbau der DDR vor allem, galten auch Rede und Antworten Ulbrichts auf einer Pressekonferenz am 12. Mai 1952. Auf die Frage, was die DDR unternehmen werde, falls die Bundesregierung die Verträge unterzeichne, blieb seine Antwort agitatorisch unbestimmt. Sie werde sich keinesfalls mit diesem »Staatsstreich« abfinden, vielmehr den Kampf fortsetzen, bis die »große nationale Aufgabe« gelöst sei – »im Kampf um den Sturz der Adenauer-Regierung«.

Daß die DDR intern bereits Vorbereitungen für ein verschärftes Grenzreglement traf, leugnete der Parteichef. Tatsächlich erließ die DDR-Regierung am 26. Mai – am Tage der Unterzeichnung des Deutschlandvertrages in Bonn – eine Verordnung »über Maßnahmen an der Demarkationslinie« zwischen der DDR und »den westlichen Besatzungszonen Deutschlands«. Als Begründung wurde angeführt, die Bundesrepublik habe gegenüber der DDR »einen strengen Grenz- und Zolldienst eingeführt, um sich von der Deutschen Demokratischen Republik abzugrenzen und dadurch die Spaltung Deutschlands zu vertiefen«, zugleich versuche Bonn aber in verstärktem Maße, »Spione, Diversanten, Terroristen und Schmuggler« in die DDR »zu schleusen«. Dagegen müsse die DDR sich schützen. Das Ministerium für Staatssicherheit wurde beauftragt, »strenge Maßnahmen zu treffen für die Verstärkung der Bewachung der Demarkationslinie«. (In der Folgezeit war das Betreten einer 5 Kilometer breiten Sperrzone entlang der Grenze nur noch mit Sondergenehmigungen erlaubt.) Gleichzeitig hieß es in der Verordnung, daß alle diese Maßnahmen aufgehoben würden, sobald es zu einer »Verständigung über die Durchführung gesamtdeutscher freier Wahlen zur Herbeiführung der Einheit Deutschlands auf demokratischer und friedlicher Grundlage« komme.

Wie sich die SED-Führung solche Wahlen vorstellte, hatte Ulbricht auf einer Pressekonferenz am 12. Mai durchblicken lassen, als er beteuerte, es gehe dabei nicht um die »Abgeordnetenzahl der einen oder anderen Partei«, vielmehr werde sich bei solchen Wahlen »in jedem Fall ergeben, daß sich die Mehrheit der Bevölkerung für den Frieden entscheidet«. Immerhin behauptete Walter Ulbricht nicht, diese optimistische Prognose gelte auch für das Abschneiden der eigenen Partei. Da hatte es Adenauer leichter. Als er am 9. Juli vor dem Bundestag erklärte, »ein Gesamtdeutschland, wie es jetzt Sowjetrußland in seinen Noten fordert, also ein neutralisiertes Deutschland, ein auf dem Boden des Potsdamer Abkommens errichtetes Gesamtdeutschland, ist für uns nicht möglich«, da konnte er der Zustimmung einer großen Mehrheit sicher sein.

Dennoch blieb des Kanzlers Rhetorik auch an diesem Tage ohne Glanz. Sein Kalkül und sein Credo aber wurden deutlich wie stets. In seiner Sicht waren in der Welt seit 1945 »zwei gewaltige Machtsysteme« entstanden. In dem von der Sowjetunion geführten seien »starke Expansions- und Aggressionskräfte« wirksam, denen der defensive Westen bis zum Korea-Krieg nur mit »wirtschaftlichen Unterstützungsmaßnahmen« begegnet sei. Seit Korea aber habe der Westen zur »Wiederaufrüstung« übergehen müssen. Die Bundesrepublik sei Teil des Westens, die Integration des Westen schreite fort, die Bundesrepublik dürfe sich diesem Prozeß nicht entziehen, denn »ohne Anlehnung an andere Staaten« könne sie schon wegen ihrer »besonders ungünstigen« geographischen Lage nicht bestehen. Die Mitwirkung bei den Verteidigungsanstrengungen sei deshalb zwingend, und nicht nur der Sicherheit wegen. Durch die Koppelung von EVG- und Deutschlandvertrag erlange die Bundesrepublik »volle Macht über ihre inneren und äußeren Angelegenheiten« – mit Ausnahmen jener Bereiche, in denen sich die Westmächte (auch im Interesse der Deutschen) Mitspracherechte vorbehalten hätten, etwa bei der Truppenstationierung, in der Berlin-Frage, bei den Problemen, die die Einheit Deutschland betreffen, sowie im Falle eines Notstands.

Daß die Wiedervereinigung Deutschlands durch die Vertragspolitik negativ beeinflußt werde, wollte der Kanzler nicht gelten lassen: »Ich bin überzeugt, daß Sowjetrußland, wenn es sieht, daß infolge des Abschlusses der Europäischen Verteidigungsgemeinschaft seine Politik im Wege des Kalten Krieges ... zur Neutralisierung der Bundesrepublik zu kommen, keinen Erfolg mehr verspricht, daß dann Sowjetrußland diese neu geschaffene politische Situation beachten und seine Politik dementsprechend einstellen ...« und, beeindruckt von westlicher

16

Stärke, die DDR freigeben wird. Sein Hilfsargument: »Das eine ist sicher, meine Damen und Herren, wenn wir die Verträge nicht unterzeichnen, verbessern wir die Aussicht auf Wiedervereinigung Deutschlands in keiner Weise.« Der Kanzler hatte etwa fünf Viertel Stunden gesprochen. Um 11 Uhr 16 vertagte der Bundestagspräsident die Sitzung auf 13 Uhr 30.

Adenauer näherte sich den Schlußpassagen seiner Rede, da regelte in Ostberlin das Präsidium noch die Kongreß-Präliminarien. Zunächst hatten die Delegierten stehend und lang anhaltend einer Grußbotschaft des ZK der sowjetischen Bruderpartei applaudiert, vorgetragen von Wilhelm Pieck. Erstmals seit 1947 fehlte auf einer derart hochrangigen SED-Veranstaltung eine sowjetische Parteidelegation. Die KPdSU hatte der SED neue Erfolge gewünscht, vor allem bei der »erfolgreichen Erfüllung der historischen Aufgabe«, ein »einheitliches, unabhängiges, demokratisches, friedliebendes Deutschland zu schaffen«. Dann begrüßten sie die Delegierten von 23 kommunistischen Parteien, wählten ein »Ehrenpräsidium« – erster Kandidat: »der Führer und Lehrer des Weltproletariats, der Genosse Josef Wissarionowitsch Stalin«, letzter Kandidat: »der Generalsekretär der Kommunistischen Partei der Vereinigten Staaten von Amerika, der Genosse Eugene Dennis« – und bestätigten schließlich die Vorschläge für die Kommissionen und die Geschäftsordnung. Gegen 11 Uhr 15 – Adenauer war bei seinen letzten Sätzen – trat der SED-Generalsekretär Walter Ulbricht ans Mikrofon. Er referierte über ›Die gegenwärtige Lage‹ und die neuen Aufgaben der SED‹. Wie Adenauer in Bonn sprach auch er von der Teilung der Welt, doch anders als der Kanzler gab er die Schuld an ihr dem Westen. Zugleich aber pries er die Stärke des »Lagers des Friedens, der Demokratie und des Sozialismus«. Dieses Lager sei entstanden seit dem »Abfall mehrerer Länder Mittel- und Südosteuropas vom imperialistischen System« und durch deren Bündnis mit der Sowjetunion, der »stärksten Staatsmacht der Welt«. Dazu gehöre nun auch »Ostdeutschland« und »fest« stehe die DDR im »Lager des Friedens, der Demokratie und des Sozialismus«. Nicht die DDR sei an der Teilung Deutschlands schuld, vielmehr habe die Bonner Regierung »offenen nationalen Verrat« betrieben. Aber mit der Unterzeichnung des »Generalkriegsvertrages« gehe in der Bundesrepublik die »Zeit der Massentäuschung durch gefüllte Schaufenster zu Ende«. Der Übergang zur Rüstungswirtschaft werde die Verbrauchsgüterindustrie drosseln, zum verschärften Druck auf Arbeiter und Bauern und damit »zur Verschärfung des Klassenkampfes in Westdeutschland führen«. Schon zeige sich, wie sich »im Schoße der Arbeiterklasse Westdeutschlands revolutionäre Energien des Widerstandes« ansammelten, die auch bei »einem manchmal ganz unauffälligen Anlaß zum Durchbruch kommen« und sich entladen könnten.

Gleichwohl müsse die DDR an ihrer Politik der Ostintegration festhalten, die »Freundschaft mit der Sowjetunion ... wie unseren Augapfel« hüten, ihre »Friedenspolitik ... durch die Schaffung nationaler Streitkräfte zur Verteidigung der Heimat« ergänzen und in ihrer nationalen Politik fortfahren. Dann werde sie zum »Bollwerk des nationalen Befreiungskampfes des deutschen Volkes gegen den Imperialismus« und auch zum Modell für das künftige Gesamtdeutschland: zum »Fundament des Kampfes für ein einheitliches, demokratisches, friedliebendes und unabhängiges Deutschland«. Dieses Ziel, die Einheit des Landes, jedoch sei erst erreichbar nach dem »Sturz der Bonner Vasallenregierung«.

So weit war Ulbricht gekommen, als Wilhelm Pieck um 12 Uhr 30 die Konferenz für eine halbe Stunde unterbrach. Mit geringem Zeitverzug hatten der Parteiführer im Osten und der Kanzler im Westen Konzepte vorgelegt, die einander in ihren formalen Strukturen weithin entsprachen, sowohl in den behaupteten Zielen wie in den gewählten Mitteln, und sich gerade deshalb schroff widersprachen: Beide benannten als wesentliches Ziel die Einheit des Landes; beide reklamierten als wesentliches Mittel die Integration des Teilstaates in den befreundeten Block, beide leugneten, daß beides zusammen, Einheit und Blockpartnerschaft, nicht zu erlangen war. Beide behaupteten vielmehr, im Besitze des Instrumentariums zu sein, mit dem das Problem gelöst werden könne: durch den »Sturz des Adenauer-Regimes« im Gefolge einer breiten, gesamtdeutschen Volksbewegung unter Führung der SED (Ulbricht), bzw. durch den Anschluß der »Sowjetzone« nach einer durch westliche Stärke erzwungenen Einsicht der Sowjetunion (Adenauer). Dafür brauchte es »nationale Streitkräfte« in der DDR und einen »Wehrbeitrag« im Rahmen westeuropäischer Streitkräfte in der Bundesrepublik.

Was die Logik der Konzepte nicht erreichte, lieferte die jeweils andere Seite mit Drohgebärden nach. Sie legitimierten, was sonst nur schwer zu rechtfertigen war: die nach beiden Entwürfen zumindest mittelfristig notwendige Verfestigung der

Teile des Landes zum Zwecke ihrer künftigen Einheit. Für Kompromisse war in beiden Konzepten kein Platz. Starr zeigten die politischen Wegweiser nach West und Ost; ein dritter Weg erschien (bestenfalls) als illusionär, (schlimmstenfalls) als Verrat.

Als um 13 Uhr 33 in Bonn der CDU-Abgeordnete Eugen Gerstenmaier vor das Bundestagsplenum trat, um dem Kanzler für dessen »große Rede« zu danken und nochmals zu versichern, das »Thema der Verträge« sei die »Wiedervereinigung Deutschlands in Frieden und Freiheit in einem vereinigten Europa«, das »Leitbild« des Vertragswerkes die »auf die Einbeziehung Gesamtdeutschlands gerichtete freie europäische Integration«, da jubelten in Ostberlin die SED-Delegierten immer noch. Sie spendeten »lang anhaltenden Beifall« und brachten »Hochrufe auf das ZK der SED aus«. In Ostberlin war man bereits um 13 Uhr in die Halle zurückgekehrt, um den zweiten Teil des Ulbricht-Referats anzuhören. Der Generalsekretär hatte mit einer Bilanz der bisherigen revolutionären Entwicklung begonnen, zum Beweis Zahlenmaterial über das Wachstum des staatlichen Wirtschaftssektors präsentiert und sich zur Freude der Delegierten über einige »Genossen Schriftsteller« mokiert, die meinten, sie könnten »über die neuen Probleme nicht schreiben«, da »keine Revolution in Deutschland stattgefunden habe«. Ulbricht, heiter: »Es stimmt, es wurde nicht mit der Waffe gekämpft. Das ist vor allem darauf zurückzuführen, daß die demokratische Umwälzung in Anwesenheit der Sowjetarmee . . . erfolgte.« Das habe dazu beigetragen, daß die »reaktionären kapitalistischen Kräfte in Ostdeutschland niedergehalten« werden konnten. Heute
- habe die Arbeiterklasse die »führende Rolle« im Staat,
- bestehe das Bündnis von Arbeitern und Bauern,
- arbeiteten die »Massen des werktätigen Volkes begeistert« für den Fünfjahrplan,
- funktioniere der Staatsapparat immer besser,
- bilde der staatliche Produktionsbereich die »feste ökonomische Grundlage der neuen Ordnung«.

Insgesamt, so Ulbricht, sei »die demokratische und wirtschaftliche Entwicklung« und das »Bewußtsein der Arbeiterklasse und der Mehrheit der Werktätigen« nun so weit, daß man einen neuen Schritt gehen könne. Der Parteichef: »In Übereinstimmung mit den Vorschlägen aus der Arbeiterklasse, aus der werktätigen Bauernschaft und aus andcren Kreisen der Werktä-

19

tigen hat das Zentralkomitee der Sozialistischen Einheitspartei beschlossen, der II. Parteikonferenz vorzuschlagen, daß in der Deutschen Demokratischen Republik der Sozialismus planmäßig aufgebaut wird.« Da hielt es die Genossen nicht mehr auf ihren Plätzen, da plötzlich, so notierte es tags darauf das Zentralorgan ›Neues Deutschland‹ (ND), »bricht ein rasender Jubel los, die Delegierten erheben sich, sie rufen, klatschen. Walter Ulbricht hat die entscheidenden Worte dieser Konferenz gesprochen ... Aus den Gesichtern der Delegierten strahlt grenzenlose Begeisterung.«

Was sie da so enthusiasmiert, erkennt das Parteiblatt wohl richtig: »Wie oft wurde von Sozialismus gesprochen. Jetzt, zum erstenmal in der deutschen Geschichte, wird dieses größte Ziel der Menschheit auf deutschem Boden ... in die Tat umgesetzt.« Die Reaktion der westdeutschen Gäste aus der KPD war offenbar nicht ganz so bedingungslos. Zwar sagte einer den ND-Reportern: »Das ist eine Fanfare«, fügte aber gleich hinzu, falls ihr Ton im Westen gehört, wenn dort die »Sprache der sozialistischen Tatsachen« verstanden werde, was sicher zu erwarten sei, wenn in der DDR »die Produktion in Industrie und Landwirtschaft ... steigt«. Ein anderer war »sehr überrascht, daß es schon möglich ist«, in der DDR derlei Ziele zu stecken. Wieder andere prophezeiten, dieser Schritt werde »große Diskussionen in der Arbeiterklasse Westdeutschlands auslösen«.

Dort aber nahmen noch nicht einmal die Zeitungen vom Ostberliner Großereignis so recht Kenntnis. Als sie es dann doch taten, referierten sie weniger über den »Aufbau des Sozialismus« als über eine beschlossene Auflösung der Länder, die »nationalen Streitkräfte« und die Kollektivierung der Landwirtschaft. Breit berichtet hatten zunächst allein die KPD-Blätter. Sie wiederholten im wesentlichen die Ulbricht-Lesart, am auffälligsten war, wie betont sie der – in der KPD offenbar vorhandenen – Sorge widersprachen, der SED-Beschluß könne der Einheit Deutschlands schaden.

Über diesen Aspekt der Erklärung der II. Parteikonferenz dachte neben den Kommunisten in der Bundesrepublik zunächst allein der ›Neue Vorwärts‹ der SPD nach. Das Blatt äußerte den Verdacht, die SED habe »vor Beratungen auf höherer Ebene über die Lösung der deutschen Frage vollendete Tatsachen zu schaffen versucht ...« So lasse sich erklären, »warum in einem Augenblick, in dem sich das deutsche Problem in einem entscheidenden Stadium befindet, die Gleichschaltung der Sowjetzone mit den bolschewistischen Volksdemokratien durchgeführt werden soll«.

Derart differenzierte Erwägungen, in denen die DDR nicht allein als Sowjetbeute und als deshalb zu befreiendes Territorium erschien, stellte das offizielle Bonn in dieser Zeit, zumindest öffentlich, nicht an. Der analytisch interessante Gegenstand war allein die Sowjetunion. Sie mußte – darin herrschte Einigkeit zwischen den Regierungsparteien und der SPD – dazu bewogen werden, die DDR freizugeben. Strittig war allein, wie das zu erreichen sei: durch eine Politik der Stärke mit Hilfe des westlichen Bündnisses oder durch wenigstens taktische Rücksichtnahmen auf das Sicherheitsbedürfnis der östlichen Siegermacht.

Für die zweite Variante suchte im Bundestag am 9. Juli die SPD vor allem durch Carlo Schmid zu werben. Noch Ende Mai hatte Kurt Schumacher, bereits todkrank, gezürnt, wer den Generalvertrag unterschreibe, höre auf, »ein guter Deutscher« zu sein, und prophezeit, die SPD werde eine Gegenpropaganda entfachen, »die stärker ist als alles, was wir bisher gemacht haben«. Die SPD-Fraktion aber blieb moderat. Carlo Schmid verwies – nach einer politischen Bilanz der Nachkriegszeit – auf den seit je strittigen § 7 des Deutschlandvertrages, der vorsah, daß ein künftiges Gesamtdeutschland die Rechte erwerben könne, die der Bundesrepublik eingeräumt werden, falls es zugleich die Rechte und Pflichten aus dem Deutschland- und dem EVG-Vertrag übernehme. Sein Schluß: »Nun kann die Einheit Deutschlands doch nur zustandekommen, wenn die Russen – ja auch die Russen – mit gesamtdeutschen freien Wahlen einverstanden sind. Und glaubt man denn, daß sie bereit sein werden, wenn von vornherein feststehen soll, daß der Teil Deutschlands, den sie aufgeben, auf Grund einer heute geschaffenen vertraglichen Verpflichtung einem Block zugeschlagen werden soll, den dieses Rußland nun einmal als feindselig empfindet ... Glaubt man denn wirklich, mit diesen Verträgen die Russen zur politischen Kapitulation zwingen zu können?«

Eine Neutralisierung Gesamtdeutschlands kam freilich auch für Carlo Schmid nicht in Betracht. Er plädierte für einen dritten Weg: »... sich mit dem Westen in Formen zu verbinden, die der Osten nicht bedrohlich zu finden braucht, und mit dem Osten in ein Verhältnis freien Austauschs zu treten, das den Westen stärkt, statt ihn zu schwächen.« Diese Überlegung fand die Koalition offenbar unangemessen. Das Protokoll verzeichnet: »Lachen bei den Regierungsparteien.«

Als Carlo Schmid gegen 17 Uhr endete, saßen die Ostberliner Konferenzteilnehmer noch bei Tisch. Für zwei Stunden, zwischen 16 und 18 Uhr, hatte ihnen die Konferenzregie eine Essenspause bewilligt. Der Mittags-Enthusiasmus lag schon lange zurück, was darauf folgte, war den Genossen seit langem bekannt: Appelle, die »Wachsamkeit« zu erhöhen, die Verwaltungsarbeit zu verbessern, die wesentlichen ideologischen Schriften noch intensiver zu studieren, vor allem die des »großen Stalin«. Das Künftige, das Neue erschien zunächst nur umrißhaft: die weitere Enteignung privater Industriebetriebe, die Kollektivierung von Landwirtschaft und Handwerk, der Ausbau der Kasernierten Volkspolizei zu »nationalen Streitkräften«, die Verwaltungsreform mit der Folge der Auflösung der Länder, die ideologische Offensive gegen die Kirchen.

Zu neuen Ovationen hatte diese Skizze der Sozialismus-Perspektive niemanden hingerissen. Kurz vor 6 Uhr schließlich, nach dem zweiten (dreistündigen) Teil der insgesamt sechs Stunden dauernden Lesung Ulbrichts, nahmen die Delegierten ermüdet eben noch zur Kenntnis, was sich die Parteiführung zur Legitimierung von nationalen Streitkräften Neues hatte einfallen lassen. Ulbricht plädierte für eine intensive Würdigung aller historischen Befreiungsbewegungen in Deutschland durch die Geschichtswissenschaft der DDR, der Schlacht im Teutoburger Wald ebenso wie des Befreiungskrieges von 1813. »Helden« wie Lützow, Theodor Körner, Marschall Blücher verdienten mehr Würdigung, als ihnen bislang zuteil geworden sei. Nicht hinreichend beachtet worden sei z. B., so Ulbricht, daß dem Lützowschen Freikorps, das »im Rücken der französischen Truppen operiert(e)« und wesentlich zur Niederlage Napoleons bei Leipzig beitrug«, »ein Detachement russischer Kosaken zugeteilt war«. Das Protokoll verzeichnet einfachen Beifall, und ungewiß ist, ob er den neuen Wegezeichen galt oder der Mittagspause, die sich unmittelbar anschloß.

In Bonn hatte derweil Hans-Joachim von Merkatz, Fraktionsvorsitzender der konservativen »Deutschen Partei« (DP), seine Rede beendet. Er war u. a. dafür eingetreten, die »Kraft und die Ehre des ganzen deutschen Volkes« wiederherzustellen »mit seinem Anspruch in seinen historischen Grenzen«. »Vaterländische Pflicht« sei es deshalb, das »Mögliche zur Befreiung, zur Rückkehr zu unserer Selbstachtung, zu unserem Selbstbewußtsein« zu tun. Dazu rechnete er auch die »Ehre des deutschen Soldaten« und die Ehre des deutschen Volkes. Denn

»... ein Herr bleibt ein Herr, und wenn er in Ketten liegt«. Herr zu sein »unter den Nationen« bedeute freilich auch »bereit und gewillt« zu sein, »für sein Geschick einzutreten«.

Auch sein Vorredner, der FDP-Fraktionsvorsitzende Hermann Schäfer hatte die Vertragspolitik vehement unterstützt. Vor allem deshalb, weil durch die nun »echten vertraglichen Bindungen die Beteiligung des Westens an der Wiederbefreiung der besetzten, der unerlösten deutschen Gebiete klar und bestimmt zum Ausdruck gekommen ist«. Davon versprach sich der Liberale auch wirtschaftlichen Segen. Denn: »In dem Augenblick, in dem der ›Eiserne Vorhang‹ aufgeht, entsteht doch eine ungeheure Fülle von wirtschaftlichen Verpflichtungen, um diese große neue Kolonisationsaufgabe unseres Volkes zu verwirklichen, aus einem veröldeten, zerstörten und ausgepowerten Gebiet wieder einen fruchtbaren deutschen Lebensbereich zu machen.« »Toll« fand das offenbar allein der Abgeordnete Herbert Wehner. Bei den Regierungsparteien verzeichnet das Protokoll »Zustimmung«.

Wie schwierig diese Kolonisationsaufgabe zu finanzieren sei, rechnete anschließend Bundesfinanzminister Fritz Schäffer dem Plenum vor. Der CSU-Politiker, der vier Jahre später mit seinem in der DDR lebenden Landsmann Vincenz Müller (damals »Chef des Stabes« der »Nationalen Volksarmee«) Möglichkeiten eines nationalen Kompromisses sondieren sollte, verzichtete auf martialische Töne. Er warb für die Verträge vor allem mit Finanzargumenten: »Ich habe keinen Zweifel, daß die Leistungen des deutschen Volkes, wenn wir die Verteidigungsverträge nicht abschließen, finanziell unter dem Titel Besatzungskosten allein mindestens die gleiche Belastung bedeuten würden, die die Verteidigungsbeiträge nach den Verträgen für das deutsche Volk sind.« Deshalb sei der Vertrag »rein materiell betrachtet, vertretbar«.

Was die DDR die »nationalen Streitkräfte« kosten würden, erklärte in Ostberlin zwei Tage später der Chef der Staatlichen Plankommission, Heinrich Rau, den Delegierten nicht. Er verwies statt dessen auf Walter Ulbricht, der auf der Parteikonferenz am Rande mitgeteilt hatte, die »Sicherung der Verteidigungsfähigkeit« erfordere »gewisse materielle und finanzielle Ausgaben«. Man werde jedoch in der Lage sein, »bei Erfüllung bestimmter Voraussetzungen zur Steigerung der Arbeitsproduktivität« den seit 1951 laufenden Fünfjahrplan »trotz der zusätzlichen Ausgaben« zu erfüllen. Behutsam kritisch kommen-

23

tierte Rau, damit sei eine »große Aufgabe« gestellt, und ihre Lösung verlange »eine beträchtliche Steigerung« der Arbeitsproduktivität. Dieses Wachstum sei im übrigen nicht nur für die Streitkräfte erforderlich. Es müsse auch erreicht werden, damit die DDR auch in anderen Bereichen ihrer Rolle als »staatlich organisierte Basis« im Kampf um die Einheit Deutschlands gerecht werden könne. Die entscheidende ökonomische Aufgabe der Partei bestehe deshalb in der »maximalen Steigerung der Arbeitsproduktivität«. Doch wie die beträchtliche oder maximale Steigerung zu erreichen sei, darüber sagte Rau nur wenig. Deutlich war auch ihm, daß nennenswerte Investitionsmittel für die Modernisierung des Produktionsapparates nicht zur Verfügung standen, daß ein Zuwachs deshalb vor allem durch bessere Planungs- und Arbeitsorganisation, höhere Arbeitsdisziplin und Mehrarbeit erzielt werden müsse. Eine solide Kostenrechnung aber konnte er so nicht vorlegen. Die Ausflucht, die er umriß, nahm die verzweifelte Situation vorweg, in der sich die Parteiführung ein knappes Jahr später dafür entschied, die Arbeitsnormen um »mindestens 10 Prozent« zu erhöhen – und so die Massenbewegung am 17. Juni 1953 auslöste.

Während Schäffer in Bonn bei den letzten Sätzen seiner Finanzlektion angelangt war, kehrten in Ostberlin die Delegierten wieder in die Halle zurück. Zur Begrüßung verlas ihnen Wilhelm Pieck Telegramme von Mao Tse Tung (China) und Enver Hodscha (Albanien). Beide wünschten gute Erfolge beim Kampf um die Einheit Deutschlands. Dann erhielt erneut Ulbricht das Wort. Er sprach – bis nahezu 19 Uhr 30 – nur noch von der Partei, rügte lasche Parteiliteraten, kritisierte säumige Funktionäre, beklagte den »abgrundtiefen Verrat der Tito-Clique« in Jugoslawien, die »verbrecherische Tätigkeit der Slansky-Gruppe in der Tschechoslowakei« und zog auch Lehren aus den Verbrechen der »Gomulka-Gruppe« in Polen und aus dem »Fall von Luca Georgescu und Anna Pauker in Rumänien«. Aus diesen Beispielen müsse man lernen, wie der Feind durch eine »opportunistische Entstellung der Parteilinie, durch Einschmuggelung feindlicher Elemente in den Parteiapparat« etc. »zu zersetzen versucht«. Um die Partei gegen derlei zu immunisieren, empfahl der Generalsekretär Wachsamkeit und vor allem, »in die Geheimnisse der fortgeschrittenen Sowjetwissenschaft einzudringen«.

Dann aber bescheinigte er der SED, sie sei in den vergangenen vier Jahren zu einer »Partei neuen Typus« gereift, zu einer marxistisch-leninistischen Kaderorganisation; die SED sei »die stärkste Partei Deutschlands«, und sie werde siegen, weil sie »gute Freunde« habe – »das Sowjetvolk, das bereits den Sozialismus zum Siege geführt hat, und die Völker der Volksdemokratie, die den Sozialismus aufbauen«. Zum Siege führen werde aber auch der »Kampf aller friedliebenden und patriotischen Deutschen für einen Friedensvertrag und für die Wiederherstellung der Einheit Deutschlands«. Durch Ostintegration zur Einheit.

Als Ulbricht schloß, saßen die Bonner Abgeordneten beim Abendbrot. Die Genossen in der Seelenbinder-Halle mußten sich noch gedulden. Hier war nun endlich die Debatte eröffnet worden. Zu Kontroversen kam es – plangemäß – nicht. Offenbar wurde nur, daß in den lange zuvor erarbeiteten und abgestimmten Diskussionsbeiträgen der »Aufbau des Sozialismus« nicht vorgesehen war. Wie der erste Redner, der Parteisekretär des Thüringer Stahlwerks »Maxhütte«, Rudolf Leppin, leiteten auch die meisten anderen ihre Beiträge mit Allgemeinheiten wie dieser ein: »Walter Ulbricht hat heute auf der II. Parteikonferenz die politische Linie für uns festgelegt und begründet. Für uns ... ergibt sich daraus ...« Einige immerhin flochten ein, daß der »Aufbau des Sozialismus« neue Aufgaben stelle. Für eine intensivere Überarbeitung der Manuskripte aber hatte die knappe Zeit nicht gereicht. Immer dünner klang denn auch der Beifall für die Abendredner. Die Genossen waren ermüdet und wohl froh, als Pieck um 21 Uhr 35 die Konferenz schloß und für den 10. Juli um 9 Uhr wieder einberief.

10. Juli: der zweite Tag

In Bonn war es wärmer geworden am 10. Juli. Zwar hatte es morgens noch Schauer gegeben, doch gegen Mittag wich die Schwüle. In Berlin war es schön geblieben, leicht dunstig zwar, doch etwas kühler, und das war nach der Hitze des Mittwochs angenehm. Während die Delegierten vor der Seelenbinder-Halle aus den Bussen stiegen, die sie aus ihren Gemeinschaftsquartieren in die Stadt gefahren hatten, waren in Bonn die Abgeordneten auf dem Wege zum Bundestag. Unterwegs hatten sie Zettel gefunden, auf denen stand: »Generalvertrag ist Generalverrat – Deutsche fordern Friedensvertrag.« Sie stammten wohl von der KPD, die wahrscheinlich auch den Brief entworfen hatte, der den Abgeordneten schon Tage vorher zugestellt worden war. In ihm waren allen, die den Generalvertrag unterzeichnen, die »schrecklichsten, die allerschwersten Folgen« prophezeit worden.

Nahezu zeitgleich, um 9 Uhr in Ostberlin, zwei Minuten später in Bonn, begann die Arbeit. Bei der Parteikonferenz zunächst für Wilhelm Pieck. Er widmete seine Rede ganz und gar dem Deutschland-Problem. Als Ausgangspunkt dienten ihm die Sowjet-Noten vom März und April. Aus den westlichen Antwortnoten zog er den Schluß, die »Imperialisten« hätten sich als »Gegner der Einheit Deutschlands erwiesen«. Sie brauchten ein »gespaltenes und schwaches, zu einer selbständigen Politik unfähiges Deutschland«. Um das zu erreichen, knüpften sie die Wiedervereinigung an die »Voraussetzung, daß sich die Bundesrepublik an den aggressiven Atlantikblock anschließt und ihr antidemokratisches Regime« auf die DDR »ausgedehnt wird«. Unter diesen Bedingungen könne von einer friedlichen Wiedervereinigung Deutschlands »selbstverständlich« nicht die Rede sein. Und tatsächlich gehe es den Westmächten darum ja auch gar nicht. Summa summarum: Die Bonner Vertragspolitik stelle den »in der Weltgeschichte beispiellosen Versuch dar, eine große, um die Entwicklung der Menschheitskultur verdiente Nation zu einem Volk von Knechten zu machen«. Darum und auch deshalb, weil Genosse Stalin lehre, »daß man dem Aggressor wohlgerüstet begegnen muß«, habe die DDR »zur bewaffneten Verteidigung« der friedlichen Arbeit und ihrer »Errungenschaften« bereit zu sein. Vollkommenes Spiegelbild der Sprache des Bonner Kanzlers waren die Bemerkungen Piecks: »Sowohl Adenauer als auch seine amerikanischen Auftraggeber verstehen eben nur die Sprache der Stärke. Je stärker die Deutsche Demokratische Republik wird, desto eher wird sich die Bonner Regierung zu einer Verständigung über gesamtdeutsche Wahlen, über den Interzonenhandel und andere Fragen bereit erklären.«

Zur selben Stunde sprach in Bonn der CSU-Abgeordnete Strauß. Für ihn stand außer Zweifel, daß die Neutralisierungsforderung der Sowjetunion nichts anderes bedeute, als die seit Kriegsende fortgesetzten Versuche der Sowjetunion, »Deutschland zu kommunisieren und auf diesem Wege nicht nur die europäische Einigung zu verhindern, sondern nach und nach ganz Europa in die Hand zu bekommen«. Dagegen müsse das

Bündnis mit dem Westen gestellt werden. Es biete der Bundesrepublik ein »Fundament«, auf dem sich »überhaupt erst ein geordnetes Staats-, Wirtschafts-, Kultur- und Sozialleben aufbauen« lasse, aber auch »einen politischen Ansatzpunkt, um die Freiheit den Deutschen in der Ostzone wiederzuverschaffen«.

Nach dem CSU-Vorsitzenden erhielt Robert Tillmanns (CDU) das Wort zu einer »kurzen Erklärung«. Er teilte mit, daß die Fraktionen von CDU, CSU, FDP und DP beschlossen hätten, den folgenden Redner nicht anzuhören und deshalb nun den Saal verließen. Auf dessen Ruf: »Bleiben Sie einen Moment hier! Ich will Ihnen etwas sagen«, kam nur vereinzelt Antwort: »Wollen wir gar nicht hören.« Die meisten Abgeordneten der Mitte- und Rechts-Fraktionen drängten aus dem Plenarsaal und mit ihnen ein Großteil der Sozialdemokraten. Im Raume blieben wenige, geschlossen nur die KPD-Fraktion, als deren Vorsitzender, Max Reimann, zu sprechen begann. Anlaß für den Auszug war ein Kidnapping in Westberlin gewesen. Dort hatte am 8. Juli – so die vorherrschende Version – ein aus Ostberlin entsandtes Kommando den Rechtsanwalt Walter Linse niedergeschlagen und wahrscheinlich nach Ostberlin entführt. Linse war Mitarbeiter des »Untersuchungsausschusses freiheitlicher Juristen«, einer dezidiert antikommunistischen Organisation, von der (nicht nur) in der DDR behauptet wurde, sie sei eine Spionagezentrale. Zwar hatte die SED die Entführung geleugnet, die Handschrift ihres Staatssicherheitsdienstes war aber unverkennbar. Diejenigen, die den Plenarsaal verlassen hatten, versäumten nicht viel, denn Reimann bot noch nicht einmal den eigenen Genossen Neues. Indirekt bestätigte er sogar die westlichen Pressemeldungen zum Fall Linse, als er den hinausgehenden Parlamentariern nachrief: »Lösen Sie Ihre Spionagezentralen auf. Fordern Sie nicht Menschen auf, Spionage und Sabotageakte zu begehen. Dann werden Verhaftungen unterbleiben.« Anschließend referierte er die Grundzüge der Pieck-Rede – freilich ohne jene Passagen, in denen der DDR-Präsident die Notwendigkeit östlicher Stärke betont hatte, und auch ohne Hinweis darauf, daß die Ostberliner Weichenstellung zum »Aufbau des Sozialismus« womöglich die Wiedervereinigung beeinträchtigen könne. Anerkennung wurde Reimann erst zwei Tage später zuteil, als er in der Seelenbinder-Halle eine optimistische Rede hielt und die neue Perspektive des Aufbaus des Sozialismus im Osten als große Hilfe für den Kampf der KPD im Westen bezeichnete. Dadurch lasse sich vor allem die Politik

der Sozialdemokraten entlarven, die seit 1946 »vom Sozialismus
als Tagesaufgabe« sprachen, aber die »Restauration der Mono-
polherrschaft ermöglichten«. Auch in den »nationalen Streitkräften« sah Reimann einen »weiteren Ansporn« im Kampf
gegen die Pläne für eine »amerikanische Fremdenlegion« in der
Bundesrepublik.

Dafür bekam er in der Seelenbinder-Halle den »stürmischen«
Beifall der 4500 Versammelten, im Bonner Plenarsaal nur den
Applaus seiner 14 Fraktionskollegen. Doch dank einer Panne
(Adenauer am 11. Juli: »falsche Regie«) erreichte er ein großes
Auditorium: Der Rundfunk hatte versäumt, sich rechtzeitig
auszublenden. So gingen denn mit der Reimann-Rede parla-
mentarisch brave Zwischenrufe (»hört, hört«, »sehr richtig«)
hinaus ins Land. Am Vortage, als Adenauer gesprochen hatte,
war es lebhafter zugegangen. Mit der Erklärung des Kanzlers
hatten die Hörer den Lärm der KPD-Fraktion vernommen.
Fünfmal mußten deren Aktivisten wegen ungebührlicher Worte
und heftigen Klapperns mit den Pultdeckeln zur Ordnung gerufen werden.

So lebhaft wie im Bundestag ging es am 10. Juli in der Seelenbinder-Halle nicht zu. Die Delegierten nahmen nach der Rede
Piecks ernste Berichte aus der Praxis entgegen, die weder zu
Freudenkundgebungen noch zu Mißfallensäußerungen heraus-
forderten. Erst um die Mittagszeit kam wieder Kampfatmo-
sphäre auf. Otto Buchwitz, früherer sächsischer SPD-Vorsitzender, der seit 1945 intensiv für die Fusion mit den Kommunisten geworben hatte, stand am Rednerpult. Er sprach von der
großen Perspektive, die mit dem Ziel des Sozialismus eröffnet
sei, von seiner großen Ergriffenheit und auch davon, daß er und
seine alten SPD-Freunde, die für die Einheitspartei eingetreten
waren, heute »maßlos stolz« sein könnten »auf jene Kampagne,
als wir die Einheit der Arbeiterklasse schmiedeten«. Es gäbe
»kein ungelöstes deutsches Problem« mehr, wenn damals »die
Einheit der Arbeiterklasse in ganz Deutschland« geschaffen
worden wäre. Und manchmal frage er sich, ob nicht wenigstens
einem Teil der westdeutschen Sozialdemokraten der Gedanke
aufsteige, daß es »ein unsagbares politisches Verbrechen« war,
als Schumacher 1946 »die Einheit der Arbeiterparteien« verhinderte. Buchwitz erinnerte an die Parallelität der Berliner und
der Bonner Tagungen und appellierte an die SPD, »Schumacher
und Ollenhauer die Gefolgschaft zu verweigern«.

Daß zumindest die führenden Sozialdemokraten durch solche

Anrufe nicht zu beeindrucken waren, hatte in Bonn gegen Ende der Buchwitz-Rede Herbert Wehner verdeutlicht. Er, bis 1942 Mitglied der KPD-Führung, seit seiner Rückkehr aus dem schwedischen Exil Sozialdemokrat und enger Mitarbeiter Schumachers, hatte schon 1946 zu den Gegnern jedweder Kooperation mit den Kommunisten gehört. Auch jetzt, vor dem Bundestag, erinnerte Wehner daran, daß es seine Partei gewesen sei, die »durch ihren Kampf gegen das sowjetzonale Terrorregime und seine Expansionsbestrebungen einen wesentlichen Beitrag« geleistet habe, um eine Entwicklung Deutschlands »nach dem Muster der Tschechoslowakei und anderer Satellitenstaaten« zu verhindern. (Gleichwohl wurde Wehner auch in dieser Debatte, diesmal von Eugen Gerstenmaier, hämisch an seine frühere KPD-Mitgliedschaft erinnert.) Gerade dies, so Wehner, legitimiere die SPD, deutlich zu warnen vor der Gefahr einer »Koreanisierung Deutschlands«. So wie die Bundesregierung verfahren wolle, sei die Wiedervereinigung »nur noch in Form des Anschlusses der jetzigen sowjetischen Besatzungszone an das westliche Paktsystem denkbar ...« Deshalb laufe die deutsche Politik Gefahr, daß die Wiedervereinigung »so vielen weltpolitischen Fragen untergeordnet und zum Gegenstand nationalegoistischer Erwägungen fremder Mächte« werde, daß »eine Regelung mit friedlichen Mitteln aus dem Bereich des Möglichen herausrücken könnte«.

Dem Kanzler hielt er zwei »Rechenfehler« vor. Der gehe zum einen davon aus, eine Bündelung der westlichen Wirtschafts- und Militärpotentiale werde die Verhandlungsbereitschaft der Sowjetunion »erzwingen«. Dies jedoch sei ungewiß und riskant zudem. Zum anderen wolle die Regierung glauben machen, durch die »Integrationsverträge« würden die Partner eindeutig auf eine Politik zur Einheit Deutschlands festgelegt. Tatsächlich erlangten sie aber »ein ausgesprochenes Vetorecht gegen die Wiedervereinigung Deutschlands«.

In zumindest einem Punkt unterschied sich Wehners Position von den Standort- und Zielbestimmungen, die Carlo Schmid am Vortage vorgetragen hatte. In seiner Prioritätenliste rangierte die Wiedervereinigung weit vor der Integration, und es war deshalb jede Form der Annäherung an den Westen zu vermeiden, die das nationale Ziel gefährden konnte. Für ihn stellte deshalb auch die EVG keine alternativlose Notwendigkeit dar. Er plädierte vielmehr dafür »die Sicherung Gesamtdeutschlands ... auf der Grundlage der Mitgliedschaft Deutschlands in den

Vereinten Nationen durch Garantieabkommen« zu regeln. Voraussetzung dazu aber sei eine rasche Verständigung der Siegermächte über freie Wahlen und die Bildung einer gesamtdeutschen Regierung. Der Beginn solcher Verhandlungen solle nicht durch »erschwerende Bedingungen« verzögert werden. Wehner zu Adenauer: »Es ist die eigentümliche Lage entstanden, daß der deutsche Bundeskanzler zwar grundsätzlich Viermächteverhandlungen begrüßt ..., daß er aber, wenn sie konkret in Frage stehen, ihnen praktisch entgegenzuwirken versucht, weil er meint, der Zeitpunkt sei nicht günstig.« Bestimmend dafür sei sein »Zeitfahrplan: erst Vollzug der Integration ... und dann den Zeitpunkt abwarten, an dem die Sowjetunion geneigt sein würde, eine Art Ultimatum anzunehmen«.

Der Entschließungsentwurf, den die SPD am gleichen Tage dem Bundestag vorlegte, berücksichtigte freilich die Wehner-Kritik an der in den Augen der Regierungsparteien längst irreversiblen Westintegration mit keinem Wort. In diesem Text wurde die Bundesregierung lediglich aufgefordert, den Siegermächten »förmlich« mitzuteilen, sie erwarte »Verhandlungen über die Wiedervereinigung Deutschlands durch freie Wahlen«. Zwar markierte die Formel, daß dies »so bald wie möglich« geschehen solle, eine gewisse Dringlichkeit des Appells. Seine Stoßrichtung blieb jedoch so allgemein, daß die Regierungsparteien keinerlei Schwierigkeiten hatten, ihn zu akzeptieren. Gleich nach Wehner erklärte denn auch Ernst Lemmer, bis Ende 1947 neben Jakob Kaiser Führer der Ost-CDU, für die CDU-Fraktion, die Vorlage der SPD finde deren Zustimmung, weil sie »genau das« enthalte, »was wir in der Frage der Wiedervereinigung selbst vertreten«. Und damit hatte er durchaus recht, denn die Einheit durch freie Wahlen war schließlich das von der CDU wie (nota bene) allen übrigen deutschen Parteien propagierte zentrale politische Ziel. Selbst die Kommunisten im Westen wie im Osten hatten dies ja immer wieder betont. Gleichwohl brachte auch Ernst Lemmer, wie mancher andere Christdemokrat, seine politischen Bedenken der Parteiräson zum Opfer. Auch er zählte – wie Kaiser, Johann Baptist Gradl und weitere CDU-Spitzen, die ihre Nachkriegskarriere in der SBZ begonnen hatten – zu denen, die der Politik des Kanzlers mit offener Skepsis begegnet waren und immer wieder für größere Verhandlungsbereitschaft votiert hatten. Lemmer immerhin deutete seinen Zwiespalt auch im Bundestag noch an. »Ob nicht eine andere Politik möglich gewesen wäre«, sei eine Frage, die auch er sich stelle. Nun aber sei man in eine »geschichtliche Zwangsläufigkeit« geraten, und die »Verantwortung für ein demonstratives Nein« zu den Verträgen zu übernehmen, sähe er sich nicht in der Lage.

Die gegenwärtige Zwangsläufigkeit hatte bei Lemmer Erinnerungen an die Weimarer Nationalversammlung geweckt, die, auf den Tag genau 33 Jahre zuvor, über die Annahme der Versailler Friedensbedingungen debattiert hatte. Damals, so berichtete er, sei im Ältestenrat zwischen den zerstrittenen Flügeln verabredet worden, sowohl den Befürwortern wie den Ablehnern ausschließlich »vaterländische Gründe« zuzubilligen, den national argumentierenden Neinsagern (von den Deutschnationalen bis zu den Demokraten) ebenso wie denen (SPD und Zentrum), »die wußten, daß gar nichts anderes übrig blieb, als zu dem Versailler Vertrag ein Ja auszusprechen«. Zur zweiten Gruppe, zu denen mit der Einsicht ins Notwendige, zählte er nun die Bundestagsmehrheit und sich selbst. Auch der SPD unterstellte er, freilich indirekt, es gebe auch in deren Fraktion etliche, die sich ihr Nein nur aufgrund des Ja der Regierungsparteien leisteten. Damit hatte er sicherlich recht. Eine ausformulierte, realistische Alternative hatten die Sozialdemokraten nicht vorgelegt. Auch dies ließ darauf schließen, daß sie mehrheitlich eher zur Position Carlo Schmids als zu der Schumachers oder Wehners neigten.

Lemmers subtile Reflexionen waren dem FDP-Abgeordneten Erich Mende fremd. Er sprach ausschließlich über die Sinnhaftigkeit der EVG und die Anforderungen, die ein deutscher Wehrbeitrag an die Absolutionsbereitschaft der einstigen Kriegsgegner und künftigen Bündnispartner stelle. Mende verlangte, die deutsche Kriegführung zwischen 1939 und 1945 »im Zeichen koreanischer Ereignisse« in neuem Licht zu sehen. So wie alliierte Befehlshaber dort und heute seien deutsche damals gezwungen gewesen, »brutale, hinterhältige Kampfmethoden ... mit ebenso harten Gegenmaßnahmen« zu beantworten. Die Verurteilung deutscher Soldaten sei deshalb »doch recht strittig geworden«. Sie behindere – ebenso wie der Vorwurf des Militarismus – die Wehrbereitschaft, die doch angesichts der Expansionsdrohung des Ostens so notwendig sei. Um Wehrmotive war ihm gleichwohl nicht bange. »Nutzen« versprach er sich speziell »von den Erfahrungen unserer Spätheimkehrer ...«, die die Bestialität jener bolschewistischen Fratze bis zur Neige kennenlernen mußten«.

godparent, sponsorship

Als Beleg für die Aggressivität auch der DDR diente Mende die dort forcierte Militarisierung der FDJ. Die Jugendorganisation der SED hatte Ende Mai, auf ihrem letzten Kongreß, dem IV. »Parlament«, die Stärkung der Kasernierten Volkspolizei zur zentralen politischen Aufgabe erklärt und in Leipzig erstmals mit geschulterten Karabinern vor der Parteiführung paradiert. Ulbricht war in einer nationalrevolutionären Rede – »Die Adenauer-Regierung muß hinweggefegt werden« – so weit gegangen, den Wunsch auszudrücken, daß recht viele Jugendliche sich als »tüchtige Scharfschützen« qualifizieren würden. Nur wenige Stunden nach der Rede Mendes in Bonn hatte in Ostberlin der Sprecher einer FDJ-Delegation versichert, die Jugendorganisation werde »ganz besonders die ... Patenschaft über die Deutsche Volkspolizei in Ehren« erfüllen. Die Patenschaft brauchten die Kampfeinheiten der Volkspolizei vor allem wegen ihres Personalmangels. Politisch war ihre Führung bereits ganz auf der Höhe der Aufgaben. Am 11. Juli versicherte der Leiter einer Volkspolizei-Delegation der Parteikonferenz die Einsatzbereitschaft der Truppe im Falle einer Aggression: »Am Ende eines imperialistischen Kriegsabenteuers wird nicht das von Hallstein prophezeite Europa unter amerikanisch-imperialistischer Führung stehen, das bis zum Ural reichen soll, sondern ein vom Imperialismus befreites Europa, dessen Völker den Sozialismus aufbauen werden.« Die Delegierten dankten mit stürmischem Beifall.

Einer Gegenschlag-Theorie dieser Art hatte im Bundestag niemand das Wort geredet. Auch am 10. Juli galten die Plädoyers der Regierungsparteien eher dem Konzept der Abschreckung und der Notwendigkeit, die USA als »automatischen Friedensschutz« auf dem Kontinent zu halten. Diese Abschreckungs-»Automatik« aber – so der FDP-Abgeordnete Hans Martin Euler – werde nur funktionieren, wenn die Bundesrepublik beginne, ihre »eigene Kraft mit einzusetzen«. Nur so sei sicher, daß »die erste Schlacht nicht stattfindet«. Und schließlich werde auch »der Punkt kommen, an dem durch eine Gesamtstärkung der westlichen Welt jener Zustand der Bereitschaft zu entschiedenen Zugeständnissen bei den Sowjets erreicht wird, der heute ... noch nicht vorhanden ist«. Den gleichen Gedanken trug kurz darauf der Kanzler vor: »Ich möchte auch den Frieden mit Sowjetrußland haben. Aber Sowjetrußland soll – und das wünschen wir von ihm – die 18 Millionen Deutschen, die es jetzt so in der Faust hält, freigeben. Das ist das Verlangen, das wir an Sowjetrußland stellen; nichts anderes. Wir, dieses relativ kleine Deutschland, können das starke Rußland nicht mit Krieg überziehen, und Säbelrasseln wäre von uns geradezu blödsinnig.« Trotzdem hielt er an seinem Konzept, Wiedervereinigung durch Westintegration und militärische Stärke zu erreichen, fest und berief sich ausdrücklich auf die Deutschen in der DDR. »Nachrichten«, die am Morgen eingegangen waren, hatten es ihm erneut bestätigt: »Unsere Menschen in der Ostzone sehen heute auf uns, und sie warten darauf, daß wir unseren Weg so schnell fortschreiten wie irgend möglich, weil wir ihre einzige Hoffnung sind.«

Adenauer hatte in Bonn noch nicht geendet, da waren in Ostberlin »Junge Pioniere«, Mitglieder der Kinderorganisation der SED, mit Fahnen und Blumen in den Händen in die Werner-Seelenbinder-Halle eingezogen. Ungenannte Poeten hatten ihnen Verse mitgegeben, lyrische Dementis der vom Bonner Kanzler mitgeteilten neuesten Nachrichten aus der DDR. Karen Hermann trug vor:

> Wohin wir sehen, wohin wir uns auch wenden,
> steht die Partei, die nie und nimmer ruht.
> Sie rührt und reckt sich mit Millionen Händen,
> sie lenkt und steuert – und sie steuert gut!

Und Renate Sielaff ergänzte:

> Wir lieben die Partei, den Vortrupp unseres Volkes,
> auf die ein jeder Deutscher voll Vertrauen schaut.
> Nach euren Plänen, unter eurer Führung
> wird jetzt bei uns der Sozialismus aufgebaut.

Gerührt dankte Otto Grotewohl, einst SPD-Vorsitzender in der SBZ, jetzt Ministerpräsident der DDR und neben Wilhelm Pieck Vorsitzender der SED: »Gerade in diesen Tagen, in denen wir Beschlüsse für die Zukunft des ganzen deutschen Volkes fassen wollen, erscheint ihr hier als die Zukunft Deutschlands, als *unsere* Jugend!«.

Das Bonner Kontrastprogramm am Abend des 10. Juli sah so aus: Kurz vor halb sieben zogen noch einmal alle – mit Ausnahme der Kommunisten – aus, um den KPD-Abgeordneten Walter Fisch nicht anhören zu müssen. Ihm hatte einer aus der »Mitte« zugerufen: »faule Fische, faule Fische«. Was ihnen Fisch mitteilen wollte, konnten sie tags darauf im Protokoll

nachlesen: Die KPD erklärte ihre Zustimmung zur Wiederver-
einigungsresolution der SPD und warf den Regierungsparteien
vor, bloß Lippenbekenntnisse abzugeben, weil sie zugleich Tatsachen besiegelten, »die jeder Verständigung auf lange Zeit einen Riegel vorschieben«.

Mehr als ein Lippenbekenntnis enthielt freilich auch der
SPD-Text nicht. Auch er steckte in dem Dilemma einer Politik,
die beides wollte, die Anlehnung an den Westen und die Einheit
Deutschlands. Als der Deutsche Bundestag am 10. Juli um
19 Uhr 12 auseinanderging, hatten die Abgeordneten ein gutes
Stück Arbeit geleistet, sich in diesem Dilemma einzurichten:
Die Integration des Teilstaates war auf den Weg gebracht, der
Wille zur Einheit des Landes deutlich bekundet.

Die SED ließ sich für diese Entscheidungen noch etwas Zeit.
Am 11. Juli verwies Grotewohl erneut auf den Zusammenhang,
mit dem die Parteiführung ihre Entscheidung zu legitimieren
suchte: »An dem Tage, an dem Adenauer das Ja zum Generalvertrag, das heißt zur Spaltung Deutschlands . . ., zum Bruder-
krieg und zur Vernichtung Deutschlands vom Parlament in
Bonn forderte, forderte das Zentralkomitee vom Parlament der
deutschen Arbeiterklasse das Ja zum Sozialismus.« Tags darauf
verdeutlichte Anton Ackermann, Mitglied des Politbüros und
seit Mitte der dreißiger bis Ende der vierziger Jahre einer der
führenden Parteitheoretiker, den Sinn des Sozialismus-Be-
schlusses. Wie 1946 sah er, der damals über die Möglichkeiten
eines »besonderen«, eines »deutschen« Weges geschrieben hatte, die Chance eines »eigenen« Weges der Deutschen zum Sozialismus. Das deutsche Volk müsse, so Ackermann, »die
Schlußfolgerung daraus ziehen, daß die Imperialisten . . . den
Abschluß eines Friedensvertrages und die Erfüllung der berechtigten nationalen Forderungen des deutschen Volkes verweigern. Diese Schlußfolgerung heißt: Das deutsche Volk muß seinen eigenen Weg gehen, den Abschluß eines Friedensvertrages
und die Einheit des Vaterlandes zu erzwingen. Für diesen eigenen Weg hat die II. Parteikonferenz die richtungsweisenden
Beschlüsse zu fassen. Darum heißt es in der Beschlußvorlage:
›Der Sturz des Bonner Vasallenregimes ist die Voraussetzung
für die Herstellung der Einheit Deutschlands.‹« Ziel des »eigenen« Weges war mithin die Einheit des Landes. Als Mittel aber
empfahl auch Ackermann die weitere separate Entwicklung der
DDR: »Der eigene Weg des deutschen Volkes und dementsprechend die Generallinie der Partei – das ist der planmäßige Auf-

bau des Sozialismus in der Deutschen Demokratischen Republik.« Einstimmig wurde von den Delegierten so beschlossen.

Knapp zwei Wochen später kommentierte Willy Brandt im ›Neuen Vorwärts‹ die »herausfordernden Beschlüsse« der II. Parteikonferenz im Lichte der außenpolitischen Weichenstellungen in der Bundesrepublik. Die eigentliche Bedeutung der Ostberliner Entscheidungen sah er nicht in deren Folgen für die Innenpolitik der DDR. Mit ihnen werde nur forciert, was seit sieben Jahren praktiziert wurde. Der von der SED immer wieder betonte »geschichtliche Wendepunkt« komme jedoch darin zum Ausdruck, »daß in den Verlautbarungen der SED-Konferenz von der Wiedervereinigung Deutschlands kaum noch als von einer aktuellen Aufgabe gesprochen werde. Sein Fazit: »Die deutschen Sozialdemokraten ... sehen der Gefahr ins Auge, daß Deutschland durch die Ostintegration einerseits und die Westintegration andererseits auf eine unabsehbare Zeit zerrissen bleibt.«

balance
judgement

II. Auf dem Wege zur Volksdemokratie

1. Einer neuen Zeit Beginn?

Vorgeschichte, Ausgangsbedingungen, Konzepte

Die Grenzen der heutigen DDR wurden erstmals in London markiert, die westlichen schon klar, die östlichen erst grob. In Sorge, die rasch nach Westen vorrückenden Sowjet-Truppen könnten ganz Deutschland erobern, bevor die westlichen Armeen auch nur den Rhein erreichen würden, suchten britische Beamte im Herbst 1943 einen Ausweg. Sie empfahlen, durch Deutschland eine Grenzlinie in Nord-Süd-Richtung zu ziehen und die Sowjetunion vertraglich zu verpflichten, unabhängig vom Frontenverlauf bei Kriegsende nur den östlichen Teil als Besatzungsgebiet zu beanspruchen.

Das britische Außenamt folgte dem Vorschlag. Sein Vertreter in der Europäischen Beratenden Kommission, die von den Staatschefs der Kriegskoalition kurz zuvor zur Planung und Koordinierung ihrer Politik berufen worden war, legte am 15. Januar 1944 einen Entwurf für ein Abkommen über die Aufteilung Deutschlands in Besatzungszonen vor. Mit ihm sollte jeder der drei Siegermächte ein etwa gleich großer Teil Deutschlands zur Kontrolle übergeben, in jeder Zone aber Truppen aller Mächte stationiert werden. Der Vorschlag berücksichtigte formal Deutschland in seinen Grenzen von 1937. Aber auch nach britischem Verständnis sollten Ostpreußen, Oberschlesien, Danzig und Teile des östlichen Pommern an Polen fallen. Das Land jenseits von Oder und östlicher Neiße wurde deshalb als Besatzungsgebiet nicht berücksichtigt.

Die westliche Demarkationslinie folgte den alten Verwaltungsgrenzen zwischen Mecklenburg-Vorpommern und Schleswig-Holstein im Norden, zwischen Thüringen und Bayern im Süden, in preußischen Gebieten jedoch politischem Gutdünken. Denn Preußen sollte zerschlagen und sein Staatsgebiet neu gegliedert werden. Das war nicht nur die politische Absicht der Kriegskoalition, es war auch besatzungstechnisch notwendig, denn entstehen sollten drei Besatzungszonen mit etwa gleich großen Bevölkerungsanteilen.

Was die Briten nur mit Bedenken entworfen hatten, akzeptierten die Sowjets sofort. Bereits am 18. Februar 1944 stimmte

die Sowjetunion zu. Sie war auch bereit, britische Korrektur-
wünsche im Raum Braunschweig zu billigen. Sie selbst zeigte
Interesse an Fehmarn, das im britischen Plan keiner Zone eindeutig zugeordnet war, ließ von dem Verlangen jedoch wieder
ab, nachdem die Briten sich zunächst gesträubt, intern aber
inzwischen beschlossen hatten, die Insel doch herzugeben.
Nicht bereit indes waren die sowjetischen Unterhändler, sich
auf »gemischte« Besatzungstruppen in den Besatzungszonen
einzulassen.

Am 12. September – zwei Tage später erobern sowjetische
Einheiten den ersten Warschauer Vorort, kämpfen aber noch
immer jenseits der ostpreußischen Reichsgrenze, die Westmächte dagegen operieren bereits in Luxemburg und hatten tags
zuvor bei Trier erstmals Reichsgebiet erreicht – unterzeichneten
die Großen Drei in London das Verhandlungsergebnis. Das
Protokoll regelte neben den Besatzungszonen auch die Verwaltung Berlins, seine Aufteilung in Sektoren und die Bildung einer
gemeinsamen Kommandantur. Am 14. November schließlich –
amerikanische Verbände stehen in Aachen, sowjetische in den
Budapester Vorstädten – protokollierten die Koalitionsmächte
ihre Verständigung über den Kontrollmechanismus für
Deutschland. Sie planen einen »Drei-Mächte-Kontrollrat«, der
über alle Fragen, die Deutschland als Ganzes betreffen, einmü-
tig entscheiden soll. In ihren Besatzungsgebieten aber geben sie
einander freie Hand im Rahmen einer gemeinsam zu beschlie-
ßenden Deutschlandpolitik.

Bis Ende April schließt die Sowjetarmee den Ring um Berlin,
kämpft aber noch immer um die endgültige Kontrolle der
Reichshauptstadt. Amerikaner, Briten und Franzosen stoßen
über München, Hannover und Hamburg nach Osten vor, und
Anfang Mai schließlich stehen britische und amerikanische
Truppen entlang einer Linie zwischen Zwickau, Dessau, Wit-
tenberge und östlich von Schwerin und Wismar. Im Süden folgt
die Demarkationslinie dem Lauf der westlichen Mulde, im mittleren Teil dem der Elbe.

Am 8. Mai 1945, am Tage der endgültigen Gesamtkapitulation in Berlin-Karlshorst – vorangegangen war am 4. Mai eine
Teilkapitulation der nordwestlichen Verbände und am 7. Mai
eine Gesamtkapitulation im amerikanischen Hauptquartier in
Reims – kontrolliert die Sowjetunion damit nur knapp zwei
Drittel des Gebietes, das ihr 1944 als künftige Besatzungszone
zugedacht worden war. Mehr als ein Drittel, und mit ihm die

wesentlichen Industriezentren Mitteldeutschlands (außerhalb Berlins) in Thüringen, Sachsen-Anhalt und Sachsen, unterliegen angloamerikanischer Besatzung. Die britische Sorge des Jahres 1943 vor einem zu weiten Vordringen der Sowjetunion hat sich als gegenstandslos erwiesen. Nun geht es, im Gegenteil, um die Notwendigkeit des eigenen Rückzugs nach Westen.

Diesen Prozeß zu verzögern, um die Sowjetunion mit einem »Faustpfand« in Deutschland dazu zu bewegen, in Osteuropa die Übereinkünfte von Jalta im Sinne der britischen Interpretationen (pluralistisch-demokratische Entwicklung speziell in Polen) einzuhalten, ist vor allem das Interesse des britischen Premiers Winston Churchill. Aber sein Plan ist unrealistisch, denn dem westlichen Pfand entspricht ein sowjetisches: die Anwesenheit der Roten Armee in Berlin. Auch die USA finden an Churchills Idee wenig Gefallen. Vereinbart wird schließlich ein Zug-um-Zug-Geschäft: Abzug der Angloamerikaner aus den westlichen SBZ-Teilen, Nachrücken der sowjetischen Truppen, Einzug der Angloamerikaner in die für sie reservierten Bezirke der Hauptstadt. Nach zweimonatigem Aufenthalt ziehen deshalb die USA und Großbritannien am 1. Juli ihre Verbände zurück, am gleichen Tag folgen Sowjet-Soldaten, und am 3. Juli schließlich übernehmen die Westmächte die Verwaltung von zwölf der zwanzig Verwaltungsbezirke Berlins. Zwei treten sie am 12. August an Frankreich ab, das nach seinem Beitritt zum Potsdamer Abkommen an der Besetzung und Kontrolle Deutschlands teilhat.

Schon am 5. Juni hatten die Oberkommandierenden der drei Siegermächte die Übernahme der Regierungsgewalt in Deutschland proklamiert und gemäß dem Protokoll vom November 1944 erklärt, daß diese in jeder Zone von der Besatzungsmacht, in Fragen, die Deutschland als Ganzes betreffen, gemeinsam durch den Kontrollrat ausgeübt werde. Am 11. Juli begann in Berlin die Alliierte Kommandantur ihre Arbeit. Auch wenn der Kontrollrat erst Ende August zu seiner konstituierenden Sitzung zusammentrat, so waren doch im Juli die während des Krieges getroffenen Übereinkünfte für eine gemeinsame Verwaltung des Landes formal erfüllt.

Sie inhaltlich auszufüllen, war eines der Ziele der letzten Kriegskonferenz der Großen Drei, zu der die Staatschefs sich am 17. Juli in Potsdam versammelten. Über allgemeine Grundsätze der Behandlung Deutschlands ließ sich eine Verständigung rasch erzielen. Die aus ihnen abgeleitete konkrete Politik der Mächte zeigte jedoch bald, welche unterschiedlichen Interpretationen die Potsdamer Formeln zuließen. Unstrittig war, daß Deutschland demokratisiert, entnazifiziert und entmilitarisiert werden sollte, daß seine Wirtschaftskraft im Interesse einer dauerhaften Friedenssicherung zu schwächen sei; und selbstverständlich schien es ihnen, das Land während einer zeitlich unbestimmten Besatzungsdauer als politische und wirtschaftliche Einheit zu behandeln.

Pragmatisch verfuhren die Sieger bei der Diskussion über die deutschen Ostgrenzen. Zwar hatten sie schon während des Krieges grundsätzlich einer »Westverschiebung« Polens (zum Ausgleich seiner an die Sowjetunion verlorenen Ostgebiete) zugestimmt. In Potsdam aber vertagten sie die »endgültige Festlegung der Westgrenze Polens« bis zur Friedenskonferenz. Bis dahin jedoch sollte Polen die »Verwaltung« des Landes bis zu einer Linie übernehmen, die im Süden durch die westliche Neiße, im mittleren Teil durch die Oder und im Norden durch einen Punkt »unmittelbar westlich von Swinemünde« gekennzeichnet war. Grundsätzlich dagegen stimmten die Westmächte der Übergabe des nördlichen Ostpreußen an die Sowjetunion zu, auch wenn der genaue Grenzverlauf noch einmal einer Sachverständigenprüfung unterzogen werden sollte. Daß diese Konstruktion mehr als nur eine Demarkationslinie schuf, wußten freilich auch die USA und Großbritannien. Gemeinsam mit der Sowjetunion beschlossen sie ausdrücklich, die deutschen Ostgebiete nicht als Teil der Sowjetischen Besatzungszone zu betrachten, und sie stimmten auch der »Überführung der deutschen Bevölkerung oder Bestandteile(n) derselben« aus diesen Gebieten zu – freilich erst, nachdem Stalin wiederholt behauptet hatte, die übergroße Mehrheit der Deutschen habe diese Landesteile ohnehin in Richtung Westen verlassen.

Grundsätzliches Einverständnis zeigten die Westmächte auch mit dem sowjetischen Verlangen nach Wiedergutmachung ihrer immensen Kriegsopfer, strittig aber blieb die Höhe der von Deutschland insgesamt zu verlangenden Wiedergutmachungsleistungen, der Reparationen. Zwar waren bereits in Jalta Zahlen diskutiert und eine ungefähre Verhandlungsbasis genannt worden (Gesamtsumme: 20 Milliarden Dollar, sowjetischer Anteil: 50 Prozent), eine verbindliche Übereinkunft aber hatte man nicht fixiert. Speziell in Großbritannien, aber auch in den USA war noch die Erinnerung an die Folgen lebendig, die aus den Versailler Reparationsverpflichtungen sowohl ökonomisch als auch politisch entstanden waren. 20 Milliarden Dollar erschienen beiden Mächten als eine zu hohe Belastung, als Gefahr überdies für die eigenen Budgets, die – vor allem das britische – schon durch den Krieg strapaziert waren und nun nicht auch noch die Finanzierung der Deutschen tragen sollten.

Stalin indes hielt in Potsdam an der Überlegung von Jalta fest. Auszuhandeln war deshalb ein Kompromiß, und was schließlich verabredet wurde, hatte mit den zuvor formulierten Grundsätzen nur wenig gemeinsam: Obwohl unklar geblieben war, welche Gesamtsumme von Deutschland gefordert werden sollte, billigten die Mächte einander das Recht zu, ihre Reparationsansprüche aus ihren Besatzungszonen zu befriedigen. Und obwohl strittig blieb, auf welchem industriellen Niveau Deutschland künftig zu produzieren hatte (bestimmt worden war lediglich, das »Hauptgewicht auf die Entwicklung der Landwirtschaft und der Friedensindustrie für den inneren Bedarf« zu legen; einen entsprechenden »Industrieplan« legte der Kontrollrat erst im März 1946 vor), formulierten die Mächte doch schon recht konkret: Der Sowjetunion wurden über die Industrieanlagen hinaus, die sie aus ihrer eigenen Besatzungszone entnehmen konnte, 25 Prozent der Ausrüstungen zugestanden, die – soweit »für die Friedensproduktion unnötig« – »aus den westlichen Besatzungszonen zu entnehmen sind«. 60 Prozent dieser Lieferungen aus den Westzonen waren an entsprechende »Exporte« aus der SBZ in Form von Nahrungsmitteln, Kohle, Holz usw. gebunden, die übrigen sollten ohne Gegenleistung überstellt werden. Mit dieser pragmatischen Regelung durchlöcherten die Siegermächte das eben erst formulierte Ziel der Wirtschaftseinheit, und indem sie dies riskierten, verringerte sich auch die Chance, das Land künftig als politische Einheit zu behandeln.

Daß dieser Intention im Kalkül der Sieger ein unterschiedlicher Wert zukam, war freilich schon in den Monaten zwischen der Besetzung und der Potsdamer Konferenz offenbar geworden. In dieser Zeit hatten die Besatzungsmächte in ihren Herrschaftsgebieten unterschiedliche Entwicklungen in Gang gesetzt, zumeist ohne einander zu konsultieren und häufig auch ohne längerfristige Planung. Dieses Neben- und zuweilen Gegeneinander der Sieger zeigte sich besonders deutlich in der Reaktion Frankreichs auf die Potsdamer Übereinkünfte. Die provisorische französische Regierung unter General de Gaulle, aufgefordert, dem Potsdamer Abkommen beizutreten, tat dies zwar, erhob aber sofort Einspruch gegen die Verabredung der Partner, fünf deutsche »zentrale Verwaltungsabteilungen«, später häufig Zentralverwaltungen genannt, zu bilden, die unter der Leitung deutscher Staatssekretäre auf der Grundlage von Kontrollratsbeschlüssen und unter dessen Aufsicht Verantwortung tragen sollten für das Finanz-, Transport- und Verkehrswesen, für den Außenhandel und die Industrie. Frankreich betonte so sein Interesse an möglichst dezentralen politischen Strukturen in Deutschland, und dieses wiederum basierte auf dem Wunsch nach Wiedergutmachung und territorialem Zugewinn (das Saargebiet und Teile der Rheinlande, wenn möglich).

Das französische Veto, das erste in einer langen Reihe, blokkierte die Möglichkeit einer zumindest institutionellen Verklammerung der Besatzungsgebiete. Doch nicht nur französische Politik verhinderte, was in Potsdam, freilich vorsichtig, formuliert worden war: »Soweit dieses praktisch durchführbar ist, muß die Behandlung der deutschen Bevölkerung in ganz Deutschland gleich sein.« Auch die anderen Mächte folgten ihren Interessen und ihrem Verständnis von einer richtigen Politik gegenüber Deutschland. Und beides war nicht zuletzt bestimmt von ihrer eigenen Betroffenheit durch die deutsche Politik während des Krieges bzw. in der Okkupationszeit. Diese Betroffenheit und häufig nicht rationales Kalkül war es, die höchst unterschiedliche Bilder vom »Deutschen« bewirkte, sie war es, die das Verhalten von Besatzungsbehörden und Soldaten zumindest mitbestimmte, sie war es auch, die den Maßstab für die Beurteilung dessen lieferte, was dem geschlagenen Aggressor noch oder nicht mehr zuzumuten sei. Daneben jedoch trat bei politischen Entscheidungen immer stärker auch ein taktisches Moment hervor, vor allem im Verhältnis zwischen den Westmächten und der Sowjetunion.

Beide Seiten hatten in den vier Jahren ihrer Kriegsallianz niemals vergessen, wie spannungsreich ihre Beziehungen zuvor gewesen waren. Sie hatten dem Partner stets zugetraut, eventuell doch einen Sonderfrieden mit dem nazistischen Deutschland zu schließen, hatten noch während der Kriegszeit die Dauerhaftigkeit des Bündnisses bedacht und sich (speziell Großbritannien) auf das Wiederaufleben der alten Konflikte eingestellt. So sehr in der Sowjetunion der moderate Roosevelt die Hoffnungen auf einen längerfristig haltbaren Modus vivendi gestärkt hatte, so sehr war mit seinem Tode und der Nachfolge Trumans im April 1945 die Sorge gewachsen, das Bündnis werde mit Kriegsende auseinanderfallen. Kaum positivere Wirkung hatte der Regierungswechsel in London noch während der Potsdamer Konferenz. Zwar folgte auf den Konservativen Churchill der Labour-Premier Clement Attlee, doch in ihrem (bei Labour auch innenpolitisch bedingten) Antikommunismus unterschieden sich beide kaum. Vorerst wurden diese Spannungen noch von den Konflikten mit Frankreich überschattet, schon bald aber bestimmten sie das Klima zwischen den Siegermächten. Und das um so mehr, als die Sowjetunion in ihrer Besatzungszone mit den tiefstgreifenden politischen und sozialen Umwälzungen begann, die im Nachkriegsdeutschland auf den Weg gebracht wurden.

Das wesentliche organisatorische Instrument, dessen sich die Sowjetführung bei dieser Politik bediente, war die auf Anordnung des Rates der Volkskommissare vom 6. Juni 1945 gebildete Sowjetische Militäradministration in Deutschland (SMAD). Sie selbst teilte am 9. Juni in ihrem Befehl Nr. 1 ihre Gründung mit und beschloß einen Monat später die Bildung von Militärverwaltungen in den Ländern und Provinzen der SBZ. An der Spitze der SMAD stand als »Oberster Chef« der Oberbefehlshaber der sowjetischen Besatzungstruppen. Bis zum April 1946 war es Marschall Georgij K. Schukow. Sein Nachfolger bis Ende März 1949 wurde Schukows bisheriger Stellvertreter, der zum Marschall beförderte Wassili D. Sokolowski. Auf diesen folgte Armeegeneral Wassili I. Tschuikow. Er blieb auch nach der Gründung der DDR und der ihr folgenden Umwandlung der SMAD in die Sowjetische Kontrollkommission deren Chef und wurde erst im Frühsommer 1953 von Wladimir S. Semjonow abgelöst. Der Diplomat Semjonow war bald nach der Bildung der SMAD zum Politischen Berater des Obersten Chefs berufen worden, und in dieser Funktion unterstand ihm zunächst die Leitung der gesamten Politischen Verwaltung. Er und Oberst Sergej I. Tjulpanow, der als Chef des Parteiaktivs (des Kerns der Parteiorganisation) der SMAD einer der wichtigsten KPdSU-Funktionäre der Behörde wurde, waren wohl die Persönlichkeiten, die die Politik der SMAD am nachhaltigsten bestimmten und zugleich (vor allem Tjulpanow) den stärksten Einfluß auf die politische Entwicklung des Besatzungsgebietes nahmen. Denn in ihre unmittelbare Verantwortung fiel die Anleitung und Kontrolle aller politischen Aktivitäten der Deutschen.

Wesentliche Hilfe erfuhr die sowjetische Armee hierbei durch die deutschen Kommunisten. Bereits in den letzten Apriltagen war die erste »Initiativgruppe« des seit 1939 in Moskau arbeitenden Zentralkomitees (ZK) der KPD in Berlin eingetroffen. Sie wurde von Walter Ulbricht – Mitglied des Politbüros und nach Wilhelm Pieck, dem KPD-Vorsitzenden, einflußreichster Funktionär der Emigrationsführung – geleitet. Zu ihr gehörten mehrere für die Arbeit im Nachkriegsdeutschland vorbereitete Spitzenfunktionäre und Organisationshelfer. Sie begannen, unterstützt von der Roten Armee, in Berlin mit dem Aufbau einer einheitlichen Stadtverwaltung, sammelten die Reste der Partei und suchten erste Kontakte mit bürgerlichen Politikern der Weimarer Jahre. Ähnlich zusammengesetzt waren zwei weitere Gruppen, die den Stäben der großen sowjetischen Armee-Einheiten, den »Fronten«, im Süden und Norden zugeordnet waren. Die im Raum Dresden tätige wurde von Anton Ackermann geleitet, einem jüngeren Funktionär, der während der Emigration vor allem als Parteipropagandist und Ideologieexperte Karriere gemacht hatte und zum Kandidaten des Politbüros aufgestiegen war. Die im Norden, in Mecklenburg-Vorpommern, operierenden ZK-Emissäre arbeiteten unter Führung von Gustav Sobottka, der vor 1933 als Funktionär in der kommunistischen »Revolutionären Gewerkschaftsopposition« (RGO) und 1943 in der Sowjetunion wie Ulbricht und Ackermann an der Gründung des »Nationalkomitees ›Freies Deutschland‹« (NKFD) mitgewirkt hatte. Auch diese Gruppen sammelten zuverlässige Kader, setzten in ihrem Wirkungsbereich Bürgermeister und Landräte ein und schufen erste lokale und regionale Verwaltungen.

Unterstützt wurden sie von »Frontbeauftragten« des NKFD, die in den Stäben der Fronten als Agitatoren, Dolmetscher und Parlamentäre gearbeitet hatten. Sie und andere Absolventen sowjetischer »Antifaschulen« in den Kriegsgefangenenlagern bildeten den Kaderstamm, auf den sich die Sowjetkommandanten und die Initiativgruppen stützen konnten. Ergänzt wurde er durch NKFD-Mitarbeiter, die zwischen Mai und Juni 1945 aus der Sowjetunion eingeflogen wurden und für spezielle Aufgaben (etwa die Herausgabe der ersten Zeitungen, die Anregung und Kontrolle des Kulturlebens) vorbereitet worden waren. Nachwuchs wurde noch während der letzten Kriegstage gesichtet und ausgebildet, in Antifaschulen unmittelbar hinter den Fronten und später in entsprechenden Einrichtungen der

SMAD. Das enge Zusammenwirken der Besatzungsmacht mit den Funktionären einer Partei, die seit dem Ende der zwanziger Jahre fest der Sowjetunion und ihrer wechselnden Politik verpflichtet war, stattete einerseits die Kommunisten schon sehr früh mit weitreichender Macht aus, verschaffte andererseits der SMAD die Informationen, die sie für ihre Politik in Deutschland benötigte.

Der Aufbau der SMAD entsprach in seiner funktionellen Gliederung dem des Kontrollrates. So wie dort waren auch hier Ressorts für die wichtigsten Administrationsbereiche gebildet, allerdings einer anderen Hierarchie zugeordnet worden. Unter der Oberaufsicht des »Obersten Chefs« arbeiteten in der SMAD zunächst vier »Verwaltungen«, die von den Chef-Stellvertretern, seinen so genannten »Gehilfen« bzw. dem Politischen Berater geleitet wurden. Diese Verwaltungen gliederten sich in Abteilungen. So umfaßte die Verwaltung für »ökonomische Fragen« z. B. Ressorts für Industrie, Landwirtschaft, Handel und Versorgung, Reparationen und Finanzen, die Verwaltung für »Zivilangelegenheiten« solche für innere Angelegenheiten und Gesundheitswesen; die »Militärverwaltung« war in Verantwortungsbereiche für die Land-, See- und Luftstreitkräfte unterteilt, und zur »Politischen Verwaltung« gehörten Abteilungen für Rechtsfragen, Volksbildung (einschließlich Kultur) und schließlich die Politische Abteilung. Dieser SMAD-Bereich ging bald nach der Gründung der Militärregierung in der »Verwaltung für Propaganda« (später: »Informationsverwaltung«) auf. Zu ihrem Leiter wurde Oberst (später Generalmajor) Tjulpanow berufen.

Die Anleitung der SMAD erfolgte direkt durch das sowjetische Politbüro bzw. durch den Rat der Volkskommissare (später: Ministerrat) oder – in allen Fragen von internem politischen Belang – durch die »Politische Hauptverwaltung« der Armee. Die Militärregierung selbst setzte ihre Weisungen über die fünf regionalen Militärverwaltungen und die nachgeordneten 664 Stadt- und Ortskommandanten durch. Zur Vereinheitlichung ihrer Politik sollte der »Kommandanturdienst« beitragen, er wirkte über einen Stab von Instrukteuren, die gleichsam »vor Ort« tätig werden konnten. Insgesamt verfügte die SMAD über mehr als 50 000 Mitarbeiter. Daß ein einheitlicher Vollzug der SMAD-Richtlinien häufig durch das Eingreifen von Moskauer Dienststellen erschwert wurde, die mit Sondervollmachten ausgestattete Emissäre in der SBZ operieren ließen, ist wiederholt berichtet worden. Es waren dies zumeist Reparationskommandos und Abgesandte des Staatssicherheitsdienstes. Weniger gut belegt sind dagegen die in der Literatur geäußerten Vermutungen über SMAD-interne Auseinandersetzungen um deutschlandpolitische Konzepte. Erwähnt werden zumeist unterschiedliche Intentionen von Semjonow, dessen eher moderater Kurs dem des Moskauer Sicherheitschefs Lawrentij P. Berija zugerechnet wird, und Tjulpanow, der stärker dem offensiveren KPdSU-Führer Andrej A. Schdanow angehangen habe. Ein Niederschlag dieses vermuteten Dissens in der unmittelbaren Besatzungspolitik läßt sich freilich nicht exakt nachweisen.

Ihre Weisungen faßte die Militärregierung grundsätzlich in die Form von Befehlen. Sie wurden bei Fragen von zonaler Bedeutung von der Zentrale in Berlin-Karlshorst, für regionale Angelegenheiten von den sowjetischen Länder-Verwaltungen erteilt. Allein Karlshorst erließ, das ermittelten DDR-Historiker, während der Gesamtzeit der SMAD-Tätigkeit 1134 Befehle. Inhaltlich erfaßt wurden bislang nur 646, die Zielrichtung der Mehrheit ist also bekannt; sie regelten u. a. Fragen der Industrie (289), der Landwirtschaft (140) und der Volksbildung (70). Die meisten Befehle ergingen 1946 (361), das waren im Monat etwa 30; zwischen 1945 und 1949 betrug die durchschnittliche Monatsproduktion 21,81.

Um »dem deutschen Volk klarzumachen, daß die Verantwortung für (die) Verwaltung und deren Versagen« auf dem deutschen Verwaltungsapparat »ruhen wird« – so hatten es die Sieger in Potsdam formuliert – sollten deutsche Behörden geschaffen werden, denen speziell die Aufgabe zukam, die Siegermächte bei der wirtschaftlichen Kontrolle des Landes zu unterstützen. An diesen Konsens alliierter Nachkriegspolitik hielt sich auch die Sowjetunion. Sie schuf zunächst Organe auf der Verwaltungsebene der Länder und (preußischen) Provinzen. Für Sachsen, Mecklenburg-Vorpommern und die Provinz Brandenburg wurden Landes- bzw. Provinzialverwaltungen am 4. Juli eingerichtet, in Thüringen und der Provinz Sachsen am 16. Juli 1945. Als Präsidenten berief die SMAD Politiker, die vor 1933 der SPD angehört oder im bürgerlichen Lager gestanden hatten: Sozialdemokraten in Brandenburg (Karl Steinhoff), Mecklenburg-Vorpommern (Wilhelm Höcker) und Sachsen (Rudolf Friedrich), den früheren Deutschen Demokraten Friedrich Hübener in der Provinz Sachsen und den Parteilosen Rudolf Paul (der 1946 der SED beitrat, aber 1947 die SBZ verließ) in Thüringen. Paul trat dort die Nachfolge des Sozialdemokraten Hermann L. Brill an, den die amerikanischen Besatzungstruppen zum Regierungspräsidenten bestellt hatten, eine Entscheidung, der die nachrückende Sowjet-Armee aber nicht folgen wollte. In keinem Land und in keiner Provinz der SBZ stand damit ein Kommunist an der Spitze der ersten neuen Behörden. Vermittelt wurde der Eindruck eines ungewöhnlich ausgewogenen Demokratieverständnisses, das die Verteilung der politischen Kräfte im nichtnationalsozialistischen Lager der Weimarer Republik sorgsam beachtete. Unmittelbar unterhalb der repräsentativen Spitzenposition aber bot sich ein anderes Bild. Alle ersten Vizepräsidenten wurden von der KPD gestellt. Und diese waren überall verantwortlich für die »inneren Angelegenheiten«. Zu ihnen zählten nicht nur die Polizei und das Personalwesen, sondern auch die Zuständigkeit für die Entnazifizierung, die Bodenreform und die beginnende Enteignung der großen Industriebetriebe. Mit der Kompetenzbreite dieser Funktionen und der Berufung zuverlässiger Kader schuf sich die Militärregierung ein wichtiges Instrument zur Durchsetzung ihrer Politik in den Ländern.

Personalpolitisch offener agierte die SMAD bei der Besetzung von Spitzenpositionen in den seit Juli 1945 gebildeten (zunächst elf, dann – bis 1947 – siebzehn) Deutschen Zentralverwaltungen, die für den gesamten Zonenbereich zuständig waren. Mit der Leitung der wichtigsten betraute sie Kommunisten, so bei den Zentralverwaltungen für Industrie, Landwirtschaft, Finanzen, Arbeit und Sozialfürsorge und, selbstverständlich, auch bei der 1946 entstehenden »Deutschen Verwaltung für Inneres«. Fünf andere, die für Verkehr, Handel und Versorgung, Interzonen- und Außenhandel, Gesundheitswesen und Statistik wurden von Sozialdemokraten bzw. ehemaligen SPD-Mitgliedern geleitet, und drei entfielen auf bürgerliche Fachleute bzw. Politiker: die Zentralverwaltungen für Justiz, Brennstoff und Post- und Fernmeldewesen. Die Aufgabenbereiche dieser Behörden entsprachen denen der SMAD-Verwaltungen, und sie fungierten als deren unmittelbare Vollzugsorgane. Bereits Ende 1945 existierte damit ein dichtes Netz von zentralen, für den gesamten Bereich der Besatzungszone zuständigen Ämtern, die schon sehr früh begannen, Aufgaben der Länder- und Provinzialverwaltungen an sich zu ziehen, und mithin die föderative Gliederung der Besatzungszone überlagerten.

Auch mit Blick auf die Zentralverwaltungen verweisen DDR-Historiker gern auf das Potsdamer Abkommen. Sie betonen, die SMAD habe sich beim Aufbau dieses Behördenapparates von dessen Zielsetzung leiten lassen. Nicht berücksichtigt wird in dieser Deutung freilich, daß die Gründung der Landes- und der Zentralverwaltungen vor Potsdam erfolgte, also einen Vorgriff auf alliierte Übereinkünfte darstellte, und daß diese Institutionen nur in einer ihrer Funktionen, der Realisierung von Besatzungspolitik durch deutsche Verwaltungen, den in Potsdam genannten Zwecken gerecht wurden, ansonsten aber nicht dazu beitrugen, Deutschland als wirtschaftliche und politische Einheit aufrechtzuerhalten.

Industrie und Landwirtschaft

Nach DDR-Berechnungen, die im wesentlichen von westlichen bestätigt werden, hatten auf dem Territorium der späteren DDR etwa 30 Prozent des gesamtdeutschen Industriepotentials (Deutschland in den Grenzen von 1945) ihren Standort. Wiederum nach DDR-Angaben waren durch Bombardements und andere direkte wie indirekte Kriegseinwirkungen etwa 40 Prozent des industriellen Potentials zerstört. Zudem war die Industrie dieser Region bis 1945 eng mit der westdeutschen sowie der (alten) ostdeutschen Wirtschaft verflochten. Sie hatte ihre wesentlichen Rohstoffe (Steinkohle, Eisenerz, Stähle wie andere Halbfabrikate) aus dem Osten oder Westen bzw. über den Außenhandel bezogen und einen Großteil ihrer Produkte in die anderen deutschen Gebiete zurückgeliefert. Dieser innerdeutschen Arbeitsteilung entsprachen (und entsprechen weithin noch) die Verkehrswege. Sie verliefen in der Mehrzahl (Straßen, Eisenbahnlinien, Kanäle) in Ost-West-Richtung.

Nach der nahezu vollständigen Unterbrechung des Warenaustauschs im Jahre 1945 glich die Wirtschaft der SBZ einem Torso. Dieses Faktum wird in der DDR-Literatur mit dem Begriff »Disproportionen« umschrieben. Besonders problematisch war der hohe Anteil der Leichtindustrie an der industriellen Produktion und die schwache schwerindustrielle Basis angesichts einer entwickelten Metallverarbeitung. Diese historisch gewachsenen Disproportionen des mitteldeutschen Wirtschaftsraumes werden zunächst weder in einer Betrachtung des Industrialisierungsgrades oder im Verhältnis von industrieller-, landwirtschaftlicher- und Dienstleistungsproduktion deutlich.

Ein innerdeutscher Vergleich der Anteile der Wirtschaftsbereiche an der Wertschöpfung vermittelt vielmehr den Eindruck einer weithin ausgewogenen und gleichartigen Struktur beider Gebiete[1]:

Wirtschaftsbereich	Wertschöpfung 1936	
	DDR	BRD
Landwirtschaft	19,5	16,2
Industrie und Handwerk	57,8	60,1
Handel/Verkehr/Dienstleistungen	22,7	23,1

Betrachtet man hingegen die Struktur der industriellen Produktion – wiederum im gesamtdeutschen Bezugssystem und wiederum für das Jahr 1936 – so ergibt sich ein anderes Bild. Zwar produzierte das Gebiet der späteren DDR speziell in den Bereichen der metallverarbeitenden Industrie hohe Quoten:

Wirtschaftszweig	DDR-Anteil (in Prozent)[2]
Werkzeugmaschinenbau	49,7
Fahrzeugindustrie	25,7
Textilmaschinen	55,5
Armaturen-Industrie	45,4
Elektrotechnik	61,6
Feinmechanik/Optik	57,5

Zur gleichen Zeit aber war ihr Anteil an der Produktion der Grundstoffindustrien gering oder durch eine eigene Rohstoffbasis kaum abgesichert.

Wirtschaftszweig	DDR-Anteil (in Prozent)[3]
Eisenschaffende Industrie	7,3
Eisen-, Temper-Stahlguß	21,7
Metallgießereien	30,3

Denn diese Produktion basierte nur zum kleineren Teil auf eigenen Ressourcen. 1936 wurden in der späteren DDR nur geringe Mengen industriell unmittelbar verwertbarer natürli-

---

[1] Werner Bosch, Marktwirtschaft – Befehlswirtschaft. 2. Aufl. Heidelberg 1961, S. 207. Siehe auch Werner Abelshauser, Die Wirtschaft in Westdeutschland 1945–1948. Stuttgart 1975, S. 80.

[2] Nach Hans Müller und Karl Reißig, Wirtschaftswunder DDR. Berlin (DDR) 1968, S. 32.

[3] Ebd.

cher Rohstoffe gefördert: 2,9 Prozent der gesamtdeutschen Steinkohle- und 5,4 Prozent der deutschen Eisenerzförderung. Die einzigen natürlichen Rohstoffe, über die das Gebiet 1936 wie 1945 in reichem Maße verfügte, waren Braunkohle (DDR-Anteil: 61,1 Prozent) und Kalisalze (70 Prozent), wobei die Braunkohle nur bedingt industriell verwertbar war und deshalb vor allem als Energieträger etwa bei der Produktion von Schwerchemikalien diente. Ähnlich problematisch stellte sich die Situation im Bereich der Baumaterialien dar:

Produkt	Jahr	DDR-Anteil (in Prozent)[4]
Gebrannter Kalk *lime*	1937	18,2
Zement	1938	15,3
Mauerziegel *brick*	1938	38,9
Gebrannter Gips	1950	15,5

Dagegen war der DDR-Anteil an der Produktion der Leichtindustrie 1936 überproportional hoch:

Branche	DDR-Anteile (in Prozent)[5]
Kunstseide/Zellwolle	65,4
Wirk- und Strickwaren	64,7
Bekleidungsindustrie	56,8

In einigen Bereichen lagen die Quoten noch höher. So waren dort 100 Prozent der Feinstrumpf- und 75 Prozent der Grobgarn-Kapazitäten konzentriert, und die Zuckerfabriken lieferten 70 Prozent der gesamtdeutschen Produktion.

Die genannten Zahlen bedürfen freilich wegen der Kriegsschäden und der Reparationen der Korrektur. Die Kriegszerstörungen verursachten in der Industrie Kapazitätseinbußen, die nach DDR-Angaben beim Maschinenbau 65 Prozent, bei den Kraftwerken 50 Prozent[6], bei den KfZ-Betrieben bis zu 60 Prozent[7] ausmachten und bei den Herstellern von Ausrüstungen für Zementfabriken zwischen 80 und 85 Prozent lagen,

[4] Wirtschaftszahlen aus der SBZ. 4. erw. u. erg. Aufl., Bonn, Berlin 1964, S. 79.

[5] Müller, Reißig, Wirtschaftswunder DDR, S. 32.

[6] Beide Zahlen nach: Werk der Millionen. Hrsg. v. Institut für Gesellschaftswissenschaften beim ZK der SED. Berlin (DDR) (1969), S. 10.

[7] Industrie und Technik in der Deutschen Demokratischen Republik 1945–1955. Beiträge zur Entwicklung des Bergbaus, der Metallurgie und des Maschinenbaus. Hrsg. von Alfons Kauffeldt u. a., Berlin (DDR) 1960, S. 85 ff.

Anlagen, deren Produktion angesichts der Zerstörungen insbesondere der städtischen Wohngebiete (25 Prozent des Wohnraums)[8] besonders dringend benötigt wurde.

Geht man von der Richtigkeit der DDR-Zahlen aus, dann war das Industriepotential der DDR durch unmittelbare Kriegseinwirkungen 1945 auf ca. 60 Prozent seiner einstigen Leistungsfähigkeit geschrumpft. Rechnet man zu diesen Einbußen die Verluste durch Demontagen hinzu – nach DDR-Angaben sind 676 Betriebe total, nach westlichen Berechnungen 1225 ganz oder teilweise demontiert worden –, dann bedeutet dies, daß das verbleibende Industriepotential noch einmal erheblich geschwächt wurde: nach westlichen Berechnungen um 40 Prozent der Leistungsfähigkeit. Addierte man beide Verlustquoten, ergäbe sich eine Minderung der industriellen Leistungsfähigkeit des Gebiets um etwa 80 Prozent. Freilich ist eine solche Rechnung schon deshalb problematisch, weil ost- und westdeutsche (bzw. westliche) Angaben offenbar auf unterschiedlichen Basisjahren fußen. Während die wenigen DDR-Veröffentlichungen auf die Nennung des Jahres, auf das sich ihre 40-Prozent-Verlust-Rechnung (Kriegsschäden) bezieht, überhaupt verzichten, gehen westliche Autoren davon aus, daß die industrielle Kapazität der späteren DDR durch Verluste infolge von Bombardements und Bodenkrieg bei Kriegsende auf die des Jahres 1936 abgesunken sei, daß also »nur die zusätzlichen Investitionen von 1936 bis 1944 zerstört wurden«[9]. Diese Investitionen hatten bis Ende 1944 zu einer rüstungs- und kriegsbedingten Steigerung der industriellen Bruttoproduktion geführt, die nach Angaben Gleitzes 44,7 Prozent, nach DDR-Veröffentlichungen etwa 50 Prozent der Produktion von 1936 betrug, zwischen 1939 und 1944 freilich mit einem Rückgang der Verbrauchsgüter-Produktion um 28 Prozent (nach westlichen Berechnungen) bzw. 29,4 Prozent (nach DDR-Angaben) einherging[10].

[8] Tafelwerk zum Buch Politische Ökonomie des Sozialismus und ihre Anwendung in der DDR. Hrsg. v. d. Parteihochschule »Karl Marx« beim ZK der SED. Berlin (DDR) 1970, Tafel 2/9.

[9] J. Peter Nettl, Die deutsche Sowjetzone bis heute. Frankfurt a. M. 1953, S. 125.

[10] Bruno Gleitze, Ostdeutsche Wirtschaft. Berlin (DDR) 1956, S. 11. Für die DDR-Angaben vgl. Werner Krause, Die Entstehung des Volkseigentums in der Industrie der DDR. Berlin (DDR) 1958, S. 39 und Tafelwerk zum Buch Politische Ökonomie des Sozialismus, Tafel 2/3. Da Ost- wie West-Autoren den Wert der industriellen Bruttoproduktion des späteren DDR-Territoriums für 1946 mit 42 Prozent des Wertes von 1936 angeben, ergibt eine Rückrechnung der Zahlen

Zudem sind bei der Beurteilung der Stichhaltigkeit der Angaben beider Seiten auch deren Motive zu berücksichtigen. Die SED legt politischen Wert darauf, im Interesse der von ihr propagierten deutsch-sowjetischen Freundschaft die Höhe der durch die Demontagen entstandenen Verluste möglichst gering zu veranschlagen. In die DDR-Angaben über die Verluste durch Kriegseinwirkungen mag daher auch ein Teil der Minderung des Potentials durch die Demontagen eingegangen sein. Die westdeutschen wie die westlichen Berechnungen dagegen waren durch das gleichfalls politisch motivierte Bemühen geprägt, den Anteil des von der Sowjetunion verursachten Substanzverlustes möglichst hoch anzusetzen. Deshalb ist anzunehmen, daß in ihren Zahlen auch Schäden oder Einbußen durch Krieg und Bombardements enthalten sind.

In der DDR ist zur Frage der Demontagen bislang weder zusammenfassendes Zahlenmaterial noch eine Spezifizierung der Demontageverluste nach einzelnen Branchen veröffentlicht worden. Die wenigen publizierten Angaben ergeben nur wenig verläßliche Hinweise. Allgemein wird mitgeteilt, daß aufgrund der Demontagen etwa im Bereich der eisenschaffenden Industrie alle rüstungsrelevanten Stahlwerke, wie die in Brandenburg, Gröditz, Döhlen, Unterwellenborn (teilweise), Riesa und Hennigsdorf ebenso demontiert worden sind wie »Teile der elektro-metallurgischen Betriebe«. Allein die »übrigen Betriebe der Maxhütte und das Eisenwerk Thale blieben bestehen«[11]. Ähnlich unpräzise Angaben sind für die Gießereibetriebe veröffentlicht worden: »Zu einer bescheidenen Wiedergutmachung der von der faschistischen Wehrmacht in der Sowjetunion angerichteten Verwüstungen mußte auch die Gießereiindustrie ihren Teil beitragen. So wurden noch brauchbare Einrichtungen einer Reihe von Betrieben demontiert.« Erst im Februar 1946 war es freilich der Maxhütte wieder möglich, den noch funktionstüchtigen Gießereien, die sich bis dahin mit der Produktion von Ofenrosten, Gaskochern und Schrotmühlen zu behelfen versucht hatten, Roheisen zu liefern[12]. Rund 26 Prozent der Kapazität des Jahres 1936 betrugen die Demontagen im Bereich des

---

bei Krause den oben angegebenen Wert für 1944. Horst Barthel, Die wirtschaftlichen Ausgangsbedingungen der DDR. Zur Wirtschaftsentwicklung auf dem Gebiet der DDR 1945–1949/50. Berlin (DDR) 1979, S. 31, dagegen geht von einem Rückgang um nur 12 Prozent aus.

[11] Industrie und Technik, S. 89.
[12] Ebd., S. 116f.

für die Braunkohleförderung wichtigen Zweiges des Fördermittel- und Stahlbaus[13] und von den »11 entscheidenden Betrieben des Schienenfahrzeugbaus ...wurden 7 demontiert«. Doch auch in den restlichen vier Werken konnte aufgrund des Fehlens von Vorfabrikaten mit der Produktion nicht begonnen werden. »Später konnten dann einige Betriebe zur Reparatur von Schienenfahrzeugen übergehen.«[14] Doch Schienenfahrzeuge wurden trotz der Demontage von 5500 km Schienenweg (3700 km ehedem zweigleisige Strecken blieben nur eingleisig erhalten) und 35 Prozent aller Weichen dringend benötigt, denn die Reichsbahn verfügte noch 1946 nur über 30 bis 40 Prozent[15] ihrer Vorkriegskapazität.

Lassen mithin die DDR-Angaben nur vage Vermutungen über die tatsächlichen Verluste durch Demontagen zu, so zeichnen sich die westlichen Berechnungen durch Breite – und partielle Widersprüchlichkeit aus. Ende der vierziger Jahre errechneten verschiedene Autoren folgende Kapazitäts-Verluste für einzelne Branchen, die sowohl Kriegsverluste als auch Demontage einbezogen:

Demontagen und Kriegsschäden in der SBZ Ende 1946[16]

Industriezweig	Demontagen der Kapazität von 1936 (in Prozent)		Totalverlust durch Kriegsschäden und Demontagen der Kapazität von 1936 (in Prozent)	
	deutsche Schätzung	Manchester Guardian	deutsche Schätzung	Manchester Guardian
Eisengießereien und Hüttenindustrie	50–55	80	50–55	80
Schwere Maschinenindustrie	55–63	55	80	80

[13] Ebd., S. 214.
[14] Ebd., S. 269.
[15] Nettl, Deutsche Sowjetzone, S. 165 ff.
[16] Nach: G. W. Harmsen, Reparationen, Sozialprodukt, Lebensstandard. Versuch einer Wirtschaftsbilanz. Heft 4, Bremen 1948. Woher die deutschen Schätzungen stammen, wurde von Harmsen nicht angegeben. Der Manchester Guardian Weekly (20. 3. 1947) berief sich – lt. Harmsen – auf amtliche Unterlagen der deutschen Verwaltung der SBZ. Diese Schätzungen liegen auch den Berechnungen von Nettl und Duhnke zugrunde.

Industriezweig	Demontagen der Kapazität von 1936 (in Prozent)		Totalverlust durch Kriegsschäden und Demontagen der Kapazität von 1936 (in Prozent)	
	deutsche Schätzung	Manchester Guardian	deutsche Schätzung	Manchester Guardian
Kraftfahrzeugindustrie	55–63	55	80	75
Elektroindustrie	55–63	60	80	80
Elektrizitätsgewinnung	50–55	–	70	–
Feinmechanische und optische Industrie	55–63	60	80	75
Zementindustrie	–	40	–	50
Gipserzeugung	–	35	–	40
Glas und Keramik	40–50	35	60	50
Sperrholz	100	100	100	100
Zellstoff- und Papierindustrie	40–50	45	60	60
Andere Holzindustrie	30–35	15	40	35
Gummiwarenfabrikation	–	80	–	90
Schwefelsäureindustrie	50–55	60	70	65
Sodaindustrie	50–55	80	70	85
Stickstoffindustrie	50–55	60	70	65
Kunstfaser und Kunststoffindustrie	50–55	35	70	40
Kunstfasern	30–35	–	50	–
Textilindustrie	20–30	15	40	25
Lederwaren	20–30	25	30	30
Schuhindustrie	30–35	15	40	20

Was in diesen Kapazitätsberechnungen erscheint, wird zumindest in der Tendenz von der DDR-Wirtschaftsstatistik bestätigt. Nach Krause[17] waren in der SBZ-Industrie im letzten Quartal des Jahres 1945 gegenüber 1944 zwar wieder knapp 30 Prozent der Beschäftigten tätig, und es arbeiteten 27 Prozent

---

[17] Werner Krause, Die Entstehung des Volkseigentums in der Industrie der DDR. Berlin (DDR) 1958, S. 39.

der Betriebe. Sie produzierten jedoch nur 15,2 Prozent des Produktionswertes des Jahres 1944, und noch im ersten Quartal des Jahres 1946 lag der Produktionswert bei nur 20,9 Prozent der Produktion von 1944. Auch für Ende 1946 stimmen DDR-Angaben und westliche Berechnungen zumindest tendenziell überein. So errechnete Nettl[18] für 1946 einen Ausstoß in Höhe von 55 Prozent der Produktion von 1936, während nach DDR-Zahlen für das gleiche Jahr von etwa 42 Prozent des Produktionsstandes von 1936 auszugehen ist.

So wenig aussagekräftig derlei Angaben auch sein mögen, sie zeigen doch, daß zur Annahme eines hohen industriellen Entwicklungsstandes der materiellen Produktivkräfte nur wenig Anlaß besteht. Zwar verfügte die SBZ selbst 1945 noch über ein größeres industrielles Potential als die vorwiegend agrarisch strukturierten Länder Ost- und Südosteuropas (mit Ausnahme der CSR). Verglichen mit den industriell entwickelten Gesellschaften Westeuropas aber und verglichen auch mit den drei Westzonen war der Rückstand der SBZ erheblich. Und er konnte auch erst relativ spät – ab Mitte der fünfziger Jahre – verkürzt werden, weil die DDR erst 1953/54 von Reparationsleistungen an die Sowjetunion entbunden wurde.

Bis dahin hatte die SBZ direkt – aus der Produktion der deutschen – oder indirekt – aus der Produktion der 196 seit 1946 in Sowjetische Aktiengesellschaften (SAG) umgewandelten Betriebe (unter ihnen so bedeutende wie die Leunawerke, die Benzinhydrierungs-Anlagen in Böhlen und Espenhain und die Krupp-Gruson-Schwermaschinen-Fabrik in Magdeburg) – erhebliche Teile ihrer Produktion als Wiedergutmachungsleistungen in die Sowjetunion zu liefern und beträchtliche Summen für die Stationierung der Sowjet-Truppen aufzubringen. 1946 lag der Wert der Reparationslieferungen bei 50 Prozent der Gesamtausfuhr der DDR. Das führte zwar – wie die sächsische Landesbank im November 1945 mitteilte – dazu, »daß erhebliche Teile unserer Wirtschaft voll beschäftigt und mit Aufträgen auf Monate hinaus versehen sind«. Dieser kurzfristige Vorteil – die Sicherung von Arbeitsplätzen – führte jedoch zu einem langfristig wirkenden Nachteil, der verschiedentlich auch von DDR-Autoren betont wurde. So resümiert Krause[19]: »Selbstverständlich mußte die Zahlung von Reparationen aus der lau-

[18] Nettl, Deutsche Sowjetzone, S. 142.
[19] Zit. nach Krause, Entstehung des Volkseigentums, S. 104.

fenden Produktion bald aus einem die Wirtschaft belebenden Moment in einen den wirtschaftlichen Wiederaufbau hemmenden Faktor umschlagen, indem nämlich der Wirtschaft durch Reparationen Rohstoffe und Fertigwaren für den inneren Bedarf entzogen wurden. So betrugen z. B. die Ausgaben aus dem Haushalt des Bundeslandes Sachsen für Besatzungs- und Reparationszwecke im Jahre 1946 22,8 Prozent (688,3 Millionen RM).«

In welcher Höhe die SBZ durch die Entnahmen aus der laufenden Produktion und die Finanzierung der Besatzungstruppen belastet wurde, ist von DDR-Autoren bislang nur teilweise mitgeteilt worden. Nur für die Jahre 1948 bis 1950 wurden zusammenfassende Angaben veröffentlicht. Ihnen zufolge betrugen die Aufwendungen für die Reparationen und Lieferungen an die Besatzungsmacht 1948 = 15,6, 1949 = 12,4 und 1950 = 6,3 Prozent der industriellen Bruttoproduktion der SBZ/DDR, wobei im Jahre 1948 nach Ulbricht[20] 15,6 Prozent der Bruttoproduktion 25 Prozent der tatsächlichen Wertschöpfung (Nettoproduktion) ausmachte[21].

Was Ulbricht für das Jahr 1948 angab, wird von westlichen Autoren als durchschnittliche jährliche Belastung für den gesamten Zeitraum der Reparationspolitik angenommen. So gelangte Stolper[22] zu der Annahme, daß diese Belastung bis 1953 jährlich rund 25 Prozent der laufenden Industrieproduktion entsprach, während Gleitze[23] die Belastung auf mindestens 10, höchstens 20 Prozent der Industrieproduktion schätzte. Der erste sächsische Wirtschaftsminister und spätere führende Industriefunktionär der SED, Fritz Selbmann[24], der die Potsdamer Absprachen über die sowjetischen Reparationsforderungen fälschlich so interpretierte, als seien der Sowjetunion allein an Entnahmen aus der laufenden Produktion Waren im Werte von 10 Milliarden Dollar zugestanden worden (das war die Höhe

[20] Walter Ulbricht, Lehrbuch für den demokratischen Staats- und Wirtschaftsaufbau. 3. erw. Aufl., Berlin (DDR) 1950, S. 57.
[21] Zum Vergleich: nach eigenen Berechnungen betrug die Bruttoproduktion in dieser Zeit: 1948 = 15,94; 1949 = 24,69 Mrd. RM/DM.
[22] Wolfgang F. Stolper, Das Sozialprodukt der SBZ. In: Konjunkturpolitik 6 (1959), S. 355 ff.
[23] Bruno Gleitze, Niveauentwicklung und Strukturwandlung des Sozialprodukts Mitteldeutschlands. In: Konjunkturpolitik 6 (1959), S. 374 ff.
[24] Fritz Selbmann, Die UdSSR unterstützte den Wiederaufbau des Wirtschaftslebens. In: 20 Jahre danach. Deutsche Außenpolitik, Sonderheft 1/1965, S. 110 ff.

der sowjetischen Gesamtforderung), bezifferte die bis Ende 1953 an die Sowjetunion gelieferten Reparationsgüter mit einem Gegenwert von 4,272 Milliarden Dollar. Er zog aus der Differenz zwischen dieser Summe und den vermeintlich um ca. 5,3 Milliarden Dollar höheren Ansprüchen den Schluß, der DDR sei durch den Verzicht der SU eine »unschätzbare Hilfe zuteil geworden«. Nach westdeutschen Schätzungen hingegen betrug der Wert der Entnahmen aus der laufenden Produktion 34,7 Milliarden Mark. Da die Autoren von einer Dollar-Mark-Relation von 1 : 2,5 ausgehen, entspräche allein diese Summe einem Dollarwert von nahezu 13,9 Milliarden.

Verfügbar sind Angaben über den Anteil der SAG-Betriebe an der Bruttoproduktion der Industriezweige (in Prozent)[25]:

	1947	1948	1949	1950
Industrie insgesamt	19,5	22,0	21,9	22,6
Grundstoffindustrie:				
Energie	34,7	44,1	42,1	42,2
Bergbauerzeugnisse	33,4	33,5	36,9	37,6
chemische Erzeugnisse	54,0	56,7	54,8	57,8
Baumaterialien	15,3	15,8	14,5	12,9
metallverarbeitende Industrie:				
Maschinenbauerzeugnisse	39,4	28,0	29,6	26,4
elektrotechnische Erzeugnisse	39,6	40,8	38,3	36,2
feinmechanische und optische Erzeugnisse	35,5	26,8	20,0	25,5
Leichtindustrie:				
Textilindustrie	2,4	2,4	2,4	2,9
Zellstoff und Papier	–	6,4	6,1	5,8
Lebensmittelindustrie	–	–	–	0,2

Von der Produktion dieser Betriebe ging – nach Doernberg[26] – ein »bedeutender Teil . . . auf Reparationskonto in die Sowjetunion«, stand also nur ein weniger bedeutender Teil der SBZ zur Verfügung.

Daß Demontagen und Reparationen die SBZ erheblich belasteten, ist auch in den Jahren zwischen 1945 und 1953 wieder-

[25] Krause, Entstehung des Volkseigentums, S. 103.
[26] Stefan Doernberg, Die Geburt eines neuen Deutschland 1945–1949. 2. Aufl. Berlin (DDR) 1959, S. 436.

holt von KPD- bzw. SED-Funktionären betont worden. Gleichwohl bemühten sie sich, auch deren positive Wirkungen herauszustellen und die Kriegsfolgelasten im Westen Deutschlands höher zu veranschlagen als die eigenen.

1950 rechneten Parteiagitatoren im Parteischulungsblatt ›Sozialistische Bildungshefte‹ den SED-Mitgliedern vor, daß in der Bundesrepublik pro Jahr und Kopf 1950 Mark für Besatzungskosten aufzubringen seien, während in der DDR für Reparationskosten und »Aufwendungen für die sowjetischen Kontroll- und Besatzungsorgane« ein jährlicher Pro-Kopf-Betrag von nur 73 Mark anfalle. Dagegen errechnete Werner Bosch[27] 1961, »daß jeder westdeutsche Einwohner nach Abzug der Demontagen (aufgrund der Starthilfe durch den Marshall-Plan und durch private Zuwendungen, an Lebensmitteln, Kleidung und Ausrüstungsgegenständen) 140 DM-West als Starthilfe erhalten habe, während jeder mitteldeutsche Einwohner mit 2500 DM-Ost belastet worden« sei – allein durch die (von Bosch mit 45 Milliarden DDR-Mark bezifferten) Demontagen.

Unabhängig von der Prägnanz dieser Rechnung haben derlei Vergleiche mit der Entwicklung in den Westzonen das Bewußtsein der SBZ-Bevölkerung wohl eher bestimmt als die Versuche der SED, die Reparationspolitik der Sowjetunion zu rechtfertigen. Ganz sicher haben Demontagen und Entnahmen aus der laufenden Produktion nicht nur das »Verhältnis zwischen der Sowjetunion und Teilen der Bevölkerung der sowjetischen Besatzungszone . . . belastet«[28]. Sie waren auch mitbestimmend für das Verhältnis der SBZ-Bürger zur häufig als »Russenpartei« charakterisierten SED, und sie haben mithin die vom traditionellen Antikommunismus geprägten und durch die Begegnung mit der siegestrunkenen Roten Armee noch geförderten Ressentiments vieler Ostdeutscher nur noch bestärkt.

Stellten die Zerstörungen, Disproportionen, Demontagen und Reparationen im Bereich der industriellen Produktion die KPD/SED vor kaum lösbare politisch-ideologische Probleme, so konnte den ideellen Folgen der Niederlage auf dem Lande eher begegnet werden. Zwar war auch die SBZ-Landwirtschaft vom Kriege schwer betroffen. Nach DDR-Angaben waren die Viehbestände bei Rindern auf 65,7 bei Pferden auf 72,3 und bei Schweinen auf 20,7 Prozent der Bestände des Zeitraums

[27] Bosch, Marktwirtschaft, S. 199.
[28] Selbmann, Die UdSSR, S. 109.

1934–1938 zurückgegangen. Die Ernteerträge sanken 1946 auf 56 Prozent gegenüber 1936, und 30 Prozent aller landwirtschaftlichen Geräte sowie 40 Prozent aller Transportmittel (Traktoren etc.) waren zerstört. In Anbetracht dieser Situation war die Landwirtschaft der SBZ, die schon vor 1945 nicht fähig gewesen war, den gesamten Nahrungsmittelbedarf des Gebietes zu decken, außerstande, zu einer schnellen Verbesserung der Situation beizutragen.

Die Besitzverhältnisse auf dem Lande aber – die Bodenarmut der kleinen und mittleren Wirtschaften, die hohen Bodenanteile der großen Güter – boten gute Voraussetzungen für die Gewinnung der Landarbeiter, der Kleinst- und Kleinbesitzer durch eine Bodenreform.

Besitzstruktur in der Landwirtschaft (1939)[29]

ha	Zahl der Betriebe (in Prozent)	Anteil an der landw. Nutzfläche (in Prozent)
Unter 0,5	2,8	0,1
0,5 – unter 5	54,2	9,0
5 – unter 10	16,0	10,6
10 – unter 20	16,2	21,2
20 – unter 50	8,3	22,6
50 – unter 100	1,4	8,4
über 100	1,1	28,2

Aus Daten wie diesen leitete Doernberg[30] folgende »Klassenstruktur« auf dem Lande ab:

	1939 (in Prozent)
Klein- und Kleinstbauern	57,1
Mittelbauern	16,0
Großbauern	16,2
kapitalistische Wirtschaften	10,7

Die Sozialstruktur der SBZ

Vor 1933 lagen wesentliche Zentren der deutschen Arbeiterbewegung im Gebiet der heutigen DDR. Städtenamen wie Eisenach oder Gotha bezeichnen Stationen der Entstehung der or-

[29] Nach: Gleitze, Ostdeutsche Wirtschaft, S. 158.
[30] Doernberg, Geburt eines neuen Deutschland, S. 219.

ganisierten Arbeiterbewegung, Städte wie Berlin oder Halle waren Schauplätze ihres Kampfes. Noch 1932, gegen Ende der Weimarer Republik, wurden in den Wahlkreisen Leipzig und Berlin mehrheitlich die Arbeiterparteien SPD und KPD gewählt – beide Parteien zusammen erreichten dort die rechnerisch absolute Mehrheit. Selbst bei den stark behinderten Wahlen vom März 1933 lagen die Resultate beider Parteien in den dortigen Wahlkreisen um 4 (KPD) bzw. 5 Prozent (SPD) über dem Reichsdurchschnitt, und auch bei den Wahlen von 1938 zeigte sich die traditionelle Hinwendung zu den Arbeiterparteien in – allerdings nur geringen – Minus-Abweichungen vom reichsüblichen Abstimmungsverhalten. Diese politische Affinität korrespondierte mit hohen Anteilen von KPD- und SPD-Mitgliedern in diesen Gebieten. So hatte die KPD im späteren Gebiet der SBZ am Ende der Weimarer Republik mit 100 000 Mitgliedern ca. 40 Prozent, die SPD mit 581 000 ca. 60 Prozent ihrer Mitgliederschaft.

Auch wenn diese Tradition nach 1945 die Entwicklung der politischen Struktur der SBZ mitbestimmt hat, so kann doch von einer ungebrochenen Kontinuität nicht ausgegangen werden. Denn zwischen 1933 und 1945 hatten sich in diesen Gebieten wesentliche soziale Veränderungen vollzogen. So war aufgrund der Zuwanderung aus den Ostgebieten die Wohnbevölkerung zwischen 1939 und 1945 zunächst von 15,2 auf 16,2 Millionen angewachsen. (Sie stieg bis 1948 auf 19 Millionen.) Zugleich hatte sich zwischen 1939 und 1945 infolge des Krieges die Struktur der Bevölkerung stark verändert: vor allem der Anteil der Arbeiter an den Erwerbspersonen, die Altersstruktur der männlichen Bevölkerung und die Relation von Männern und Frauen.

Erwerbspersonen (in Tausend)[31]	1939	1945
Arbeiter	4 302	3 023
Angestellte	954	1 051
Beamte	397	–
Selbständige	962	964
Mithelfende Familienangehörige	1 018	767
	7 623	5 805

[31] Die Zahlen für 1939 sind entnommen aus: Dietrich Storbeck, Soziale Strukturen in Mitteldeutschland. Berlin 1964, S. 281; die Angaben für 1945 stammen aus: Die Volkszählung vom 1. Dezember 1945 in der Sowjetischen Besatzungszone Deutschlands. Berlin 1946, S. 44 f.

Altersstruktur der männlichen Bevölkerung
(in Tausend)

	1939	1945	+/− in %
14 bis unter 18 Jahre	494	482	− 2,4
18 bis unter 25 Jahre	477	317	− 33,5
25 bis unter 30 Jahre	689	177	− 74,3
30 bis unter 40 Jahre	1 347	645	− 52,0
40 bis unter 50 Jahre	937	957	+ 2,1
50 bis unter 60 Jahre	748	859	+ 14,8
60 bis unter 65 Jahre	331	362	+ 9,4
65 Jahre und darüber	593	749	+ 26,3

Relation Männer/Frauen	1939	1945	+/− in %
Männer	7 472 580	6 581 979	− 11,9
Frauen	7 719 835	9 612 647	+ 24,2

Die Zahl der Kriegstoten (Gefallene und Bombenopfer)
schätzt Strohbach[32] auf 1,8 bis 2 Millionen. Er spricht zudem
von einem Prozeß der »Reruralisierung«, der den »in den vorangegangenen Jahrzehnten zu beobachtenden Prozeß der Ur-
banisierung« umgekehrt habe. So sanken die Einwohnerzahlen
der Städte zwischen 1939 und 1946 (Evakuierung aufgrund der
Bombardements) teilweise erheblich:

	1939	1946
Leipzig	707 000	607 000
Magdeburg	336 000	236 000
Plauen	112 000	84 800

Auf der anderen Seite stiegen die Bevölkerungszahlen einzelner Landkreise an:

	1939	1946
Rostock	26 300	50 800
Schwerin	25 300	81 200
Hagenow	59 600	107 100

Wie bereits erwähnt, geht der Bevölkerungszuwachs zwischen 1939 und 1945 vor allem auf die Aussiedlung der Deut-

[32] Erich Strohbach, 20 Jahre demographische Entwicklung in der DDR. In:
Jahrbuch für Wirtschaftsgeschichte 2 (1972) Berlin (DDR), S. 289ff.

schen aus den Gebieten östlich von Oder und Neiße zurück. 1946 lebten im Gebiet der SBZ nahezu 4 Millionen Umsiedler, im Frühjahr 1947 waren es etwa 4,3 Millionen[33], und im Dezember 1947 stellten die Umsiedler mit über 4,3 Millionen nahezu ein Viertel der Gesamtbevölkerung[34]. In Sachsen betrug ihr Anteil mit knapp 1,1 Millionen 24,8 Prozent, in Mecklenburg mit ca. einer Million 44 Prozent der dortigen Bevölkerung. Von diesen Umsiedlern wanderten bis 1951 ca. 455 000 in die Bundesrepublik ab[35].

Insgesamt resultierte aus der Zuwanderung eine weitere negative Veränderung der ohnehin ungünstigen Bevölkerungsstruktur. In dieser Gruppe lag der Anteil der Männer Ende 1947 mit 27,3 Prozent noch wesentlich niedriger als in der alteingesessenen Bevölkerung. Und sicherlich trugen die Umsiedler schon wegen ihres Schicksals, aber auch aufgrund ihrer sozialen Herkunft (41 Prozent waren früher in der Landwirtschaft tätig) nicht dazu bei, den »subjektiven Faktor« für einen politischen und gesellschaftlichen Neubeginn unter Vorherrschaft der Sowjetunion zu stärken.

So gesehen boten also weder die materiellen noch die subjektiven Bedingungen der SBZ gute Voraussetzungen für den Beginn einer von Mehrheiten getragenen und vollzogenen Umwälzung der überkommenen Produktionsweise. Das einzige, freilich nicht zu unterschätzende Faktum, das 1945 für die Möglichkeit eines raschen Wiederaufbaus, womöglich auch im Sinne eines Neubeginns sprach, war die hohe Qualifikation der Arbeiter, der Ingenieure und Techniker, deren traditionelle Arbeitsdisziplin und das allgemeine Bildungs- und Ausbildungsniveau. Doch auch die Feststellung bedarf einer Einschränkung: Die Mehrzahl der jungen und mittleren männlichen Jahrgänge war, wie die Bevölkerungsbilanz des Jahres 1945 zeigt, noch nicht aus dem Krieg bzw. aus der Gefangenschaft zurückgekehrt. 1946 kamen knapp 440 000, 1947 ca. 370 000[36] wieder in die Heimat. Doch im November 1947 waren insgesamt noch 1,7 Millionen ehemalige deutsche Soldaten in Kriegsgefangen-

[33] Jahrbuch für Arbeit und Sozialfürsorge – von 1945 bis 31. 3. 1947. Hrsg. v. d. Deutschen Verwaltung für Arbeit und Sozialfürsorge der Sowjetischen Besatzungszone Deutschlands. Berlin o. J. (1947), S. 39 und S. 235.

[34] Jahrbuch für Arbeit und Sozialfürsorge 1947/1948. Hrsg. v. d. Hauptverwaltung für Arbeit und Sozialfürsorge bei der DWK. Berlin o. J. (1948), S. 312.

[35] So Storbeck, Soziale Strukturen, S. 225.

[36] Jahrbuch für Arbeit und Sozialfürsorge 1945–1947, S. 318.

schaft, darunter etwa 830000 in der Sowjetunion; sie kehrten –
zumeist ab 1948 – nach Deutschland zurück, ein Teil von ihnen
in die SBZ: 210000 1948 und 135000 im Jahre 1949[37].

Daten wie die genannten kennzeichnen die Situation, mit der
sich die politischen Kräfte auseinanderzusetzen hatten, die sich
1945 anschickten, die Gesellschaft radikal umzugestalten. Im
Bunde mit der sowjetischen Besatzungsmacht war das vor allem
die KPD.

Pläne für ein neues Deutschland
Das entscheidende Datum für die Ausarbeitung der Nach-
kriegskonzeption der KPD war der VII. Weltkongreß der
Kommunistischen Internationale (Komintern) im Juli 1935 in
Moskau. Auf dieser Konferenz hatte die Komintern den Versuch unternommen, eine gemeinsame Strategie der kommunistischen Parteien zur Abwehr und Überwindung des Faschismus in Europa zu finden. Bis dahin war sie trotz des Sieges des
Nationalsozialismus in Deutschland – wie seit 1928 – davon
ausgegangen, das kapitalistische System stehe unmittelbar vor
seiner letzten Krise, der Sieg des NS-Regimes in Deutschland
verdeutliche nur die Schwäche des Imperialismus, und der deutsche Faschismus stelle nur ein Zwischenspiel dar, auf das unmittelbar die proletarische Revolution folgen werde. Dieser Interpretation gemäß sahen Komintern und KPD zunächst keinen
Anlaß, ihr Verhältnis zur Sozialdemokratie, die man als den
»linken Flügel des Faschismus«, als »sozialfaschistisch« charakterisierte, zu korrigieren, oder neue Anstrengungen zur Analyse des Faschismus und seiner Perspektiven zu unternehmen.

Zwar datiert die KPD-Geschichtsschreibung der DDR das
Abrücken der Partei von der Sozialfaschismus-Version und den
Beginn einer modifizierten Einheitsfrontpolitik bereits auf den
Sommer 1932. Daß die Korrektur in der Einheitsfrontpolitik
tatsächlich aber erst später erfolgte, wurde von der KPD-Führung nach dem Kriege zeitweilig selbst eingestanden. So nannte
es Wilhelm Pieck auf dem XV. KPD-Parteitag im April 1945
einen »grundsätzlichen Fehler«, daß die KPD selbst dann noch
das »Hauptfeuer« gegen die SPD richtete, »als bereits die Fa-
schisten ihre Mordbanden gegen die Arbeiterklasse führten«.
Und Anton Ackermann ergänzte: »Wir haben andere Fehler

[37] Die Bevölkerungsbilanz der Sowjetischen Besatzungszone 1939 bis 1954.
Bonn 1954, S. 18.

gemacht. Wir haben für den Sozialismus (gekämpft), als die Voraussetzungen dafür nicht gegeben waren, und die Abwehr der faschistischen Gefahr im Vordergrund stehen mußte . . . Wir kannten nur einen direkten, unmittelbaren Weg zum Sozialismus.«[38]

Selbst als Mitte 1934 infolge des in Frankreich zwischen Kommunisten und Sozialisten geführten Einheits- und Volksfront-Dialogs die Komintern von ihrer bisherigen Linie abrückte und die Einheitsfront mit der Sozialdemokratie als Kern eines Volksfrontbündnisses den kommunistischen Parteien zu empfehlen begann, hielt die Mehrheit des KPD-Politbüros an ihrer »linken« Position fest. Sie forderte noch Mitte 1934 die KPD-Leitung von Hessen-Frankfurt auf, ein kurz zuvor mit der dortigen SPD geschlossenes Einheitsfront-Abkommen aufzukündigen, verurteilte die Vereinbarung als »opportunistisches Dokument«, warnte vor Bündnissen mit Sozialdemokraten, ohne zuvor »die Führungsfrage zu stellen«, und denunzierte das 1934 vom SPD-Exilvorstand beschlossene ›Prager Manifest‹ als »Gipfelpunkt sozial-faschistischer Demagogie«[39]. Erst Ende Januar 1935, unter massiver Einwirkung des Exekutivkomitees der Komintern (EKKI), verständigte sich das Politbüro im führungsinternen Streit auf ein Stillhalte-Abkommen.

Als Nahziel der Einheits- und Volksfront-Konzeption bestimmte der Weltkongreß von 1935 die Erhaltung oder, wie in Deutschland, die Wiederherstellung der bürgerlich-demokratischen Republik, von deren Boden aus die proletarische Revolution vorzubereiten sei. Was der Kongreß beschloß, war also nur bedingt eine neue Strategie. Es zielte vielmehr auf den Versuch, den Status quo ante wiederherzustellen, die bürgerliche Republik zu sichern, um dann – ebenso wie zuvor – »den Kampf auf das Ziel der Eroberung der wirklichen Demokratie der Werktätigen, die Sowjetmacht« zu richten. Neu an der Taktik der Komintern war nur die Zurücknahme der Denunziation der Sozialdemokratie als sozialfaschistische Bewegung, die Bereitschaft zur Einheitsfront auch »von oben«, d. h. auch mit den Führungen sozialdemokratischer Parteien, und die Einsicht in die Notwendigkeit einer (kurzen) Volksfrontphase zwischen dem Sturz bzw. der Abwehr faschistischer Bewegungen und

---

[38] Bericht über die Verhandlungen des 15. Parteitages der Kommunistischen Partei Deutschlands, 19. und 20. April 1946 in Berlin. Berlin 1946, S. 114.

[39] Rundschau über Politik, Wirtschaft und Arbeiterbewegung (1934) 14, S. 508 ff.

dem Beginn der sozialistischen Revolution. Die Volksfront war als ein breites politisches Bündnis gedacht, das unter der Führung der »proletarischen Einheitsfront« stehen und die Bauern und städtischen Mittelschichten erfassen sollte.

Der zentrale Begriff, mit dem die KPD diese Zwischenphase inhaltlich zu bestimmen suchte, war die Demokratische Republik. Sie wurde seit 1937 als eine Ordnung charakterisiert, die die »allgemeinen demokratischen Aufgaben so weit zu lösen« habe, daß »die Vorrechte des Großkapitals praktisch beseitigt« seien (Anton Ackermann)[40].

Diese Vorstellung von einer durch die Einheits- und Volksfront erkämpften »Demokratie neuen Typs« prägte Agitation und Propaganda der KPD bis zum Abschluß des deutsch-sowjetischen Nichtangriffspaktes und dem Beginn des Krieges. Dann aber kündigte die KPD im Einklang mit der Komintern alle (ohnehin am Widerstand der SPD gescheiterten) Einheits- und Volksfrontangebote auf. Die kommunistische Weltbewegung interpretierte den Krieg als beiderseits ungerechte imperialistische Auseinandersetzung und rief ihre Sektionen – in Analogie zur Agitation der II. Internationale vor dem Ersten Weltkrieg – zum Kampf »gegen den Kapitalismus«[41] auf.

Im Oktober 1939 bereits schrieb Wilhelm Florin, damals Kandidat des EKKI-Sekretariats und führendes Mitglied der Exil-KDP, in der ›Kommunistischen Internationale‹: »Unter diesen Bedingungen ein Regime der bürgerlichen Demokratie anzustreben, würde bedeuten, auf die geschichtliche Gelegenheit zu verzichten, die durch Krieg und Kriegsniederlage dem Proletariat im Kampf für den Sozialismus gegeben ist ...« War das Konzept der demokratischen Republik für die KPD inaktuell geworden, so entfiel für die Partei auch das der Einheitsfront, denn 1939 waren, nach Florin, die SPD-Führer »noch tiefer gesunken als 1914«; sie arbeiteten »als Agenten im Solde des englischen und französischen Imperialismus« und waren nur »durch besondere Umstände verhindert, diesmal offen an der Seite ihrer Bourgeoisie zu kämpfen«[42].

Im November 1939 verkündete der Generalsekretär der Komintern, Georgi Dimitroff, den Kurswechsel, er selbst nannte

---

[40] Die Internationale (1937) 3/4, S. 36–45, zit. nach: Arnold Sywottek, Deutsche Volksdemokratie. Studien zur politischen Konzeption der KPD 1935–1946. Düsseldorf 1971, S. 74.

[41] Kommunistische Internationale, November 1939, S. 1112 ff.

[42] Ebd., Oktober 1939, S. 1085 ff., hier S. 1089 ff.

ihn eine »schroffe Wendung«. Seine Begründung: »Die Taktik der einheitlichen Volksfront setzte gemeinsame Aktionen der kommunistischen Parteien mit sozialdemokratischen, kleinbürgerlichen ›demokratischen‹ und ›radikalen‹ Parteien gegen Reaktion und Krieg voraus. Doch die Spitzen dieser Parteien sind jetzt offen auf die Positionen der aktiven Unterstützung des imperialistischen Krieges übergegangen.« Sein Fazit: »Jetzt sind derartige Vereinbarungen nicht mehr denkbar. In der heutigen Situation kann und muß die Herstellung der Einheit der Arbeiterklasse von unten auf der Grundlage erreicht werden, daß die Bewegung der Arbeitermassen selbst entfaltet und ein entschiedener Kampf gegen die verräterischen Spitzen der sozialdemokratischen Parteien geführt wird.«[43]

Dimitroff war damit zu Einsichten gelangt, die weder durch die Stimmung in den Parteien noch durch die Situation in irgendeinem westlichen Land oder gar im nationalsozialistischen Deutschland gerechtfertigt waren. Was die Komintern und die kommunistischen Parteiführungen zu ihrem Kurswechsel bewog, war denn wohl auch weniger Resultat einer ernsthaften Analyse des Kräfteverhältnisses in den westlichen Ländern, sondern diente vielmehr dem Bemühen, der Nazi-Führung die Ernsthaftigkeit der sowjetischen Paktpolitik gegenüber Deutschland zu dokumentieren.

Damit aber gerieten die Komintern-Sektionen in eine Lage, in der sie – wie wohl nie zuvor in der Geschichte der Komintern – ihre Eigeninteressen zugunsten der sowjetischen Außenpolitik zu verleugnen hatten. Die Politik der Sowjet-Führung, ein auf Zeit- und Landgewinn gerichtetes zeitweiliges Arrangement mit Nazi-Deutschland, mochte in der KPdSU aufgrund der eigenen militärischen Schwäche, aber auch angesichts des traditionellen Antikommunismus Großbritanniens und Frankreichs und ihrer Appeasement-Politik Deutschland gegenüber noch rational begründbar sein. Diese Intentionen aber in den westeuropäischen Ländern politisch zu vermitteln, stellte die kommunistischen Parteien vor unlösbare Aufgaben und führte sie in eine bis 1941 dauernde Isolierung. Daß die Komintern und ihre Sektionen diese Legitimationsfunktion dennoch übernahmen, verdeutlichte ihren unter der Hegemonie der Stalinschen KPdSU beschleunigten Verlust an Bedeutung, dessen ganzes Ausmaß schließlich 1943 offenbar wurde, als die (zu dieser Zeit

[43] Ebd., November 1939, S. 1112 ff.

freilich endgültig bedeutungslose) Weltorganisation der kommunistischen Bewegung aufgelöst wurde – nun um den Westmächten die sowjetische Bereitschaft zu dauerhafter Kooperation zu verdeutlichen.

Erst nach dem deutschen Überfall auf die Sowjetunion kennzeichneten Komintern und KPD den Krieg als »antifaschistisch« und »gerecht« und kehrten zu den Zielen und bündnispolitischen Empfehlungen des VII. Weltkongresses zurück. Die Einheits- und Volksfronttaktik erfuhr nun eine gewissermaßen »rechte« Interpretation: Die KPD appellierte seit 1942 an »alle« antifaschistischen Deutschen und benannte in Anbetracht des sozial weithin unspezifischen Adressatenkreises ihrer Bündnisangebote künftige sozial-strukturelle Veränderungen nur noch vage und zurückhaltend. Aus diesem Grunde auch verzichtete die KPD 1943 bei der Gründung des »Nationalkomitees ›Freies Deutschland‹« (NKFD), das vor allem deutsche Kriegsgefangene in der Sowjetunion organisierte, aber auch in westlichen und neutralen Exilländern aktiv war, auf ein sozialrevolutionär akzentuiertes Programm. Das NKFD appellierte an alle Deutschen, warnte vor der Verlängerung des Krieges, setzte sich für eine »starke demokratische Staatsmacht« im nachfaschistischen Deutschland ein, plädierte für die »Freiheit der Wirtschaft, des Handels und des Gewerbes« und wählte auf sowjetischen Rat als Farben des Komitees statt des republikanischen Schwarz-Rot-Gold das monarchistische Schwarz-Weiß-Rot.

Auch in der 1944 geführten internen Diskussion über das Programm für einen von der KPD konzipierten »Block der kämpferischen Demokratie« umging das ZK eine deutliche Antwort auf die Frage nach der Perspektive der Übergangsordnung: Die KPD folgte damit den Erwägungen Dimitroffs, der 1941, gleich nach dem deutschen Angriff gegen die Sowjetunion, allen kommunistischen Parteien Europas autoritativ aufgegeben hatte, ihre Agitation und Propaganda auf die »uneingeschränkte Unterstützung der Sowjetunion« umzustellen, »breite nationale Befreiungsbewegungen« zu bilden und in »dieser Etappe weder zum Sturz des Kapitalismus . . . noch zur Weltrevolution aufzurufen«, um nicht »jene Kreise der Kleinbourgeoisie, der Intelligenz und der Bauern abzustoßen, die ehrlich hinter der nationalen Befreiungsbewegung stehen«[44]. Für diese

---

[44] Zit. nach: Ernstgert Kalbe, Wesen und Struktur der Volksfrontbewegung während des zweiten Weltkrieges. In: Wiss. Zs. der Karl-Marx-Universität Leipzig, Gesellschafts- und Sprachwiss. Reihe (1966) 3, S. 436.

Nationalen Fronten (etwa die »Patriotische Front« in Rumänien, die »Vaterländische Front« in Bulgarien, den »Antifaschistischen Landesnationalrat« für Polen oder die »Nationale Befreiungsfront« in Albanien) schlug er später die Ausarbeitung von allgemeinen Plattformen vor. Sie sollten »kein ausführliches Programm« enthalten und sich nicht damit beschäftigen, »wie das Land nach dem Kriege ausschauen« werde[45].

Diese allgemeinen Hinweise wurden von Dimitroff nach der Auflösung der Komintern weiter konkretisiert. Er empfahl den kommunistischen Parteien, im Interesse der Einbeziehung des nationalen Bürgertums in die Nationale Front auf Sozialisierungsforderungen zu verzichten und »das Sowjetsystem weder zu forcieren noch durchzusetzen«[46].

Vor diesem Hintergrund erscheinen die programmatischen Vorarbeiten der KPD für die Nachkriegsphase weniger als Resultate der Analyse der konkreten deutschen Situation, vielmehr als Versuche, die Politik der Partei in ein internationales Konzept der kommunistischen Weltbewegung einzuordnen. Die Zielsetzung des Blocks der »kämpferischen Demokratie« war identisch mit den Intentionen der »Bruderparteien« und wie diese auch wieder auf einen sozialen Neubeginn gerichtet; insofern erinnerte sie an die Konturen der »Demokratischen Republik«, wie sie Anton Ackermann bereits 1937 beschrieben hatte. Ackermann war es auch, der Ende 1944 den dritten und letzten Entwurf für das Blockprogramm formulierte[47]. Den Block definierte er als »nationale Wiederaufbau- und ... demokratische Erneuerungsbewegung, die alle Kräfte des schaffenden deutschen Volkes aus allen Gauen, allen Altersstufen und Berufen über die weltanschaulichen und politischen Unterschiede hinweg erfaßt«. Diese Formel könnte den Eindruck erwecken, als habe die KPD damals noch nicht mit dem Wiederentstehen von politischen Parteien gerechnet. Tatsächlich aber bereiteten sich die Planer auf die Existenz von Parteien und

---

[45] Zit. nach: D. E. Kunina und V. M. Endakova, Das Wirken der KI für die Schaffung nationaler Fronten gegen den Faschismus. In: Beiträge zur Geschichte der Arbeiterbewegung 5 (1973), S. 788.

[46] Zit. nach: Gerhard Fuchs, Ernstgert Kalbe und Eva Seeber, Die volksdemokratische Revolution in den Ländern Ost- und Südosteuropas. In: Evolution und Revolution. Sonderheft der ZfG 1 (1965), S. 199.

[47] Für das folgende: Horst Laschitza, Kämpferische Demokratie gegen Faschismus. Die programmatische Vorbereitung auf die antifaschistisch-demokratische Umwälzung in Deutschland durch die Parteiführung der KPD. Berlin (DDR) 1969.

Verbänden vor. So konstatierte Walter Ulbricht in einem Vortrag vor der Moskauer ZK-Arbeitskommission, die die Pläne für den »Block« entwarf und diskutierte, »Parteien wird es geben ... (als) Ausdruck verschiedener Interessen ... aber nur auf antifaschistischer Grundlage« und regte an, sowohl einen »Bauernbund« wie auch eine »Mittelstandsorganisation evtl. selber (zu) schaffen«[48].

Dem Block dachte die KPD-Führung die Aufgabe zu, ein »starkes Volksregime« durch den Einbau der »bisher illegalen Volksausschüsse in die staatliche Administration« zu errichten. Der so strukturierte Staat sollte, gestützt auf zu schaffende »Volksorgane«, über die Bestrafung und ökonomische Entmachtung der »Kriegsschuldigen, Kriegsverbrecher und ... Kriegsgewinnler« hinaus, u. a. die Schwerindustrie, die »großen Aktiengesellschaften« und die Großbanken verstaatlichen, das Kreditwesen, die Preise und den Außenhandel kontrollieren, den Großgrundbesitz enteignen, um den »schlimmsten Bodenhunger« zu stillen. Ferner sah der Entwurf die Einführung eines »neuen, wahrhaft demokratischen Betriebsrätegesetzes« vor und versprach dem Handwerk »Freiheit und Schutz ... bei staatlicher Förderung des Zusammenschlusses zu Handwerks-Produktionsgenossenschaften«[49].

Charakteristisch für diesen Programmentwurf war der Verzicht, die neue Ordnung deutlich als Beginn einer »Übergangsperiode zum Sozialismus« zu deklarieren. Insbesondere in diesem Punkt unterschieden sich die Planungen des Moskauer ZK von Erwägungen, die zwischen 1933 und 1944 in Deutschland selbst von illegal arbeitenden Kommunisten diskutiert wurden. Diese gingen von einer kurzen Übergangsphase aus und erklärten bündig, daß schon bald nach dem Sturz der NS-Herrschaft die antifaschistischen Bündnispartner aus Mittelschichten und Bürgertum zu Gegnern werden würden und der Kampf um den Sozialismus Sache der Arbeiter und ihrer Räte sei. Sie akzeptierten breite Bündnisse mithin nur für den antifaschistischen Kampf und hielten am herkömmlichen marxistisch-leninistischen Revolutions-Konzept fest. Anders auch als ihre Moskauer Führung sahen sie den Zerfall der Anti-Hitler-Koalition als unvermeidbar voraus, und sie träumten sogar davon, gemein-

[48] Walter Ulbricht, Zur Geschichte der deutschen Arbeiterbewegung. Bd. 2, Zusatzband, Berlin (DDR) 1966, S. 176ff.
[49] Laschitza, Kämpferische Demokratie, S. 197ff.

sam mit den siegreichen Sowjet-Truppen die Weltrevolution voranzutreiben.

Die Moskauer ZK-Planer hatten zwar die künftigen realen politischen Bedingungen in einem Lande, in dem unterschiedlich orientierte Besatzungsmächte die Richtlinien der Politik bestimmen würden, in ihrem Konzept kaum berücksichtigt. Sie gingen aber – wie die Illegalen im Lande – von einem erheblichen Prestigegewinn der Sowjetunion aus. Das jedenfalls resümierte der DDR-Autor Horst Laschitza, in Kenntnis der Diskussionsprotokolle über das Block-Programm. Nach seiner Mitteilung stellte die Arbeitskommission nach viermaliger Diskussion des Themas »Die Rolle der Sowjetunion und die nationale Frage in Deutschland« schließlich fest: »Die Sowjetunion hatte sich allseitig große internationale Autorität erworben. Es war gewiß, daß auch in Zukunft alle Völker, die für Frieden und für den Fortschritt der Menschheit kämpfen, in der Sowjetunion einen starken und treuen Verbündeten besaßen.«[50]

Immerhin deutete sich in der Diskussion das gewachsene Problembewußtsein an, das das ZK angesichts der bevorstehenden Besetzung Deutschlands entwickelt hatte. Auch wenn bislang weder diese Diskussionen noch ihre Resultate hinreichend dokumentiert sind, zeigt sich diese Tendenz in den wenigen veröffentlichten Texten. So ging Hermann Matern Mitte Juni 1944 in einem Referat über den Wiederaufbau und die künftige Rolle deutscher Gewerkschaften auch auf die Okkupationsproblematik ein und kam zu Einsichten, die schließlich nicht nur für die gewerkschaftliche, sondern auch für die staatliche Einheit zutreffen sollten: »Politische und gesellschaftliche Kräfte, international und in Deutschland, in ihren Zielen gegensätzlich und verschieden, sind am Wiederaufbau interessiert. Erfolgt eine militärische Besetzung Deutschlands durch die verbündeten Armeen nach Gebieten getrennt, so wird der Zustand sehr unterschiedlich sein. Damit wird die Gefahr getrennter und zersplitterter Gewerkschaften riesengroß.«[51] Auch das letzte in der DDR veröffentlichte Dokumentenschnipsel – es stammt aus dem Zentralen Parteiarchiv im Institut für Marxismus-Leninismus – weist in diese Richtung. So soll Pieck am 10. März 1945 – also unmittelbar vor der militärischen Niederlage Deutschlands

[50] Laschitza, Kämpferische Demokratie, S. 93.
[51] Hermann Matern, Im Kampf für den Frieden, Demokratie und Sozialismus, Ausgewählte Reden und Schriften. Bd. 1, Berlin (DDR) 1963, S. 99.

– in Moskau geäußert haben, die KPD müsse damit rechnen, daß »in der englischen und amerikanischen Zone Bestrebungen Vorschub geleistet wird, ein Gegengewicht gegen den wachsenden Einfluß der Sowjetunion zu schaffen und dort reformistischen Führern der Sozialdemokratie und der Gewerkschaften Gelegenheit zu geben, sich wieder Einfluß in der Arbeiterbewegung zu verschaffen gegen die Kommunisten«[52].

Ist so zwar nachweisbar, daß sich die KPD-Führung noch während des Krieges mit den Problemen beschäftigte, die der Umsetzung ihres Programms in ganz Deutschland entgegenstanden, so ist doch bislang nicht klar zu rekonstruieren, welche Konsequenzen sie – und vor allem die Sowjetführung – aus ihnen zog. Immerhin findet sich in keiner der zwischen Februar und Oktober 1944 erarbeiteten Fassungen des Konzepts für einen »Block der kämpferischen Demokratie«, in keiner der bekannten Arbeitsanweisungen für die nach Deutschland zurückkehrenden Parteikader ein Hinweis auf die besonderen Bedingungen kommunistischer Politik, die aus der Besetzung des Landes durch politisch konkurrierende Siegermächte herrührten. Was das ZK entwarf, modifizierte und plante, entsprach vielmehr weithin dem, was auch die ost- und südosteuropäischen Bruderparteien für ihre Länder erarbeitet hatten, für Länder, deren staatliche Einheit außer Frage stand.

Diese allgemeinen Orientierungen und nicht eine Konzeption, die die Teilung Deutschlands in Besatzungsgebiete berücksichtigte, prägten auch das im Juni 1945 publizierte Aktionsprogramm, den Gründungsaufruf der KPD. Seine wesentlichen Aussagen entsprachen, wenn auch für manche Bereiche aus bündnistaktischen Gründen retuschiert, denen des Programmentwurfs für den »Block der kämpferischen Demokratie«. Doch wie für die früheren Programmentwürfe gilt auch für die Juni-Plattform: Was als bewußte Berücksichtigung der deutschen Situation erscheinen könnte, als ein Eingehen auf die ganz anders gearteten Vorstellungen der westlichen Siegermächte zur künftigen politischen und sozialen Struktur des Landes etwa, findet sich in den programmatischen Äußerungen nachgerade aller kominterngeprägten kommunistischen Parteien dieser Jahre, bei den ost- wie bei den westeuropäischen. Alle verzichteten damals darauf, den Sozialismus als Tagesaufgabe oder auch nur als mittelfristig relevante Perspektive zu benen-

[52] Vgl. ZfG 23 (1975), S. 370.

nen; alle betonten die Notwendigkeit, zunächst die bürgerlich-demokratische Revolution zu vollenden; und alle bejahten die Notwendigkeit des freien Handels und der Privatinitiative der Unternehmer. Und auch die KPD-Formel vom Juni 1945 »Wir sind der Auffassung, daß der Weg, Deutschland das Sowjetsystem aufzuzwingen, falsch wäre, denn dieser Weg entspricht nicht den gegenwärtigen Entwicklungsbedingungen Deutschlands«, war nicht der Einsicht der deutschen Kommunisten entsprungen, sondern die Übersetzung des Dimitroff-Rates von 1944, zum gegenwärtigen Zeitpunkt »das Sowjet-System weder zu forcieren noch durchzusetzen«.

Ähnlich verhält es sich mit der erstmals von Walter Ulbricht im Oktober 1945 verbreiteten Version von der Möglichkeit eines »besondern« deutschen Weges zum Sozialismus. Auch diese Betonung der nationalen Besonderheiten war internationalistischen Ursprungs und wesentliches Glied in der Argumentationskette auch anderer kommunistischer Parteien. So kennzeichnete Klement Gottwald bereits im Juli 1945 die Situation der CSR als eine »Ordnung der nationalen und demokratischen Revolution, von besonders geartetem, eben tschechoslowakischen Typ«[53], und 1946 erschien das Buch des damals einflußreichen KP-Funktionärs Reiman ›Die Konzeption der KPC. Über den besonderen Weg zum Sozialismus in unserer Revolution[54]. Im Februar 1946 sprach Dimitroff von einem »bulgarischen Weg zum Sozialismus«, der anders sei als der der Sowjetunion[55]. Und kurz darauf charakterisierte Gomulka den Transformationsprozeß in Polen als »eigenen, den polnischen Weg der Entwicklung«[56]. Den osteuropäischen KP-Führungen diente diese Formel nicht nur dazu, die Kooperationsbereitschaft der demokratischen und vor allem der sozialdemokratischen Parteien dieser Länder mit den Kommunisten zu fördern, sondern auch der Furcht vor einer Sowjetisierung entgegenzuwirken.

Sowohl die identischen Aussagen über die künftige politische Struktur, die Betonung der Rolle der privaten Initiative als auch

[53] Heinrich Kuhn, Der Neuaufbau der Kommunistischen Partei der Tschechoslowakei (KPTsch) im Jahre 1945. In: Das Jahr 1945 in der Tschechoslowakei. Hrsg. von Karl Bosl, Wien 1971, S. 231.

[54] Ebd., S. 226.

[55] Francis J. Kase, People's Democracy. Leyden 1968, S. 20.

[56] Alexander Korab, Die Entwicklung der Kommunistischen Parteien in Ost-Mitteleuropa. Hamburg 1962, S. 35.

die Thesen über einen Sonderweg zeigen, daß die kommunistischen Parteien dieser Länder zwischen 1944/45 und 1947/48 dem selben taktischen Konzept folgten, das Klement Gottwald am 8. April 1945 noch vor der endgültigen Befreiung der ČSR auf der ersten Funktionärskonferenz der KPČ formuliert hatte, aber erst 1955 veröffentlichen ließ: »Die nationale Front bauen wir nicht auf unserem, dem kommunistischen Parteiprogramm auf, dessen Ziele die Sowjets und der Sozialismus sind, sondern auf dem [für die ČSR vier Tage zuvor in Kosice beschlossenen] Regierungsprogramm ... Der Kampf gegen die Reaktion, geführt von der Plattform der nationalen Front aus – darin liegt unsere Stärke. Diese doppelte Richtung unserer Taktik müßt ihr verstehen.«[57]

Daß sich die KPD programmatisch auch nach 1944 noch an den allgemeinen Leitlinien der kommunistischen Weltbewegung ausrichtete, mag mit ihrem traditionellen Internationalismus erklärbar sein. Daß sie das zentrale Problem künftiger Politik in Deutschland, den wahrscheinlichen Dissens zwischen der Sowjetunion und den westlichen Siegermächten, in ihren Vorbereitungen auf den Nachkrieg offenbar eher dilatorisch behandelte, legt jedoch die Frage nach dem Bezug der KPD-Programmatik zur Außen- bzw. Westpolitik der Sowjetunion nahe. Ob diese Zurückhaltung auf ein bestimmtes deutschlandpolitisches Kalkül zurückging oder dem Fehlen eines solchen Konzepts entsprang, kann nicht eindeutig beantwortet werden. Vieles spricht für die Annahme, die Sowjet-Führung sei von der Hoffnung ausgegangen, die Zusammenarbeit mit den Westmächten über das Kriegsende hinaus erhalten zu können, und sie habe sich auch deshalb darum bemüht, in ihrem eigenen Machtbereich wie in der kommunistischen Bewegung der westlichen Länder zunächst eine Politik zu gewährleisten, die diese Kooperation nicht entscheidend behinderte. Dem entsprach sowohl das Verhalten der kommunistischen Parteien Frankreichs und Italiens nach 1945, als auch die Umsicht, mit der die Sowjetunion dafür Sorge trug, daß die kommunistischen Parteien Osteuropas nicht über die ihnen gesetzten Ziele hinausschossen. Wie Djilas berichtet, ging diese Vorsicht so weit, daß es selbst Dimitroff versagt war, sofort nach Kriegsende nach Bulgarien zurückzukehren. Die Sowjet-Führung fürchtete, daß die »westlichen Staaten seine Rückkehr als offenes Anzeichen für

[57] Vgl. Kuhn, Der Neuaufbau der KPTsch, S. 229.

die Einführung des Kommunismus in Bulgarien«[58] werten könnten.

Zusätzliche Anhaltspunkte für den Rahmen, in dem die Taktik der sowjetischen Westpolitik bestimmt wurde, liefern die Prognosen, die von Ökonomen der SU für die Entwicklung der kapitalistischen Länder nach dem Kriege vorgelegt wurden. Von Bedeutung war hier vor allem eine Studie Eugen Vargas über ›Veränderungen in der kapitalistischen Wirtschaft im Gefolge des zweiten Weltkrieges‹[59], die 1946 erschien, aber noch während des Krieges erarbeitet worden war. Dabei ist allerdings offen, ob Vargas Aussagen über Struktur und Entwicklungschancen des Nachkriegskapitalismus nur die Funktion hatten, den Stalinschen Entwurf für die sowjetische Weltpolitik der Nachkriegszeit zu legitimieren, oder ob sie für diese Konzeptbildung selbst von Bedeutung waren.

Varga ging davon aus, die »verarmten« Siegerstaaten Europas würden etwa zehn Jahre benötigen, um die Kriegsfolgen, die Unterproduktionskrise, ökonomisch und politisch zu überwinden. In diesem Wiederaufbauprozeß könnten die im Kriege entwickelten staatsinterventionistischen Eingriffe in das Wirtschaftsleben nur langsam abgebaut werden, so daß die »größere oder geringere Beteiligung an der Staatsverwaltung ... den Hauptinhalt des politischen Kampfes zwischen den beiden Hauptklassen der kapitalistischen Gesellschaft, der Bourgeoisie und dem Proletariat, ...« bilde. Insbesondere die Erwartung eines andauernden Staatsinterventionismus schien angesichts der breiten, national akzentuierten antifaschistischen Grundstimmung und der während des Krieges gewachsenen nationalen Reputation der kommunistischen Parteien günstige Voraussetzungen für die Teilhabe an den Staatsgeschäften zu bieten, und diese Chance wiederum verlangte nach formal wie inhaltlich gemäßigter Programmatik.

Insofern berücksichtigte das Nachkriegskonzept der kommunistischen Parteien sowohl die sowjetischen Sicherheitsinteressen als auch die Bedingungen kommunistischer Politik in Ost- wie Westeuropa. Die von Varga 1945 so genannte »Demokratie neuen Typs« (»gesellschaftliche Verhältnisse, unter denen die feudalen Überbleibsel, der Großgrundbesitz, liquidiert werden,

---

[58] Milovan Djilas, Gespräche mit Stalin. Frankfurt a. M. 1962, S. 149 f.
[59] Eugen Varga, Veränderungen in der kapitalistischen Wirtschaft im Gefolge des Zweiten Weltkrieges. Moskau 1946. (Teil-)Übersetzung von Manfred Kerner. Verf. Maschinenschrift Berlin 1975.

Privateigentum an Produktionsmitteln existiert, aber große Unternehmen der Industrie, das Transport- und Kreditwesen verstaatlicht werden, und der Staat selbst und sein Apparat nicht den Interessen der Monopolbourgeoisie dienen ...«, also die »Demokratische Republik«) war nach dieser Sicht nicht nur in Ost-, sondern auch in Westeuropa wünschenswert und möglich. Die kommunistischen Parteien Osteuropas konnten, gestützt auf die Nähe oder die Präsenz der Roten Armee, von der Realisierbarkeit des Programms in ihren Ländern ausgehen; die westeuropäischen Kommunisten mochten auf die moralische und politische Unterstützung durch die Sowjetunion setzen.

Beides, die soziale und politische Umwandlung Osteuropas und die Mäßigung der Kommunisten im Westen, nützten der Sowjetunion und war geeignet, ihr außenpolitischen Schutz für den Wiederaufbau des zerstörten Landes zu verschaffen. Entlang der West- und Ostgrenzen (China, Korea) entstanden Regime, die außenpolitisch sowjetfreundlich waren und sich zu einer Innenpolitik verpflichteten, die eine Rückkehr ihrer Länder zu Verhältnissen der Zwischenkriegszeit verhindern sollten. In Westeuropa waren Konflikte zu vermeiden, um den Konsens der Anti-Hitler-Koalition zu erhalten. Revolutionäre Zielsetzungen hatten dort auch angesichts der Präsenz der USA kaum Chancen. Diese gemäßigte Politik in Ost wie West bedeutete keineswegs einen endgültigen Verzicht auf eine spätere radikale Gesellschaftspoltik, wenn auch offenbleibt, ob diesen Erwägungen ein eher lang- oder kurzfristiges Kalkül zugrunde lag. Sie basierten anfangs offenbar auf der Annahme einer Fortdauer des – wenn auch labilen – Konsenses der Siegermächte und wurden rasch gegenstandslos, als der Zerfall der Anti-Hitler-Koalition deutlich zutage trat. Dies galt auch für die Programmatik der deutschen Kommunisten.

2. Die Etablierung der Macht

Kommunisten und Sozialdemokraten: Annäherung und Konflikt

Am 10. Juni 1945 gestattete die SMAD mit dem Befehl Nr. 2 die Gründung von politischen Parteien und Gewerkschaften. Mit dem SMAD-Befehl war beabsichtigt, »die Bildung und Tätigkeit aller antifaschistischen Parteien zu erlauben, die sich die endgültige Ausrottung der Überreste des Faschismus und die

Festigung der Grundlagen der Demokratie und der bürgerlichen Freiheiten in Deutschland ... zum Ziel setzen«[60]. Schon drei Tage später, am 13. Juni, veröffentlichte die Kommunistische Partei Deutschlands in ihrem Gründungsaufruf die Konzeption der Kommunisten für ihre Arbeit im nachfaschistischen Deutschland. Der Aufruf (datiert auf den 11. Juni) war – im Namen des ZK der KPD – von sechzehn Parteifunktionären unterzeichnet; dreizehn von ihnen waren gerade aus der Sowjetunion zurückgekehrt[61].

Die Parteiführung sprach von der »Katastrophe unvorstellbaren Ausmaßes«, die »über Deutschland hereingebrochen« war. Sie sah die Schuldigen an dieser Katastrophe nicht allein in der NS-Führung, sondern auch in den »aktiven Anhängern und Helfern der Nazipartei«, in den »aktiven Trägern des deutschen Militarismus« und den »Großbanken und Konzernen«. Als Mitschuldige nannte sie auch »alle jene deutschen Männer und Frauen, die willenlos und widerstandslos zusahen, wie Hitler die Macht an sich riß, wie er alle demokratischen Organisationen, vor allem die Arbeiterorganisationen, zerschlug und die besten Deutschen einsperren, martern und köpfen ließ«.

Von der Mitschuld am Faschismus nahm die Partei auch sich selbst nicht aus: »Wir deutschen Kommunisten erklären, daß auch wir uns schuldig fühlen, indem wir es trotz der Blutopfer unserer besten Kämpfer nicht vermocht haben, die antifaschistische Einheit der Arbeiter, Bauern und Intelligenz entgegen allen Widersachern zu schmieden ...« Den Ausweg aus Not und Schuld sah die Partei nicht im Beginn einer sozialistischen Umwälzung, sondern in dem Bemühen, »mit der Vernichtung des Hitlerismus ... gleichzeitig die Sache der Demokratisierung, die Sache der bürgerlich-demokratischen Umbildung, die 1848 begonnen wurde, zu Ende zu führen ... und den reaktionären altpreußischen Militarismus mit allen seinen ökonomischen und politischen Ablegern zu vernichten«. Die KPD warb für »den Weg der Aufrichtung eines antifaschistischen, demokratischen Regimes«, für eine parlamentarisch-demokratische Republik »mit allen demokratischen Rechten und Freiheiten für das Volk«.

Als erste Schritte zum Aufbau eines solchen Regimes empfahl die KPD die Bildung freier Gewerkschaften und Parteien, die Säuberung des gesamten Bildungs- und Erziehungswesens und

[60] Dokumente zur parteipolitischen Entwicklung in Deutschland. Hrsg. von Ossip K. Flechtheim. Bd. 1, Berlin 1963, S. 108.
[61] Ebd., Bd. 3, S. 313 ff.

die Wiederaufrichtung der demokratischen Selbstverwaltungsorgane. Die ökonomische Struktur der neuen Republik umriß das Programm einerseits mit Forderungen nach der Enteignung des gesamten Vermögens der »Nazibonzen und Kriegsverbrecher« und der »Übergabe dieses Vermögens in die Hände des Volkes zur Verfügung der kommunalen und provinzialen Selbstverwaltungsorgane«, nach der Liquidierung des Großgrundbesitzes und Hergabe ihres »ganzen Grund und Bodens« an die Verwaltungen zur Verteilung an die »durch den Krieg ruinierten und besitzlos gewordenen Bauern«. Sie forderte die Verstaatlichung aller Betriebe, die lebenswichtigen öffentlichen Interessen dienen (Verkehrsbetriebe, Wasser-, Gas-, Elektrizitätswerke usw.) und verlangte den »Umbau des Steuerwesens nach dem Grundsatz der progressiven Steigerung.«

Andererseits aber plädierte die KPD-Führung für die »völlig ungehinderte Entfaltung des freien Handels und der privaten Unternehmerinitiative auf der Grundlage des Privateigentums« bei gleichzeitigem »Schutz der Werktätigen gegen Unternehmerwillkür und unbotmäßige Ausbeutung« und für die Garantie der großen Bauernwirtschaften: »Es ist selbstverständlich, daß diese Maßnahme (die Liquidierung des Großgrundbesitzes) in keiner Weise den Grundbesitz und die Wirtschaft der Großbauern berühren wird.«

Die Parteiführung hatte damit ihr Konzept für die Demokratie neuen Typs, für die deutsche Demokratische Republik, präsentiert. Es zielte auf die Entmachtung der agrarischen und industriellen Großbesitzer, Nazi-Bonzen und Kriegsverbrecher und sollte helfen, Klein- und Mittelbauern sowie das nicht nationalsozialistische Bürger- und Kleinbürgertum als Bündnispartner zu gewinnen. Gerade im Hinblick auf diese potentiellen Partner hatte die KPD darauf verzichtet, den Übergangscharakter des antifaschistisch-demokratischen Regimes zu betonen und dessen politische Perspektive, den Sozialismus, zu benennen. Diesem Zweck diente auch der Verzicht auf die Erwähnung der Namen von Marx und Engels. In diesem Sinne stellte sich die KPD 1945 als eine grundsätzlich gewandelte Partei, gleichsam als eine KPD neuen Typs vor.

Im Interesse der anvisierten Bündnispolitik empfahlen die Programm-Autoren ihren Gründungsaufruf als Grundlage für die Schaffung eines »Blocks der antifaschistischen, demokratischen Parteien (der Kommunistischen Partei, der Sozialdemokratischen Partei, der Zentrums-Partei und anderer)«.

Um dieses Programm zu realisieren, mußte die KPD-Führung ihr neues Konzept des schrittweisen Übergangs zum Sozialismus zunächst in der eigenen Partei durchsetzen, zugleich einen Modus vivendi mit der Sozialdemokratie finden, d. h. mit jener Partei, die sich bis 1933 als der stärkere Konkurrent um die Führung der Arbeiterbewegung erwiesen hatte. Und schließlich mußte sie dafür Sorge tragen, daß die entstehenden bürgerlichen oder anderen nichtsozialistischen Parteien ihr Bündnisangebot, die Block-Konzeption, akzeptierten.

Als dringlichste Aufgabe erwies sich die Durchsetzung der neuen Programmatik in der KPD. Bereits die drei »Initiativ-Gruppen« des Moskauer ZK hatten feststellen müssen, daß die in der Emigration entwickelten Leitlinien für die Nachkriegszeit in den Überresten der Partei auf Widerstand oder Unverständnis stießen: KPD-Mitglieder kritisierten die neue Programmatik häufig als »reformistisch« und verlangten – gerade in Anbetracht der Anwesenheit sowjetischer Okkupationstruppen – den Beginn oder doch wenigstens die Vorbereitung der sozialistischen Umwälzung. Seine ersten Eindrücke von Begegnungen mit Berliner Kommunisten, die eben erst aus der Illegalität, aus Zuchthäusern oder Konzentrationslagern zurückgekehrt waren, oder sich – nach Jahren politischer Isolierung – wieder zur politischen Arbeit entschlossen hatten, schilderte Walter Ulbricht am 14. Mai 1945 in einem Brief an Wilhelm Pieck, der damals noch in Moskau arbeitete: »Wir müssen uns Rechenschaft legen darüber, daß die Mehrheit unserer Genossen sektiererisch eingestellt ist, und daß möglichst bald die Zusammensetzung der Partei geändert werden muß durch die Hereinnahme aktiver Antifaschisten, die sich jetzt in der Arbeit bewähren. Manche Genossen führen unsere Politik mit Augenzwinkern durch, manche haben den guten Willen, aber dann ist bei ihnen doch die Losung ›Rot Front‹, und manche, vor allem in den komplizierten Bezirken Charlottenburg und Wilmersdorf, reden über Sowjetmacht und ähnliches. Wir haben energisch den Kampf gegen die falschen Auffassungen in den Reihen unserer Genossen geführt, aber immer wieder tauchen neue Genossen auf, die mit den alten Fehlern von vorne beginnen.«[62]

Was Ulbricht in Berlin begegnete, erlebte Ackermann in Sachsen: »Mit manchen Genossen der eigenen Partei und ande-

[62] Zit. nach: Ulbricht, Zur Geschichte der deutschen Arbeiterbewegung, Bd. 2, Zusatzband, S. 205.

ren Antifaschisten waren klärende Auseinandersetzungen notwendig, denn viele hingen noch an Vorstellungen aus der Zeit vor 1933. Die rote Arbeiter- und Bauern-Armee stand im Land – waren damit etwa nicht die Errichtung der Sowjetmacht und der Aufbau des Sozialismus auf die Tagesordnung gesetzt?«[63]

Auch die Sobottka-Gruppe im Norden der SBZ hatte ähnliche Schwierigkeiten. So erinnerte sich ein Mitglied: »In Waren gab es eine aktive Gruppe von Kommunisten. Diese Genossen hatten maßgebliche Funktionen besetzt, gaben eine Zeitung, ›Die Rote Fahne‹, heraus und organisierten eine ›Rote Miliz‹ mit einem ›Stadtkommandanten‹ an der Spitze. Neben den Befehlen des sowjetischen Kommandanten erließen sie Verordnungen und verfügten Beschlagnahmen. Die Kehrseite dieser Politik läßt sich denken. Unsere ›energischen‹ Genossen blieben unter sich und isolierten sich von der Bevölkerung ... Mein Auftrag bestand darin, (eine) Änderung herbeizuführen und die Genossen mit der Politik der Partei vertraut zu machen.«[64]

Diese Situation faßte Bruno Baum (zwischen 1945 und 1959 SED-Funktionär in Berlin und zwischen 1937 und 1945 Häftling in den Zuchthäusern Berlin-Moabit und Brandenburg sowie in den Konzentrationslagern Auschwitz und Mauthausen) damals in der Wertung zusammen: »Natürlich ist das Gros unserer Funktionäre und Mitglieder entweder bei 1933 oder einige Jahre danach ideologisch stehengeblieben. Aber wir hatten doch eine ganze Reihe Genossen, die insbesondere in den Zuchthäusern und Konzentrationslagern in Kollektiven zusammenkommen konnten, die die neue Politik begriffen.«[65] Und ein DDR-Historiker resümierte: »Es ist ... verständlich, daß viele alte Parteimitglieder die politische Arbeit unter Aspekten begannen, wie sie in den Jahren der Weimarer Republik gültig waren. Das kam unter anderem in den verschiedenen von kommunistischen Gruppen unmittelbar nach der Befreiung herausgegeben Plakaten und Flugblättern zum Ausdruck, die Forderungen nach der sofortigen Errichtung der Diktatur des Proletariats und der Sowjetmacht enthielten. Andere Genossen hatten sich wegen des fehlenden Zusammenhalts ›eigene‹ politi-

[63] Anton Ackermann, Der neue Weg zur Einheit. In: Vereint sind wir alles. Berlin (DDR) 1966, S. 79 f.

[64] Gottfried Grünberg, Als Mitglied der Gruppe Sobottka im Einsatz. Ebd., S. 625.

[65] Zit. nach Thomas, Entscheidung, S. 41; s. a. Thomas, 1945–1949. In: DDR. Werden und Wachsen. Berlin 1974, S. 29 f. und Stefan Doernberg, Befreiung 1945. Ein Augenzeugenbericht. Berlin 1975, S. 105.

sche Gedanken gemacht, was zu unterschiedlichen politischen Auffassungen führte . . .«[66]

Angesichts dieser Situation war es aus der Sicht der Rückkehrer dringlich, die Partei personell zu erneuern, ideologisch zu festigen und – vor allem – den Prinzipien des Demokratischen Zentralismus wieder Gültigkeit zu verschaffen. Wollte die Führung ihr Konzept umsetzen, galt es zunächst, ihren Führungsanspruch gegenüber den Mitgliedern durchzusetzen. Noch standen sich in der KPD – grob skizziert – zwei Strömungen gegenüber: auf der einen Seite der remigrierte Rest des ZK. Seine Mitglieder waren fest mit der KPdSU verbunden. Sie hatten sich in den Debatten im Exil auf die Leitlinien der sowjetischen Politik verpflichtet; sie waren – auch durch die Stalinschen Säuberungen der späten dreißiger Jahre, die auch die eigenen Reihen gelichtet hatten[67] – diszipliniert und auf die sowjetische Führung fixiert. Auf der anderen Seite standen jene Genossen, die, teils aus Zuchthäusern, KZ-Lagern oder der Illegalität, nur selten schon aus der West-Emigration gekommen, weder die Taktik und die Programmatik noch den Führungsanspruch der Moskau-Heimkehrer von vornherein anzuerkennen bereit waren.

Der erste Schritt zur Durchsetzung des Führungsanspruchs war die verbindliche Verkündigung der von großen Teilen der Partei abgelehnten neuen Programmatik. Am 4. Juni flogen Walter Ulbricht, Anton Ackermann und Gustav Sobottka von

[66] Thomas, Entscheidung, S. 41.
[67] Nach Hermann Weber, Der Deutsche Kommunismus. Dokumente. Köln, Berlin 1963, S. 359, Anm. 92 sind während der Jahre 1936–1938 in der Sowjetunion die Politbüro-Mitglieder Hermann Remmele, Heinz Neumann, Hermann Schubert und Fritz Schulte, die ZK-Mitglieder Hugo Eberlein, August Creutzburg und Paul Dietrich, der Organisationssekretär Leo Flieg, der Leiter des Militärapparates Hans Kippenberger, der Leiter der Roten Hilfe Willi Koska, der Leiter des Roten Frontkämpferbundes Willi Leow, die Chefredakteure der ›Roten Fahne‹ Heinrich Süßkind und Werner Hirsch, die Redakteure der ›Roten Fahne‹ Erich Birkenhauer, Alfred Rebe, Theodor Beutling und Heinrich Kurella, der ZK-Jurist Felix Halle, der Parteitheoretiker Kurt Sauerland und die KPD-Landtagsabgeordnete Johanna Ludwig als vermeintliche Anhänger der verfolgten Trotzki-, Bucharin- oder Sinowjew-Gruppen verhaftet und erschossen worden oder in Lagern umgekommen. Die Ursachen des Todes dieser leitenden KPD-Mitglieder sind in der DDR trotz der nach 1956 (XX. KPdSU-Parteitag) stillschweigenden Rehabilitierung viele Jahre lang nicht erwähnt worden. Erst seit 1970 vermerkt das ›Biographische Lexikon zur Geschichte der deutschen Arbeiterbewegung‹ Sterbeort (»UdSSR«) und Todesjahr, registriert (bei Schubert, Schulte, Eberlein, Kippenberger, Neumann, Creutzburg und Flieg) das Datum der Verhaftung und merkt an: »Unter falschen Anschuldigungen verhaftet.«

to force, to impose

Berlin nach Moskau und formulierten dort gemeinsam mit Wilhelm Pieck die erste legale programmatische Äußerung der KPD seit zwölf Jahren. Die Konzeption hatte Pieck bereits am 30. Mai mit Georgi Dimitroff diskutiert. Und der ehemalige Komintern-Chef billigte schließlich auch das Endprodukt.

Hatte das ZK die Grundlinien seiner künftigen Politik der Partei mit der Veröffentlichung des Gründungsaufrufs faktisch oktroyiert, so mußte es nun – im zweiten Schritt – dafür Sorge tragen, daß zumindest der Parteiapparat das Programm annahm. Diesem Ziel diente eine rasch einsetzende intensive Schulungs- und Propaganda-Arbeit zunächst durch die seit Juli 1945 erscheinenden »Vortragsdispositionen« für die Zirkelarbeit innerhalb der Partei. Ihre wichtigste Aufgabe sahen die Autoren in der Aufarbeitung der »Fehler« der KPD vor 1933.

Die Einstimmung auf das neue Programm war um so notwendiger geworden, als die Parteiführung – dritter Schritt – unmittelbar nach der offiziellen Wiedergründung der KPD mit einer massiven Werbekampagne begonnen hatte – gemäß der Ulbricht-Maxime, die Zusammensetzung der Partei »möglichst bald« durch die Hereinnahme aktiver Antifaschisten zu verändern. Entscheidend für die Durchsetzung des Führungsanspruchs aber war neben ihrem politischen Renommé als Wahrerin der Parteitradition die materielle und politische Unterstützung, die das ZK durch die Sowjetische Militäradministration erfuhr. Und diese Unterstützung war es letztlich auch, die verhinderte, daß sich in der Partei die illegalen Kämpfer durchsetzen konnten, die, wie sich eine Moskauheimkehrerin sechzehn Jahre später erinnerte, »manchmal fälschlicherweise die Auffassung vertraten, daß sie das ZK waren«[68]. Die sowjetischen Behörden versorgten die Führungskader des ZK und der Landesleitungen der KPD nicht nur mit erheblichen Informationsvorsprüngen, sie halfen auch bei der materiellen Ausstattung des Parteiapparats mit Büros, Autos und Druckmaterial und verschafften ihnen das notwendige politische Prestige gegenüber allen oppositionellen Strömungen innerhalb der eigenen Partei. Doch obschon bereits nach relativ kurzer Zeit der Führungsanspruch des ZK in der Partei kaum noch auf Widerstand stieß, auch weil die 1933 stehengebliebenen »Sektierer« in der KPD quantitativ in die Minderheit gedrängt wurden, und sich die

[68] Zit. nach: Die Rolle der Arbeiterklasse in der Periode des entfalteten Aufbaus des Sozialismus in der DDR. Wissenschaftliches Seminar der Parteihochschule »Karl Marx«. Berlin 27. und 28. April 1961. Berlin (DDR) 1961, S. 291 f.

neuen Mitglieder offenbar rasch – sei es aus antifaschistischem Impuls, sei es aus Karriere-Interessen – den bolschewistischen Prinzipien der Parteidisziplin fügten, war die innerparteiliche Diskussion im Sommer 1945 noch immer nicht zur Ruhe gekommen. Auf welcher Funktionärskonferenz Ulbricht auch immer sprach, überall meldeten sich die alten Genossen zu Wort und kritisierten den neuen Kurs ihrer Partei.

Die Partei zu vereinheitlichen war auch deshalb unerläßlich geworden, weil der Berliner Gründerkreis der SPD seine Arbeit im Zeichen einer verbal sozialrevolutionären Programmatik intensivierte. Auch die SPD wurde infolge der Zulassungspolitik gleichsam von oben nach unten gegründet. In Berlin hatte sich im Mai 1945 eine Gruppe von ehedem vor allem regional bekannten Sozialdemokraten um Otto Grotewohl (1925–1933 Präsident der Braunschweiger Landesversicherungsanstalt und Mitglied des Reichstags, zwischen 1933 und 1945 mehrfach inhaftiert), Gustav Dahrendorf (bis 1933 Redakteur des SPD-Organs ›Hamburger Volksecho‹, 1932/33 Mitglied des Reichstags, 1933–1945 mehrfach inhaftiert, 1944 wegen Zugehörigkeit zum Kreisauer Kreis zu sieben Jahren Zuchthaus verurteilt), Gustav Klingelhöfer (bis 1933 Wirtschaftsredakteur des ›Vorwärts‹), Erich W. Gniffke (bis 1933 Geschäftsführer des Allgemeinen freien Angestellten-Bundes in Braunschweig, zwischen 1938 und 1939 in Haft) und Max Fechner (bis 1933 Abgeordneter des Preußischen Landtages zwischen 1933 und 1945 mehrfach inhaftiert) zusammengefunden. Dieser Kreis konstituierte sich Anfang Juni 1945 als Zentralausschuß (ZA) der Sozialdemokratischen Partei Deutschlands und publizierte die erste programmatische Stellungnahme der SPD nach Kriegsende. Vom Beginn seiner Arbeit an hatte dieses Gremium vor der Notwendigkeit gestanden, sein Verhältnis zu den Kommunisten zu regeln; einerseits deshalb, weil die KPD-Führung aufgrund ihrer engen Kooperation mit der sowjetischen Besatzungsmacht zu erheblichem Einfluß gelangt war, andererseits aber auch der eigenen politischen Ziele wegen. Denn anders als die Schumacher-Gruppe in Hannover oder der Londoner Exilvorstand der SPD orientierten sich die ZA-Mitglieder an jener Möglichkeit sozialdemokratischer Politik, die 1934 im ›Prager Manifest‹ der Exil-SPD Ausdruck gefunden hatte: an der selbstkritischen Rückbesinnung auf den revolutionären Marxismus und am Verlangen nach der politischen Einheit der Arbeiterbewegung.

Insbesondere diese Orientierung wirkte auf die KPD zurück. Denn mit ihrem Gründungsaufruf vom 15. Juni 1945 hatte sich die SPD als die scheinbar radikalere der beiden Arbeiterparteien dargestellt. Anders als die Kommunisten hielten die Sozialdemokraten an traditionell sozialistischen Programmpunkten fest. Sie forderten die Verstaatlichung der Banken und Versicherungsunternehmen, der Bodenschätze und Bergwerke, die »Erfassung des Großgrundbesitzes und aller Kriegsgewinne für die Zwecke des Wiederaufbaus« und stellten ihr Programm unter die Losung »Demokratie in Staat und Gemeinde, Sozialismus in Wirtschaft und Gesellschaft«[69]. In ihren wesentlichen Aussagen stimmten beide Programme jedoch überein: Wie die KPD sprach sich die SPD »in der gegenwärtigen Lage« für die »Aufrichtung eines antifaschistischen, demokratischen Regimes und einer parlamentarisch-demokratischen Republik« aus und begrüßte »auf das wärmste den Aufruf des Zentral-Komitees der Kommunistischen Partei Deutschlands ..., der zutreffend davon ausgeht, daß der Weg für den Neuaufbau Deutschlands von den gegenwärtigen Entwicklungsbedingungen abhängig ist«.

Auch wenn die Zahl der KPD-Mitglieder, gemessen an 1933, schneller wuchs als die der SPD, sah die KPD-Führung doch die Gefahr, daß ein Teil ihrer organisierten oder potentiellen Anhänger, von der sozialdemokratischen Rhetorik fasziniert, zur SPD abwandern könnte. Zudem hatte sich das ZK erstmals seit dem Bestehen der Partei in einer für sie paradoxen Situation zurechtzufinden. Die KPD-Führung, die seit dem Beginn der zwanziger Jahre immer wieder mit ihrer (wechselnden) Einheitsfrontpolitik gescheitert war, sah sich nun sozialdemokratischen Funktionären gegenüber, die nichts dringlicher wünschten als die Einheit der Arbeiterbewegung. Diese Grundstimmung hatte Sozialdemokraten Ende April 1945, noch vor der Kapitulation des NS-Staats, veranlaßt, den zurückgekehrten Kommunisten Gespräche über die sofortige Vereinigung der Parteien vorzuschlagen.

Max Fechner, der nach 1933 der im Lande arbeitenden SPD-Führung angehörte, schrieb an Ulbricht[70]: »Ich hätte gern mit

[69] Zit. nach: An die Arbeit! Aufruf der Sozialdemokratischen Partei Deutschlands vom 15. Juni 1945. Berlin o.J. (1945), S. 10ff.
[70] Zit. nach der Grotewohl-Rede auf der sog. 60er Konferenz. In: Berlin. Quellen und Dokumente. Hrsg. im Auftrag des Senats von Berlin. Bearbeitet von Hans J. Reichard, Hanns U. Treutler, Albrecht Lampe. 1. Halbbd., Berlin 1964, S. 794ff.

Dir darüber gesprochen, wie es möglich wäre, endlich die so ersehnte Einheitsorganisation der deutschen Arbeiterklasse zu schaffen. Meine politischen Freunde und ich stehen auf dem Standpunkt, daß bei der ersten Möglichkeit, sich wieder politisch betätigen zu können, über alle Vergangenheit hinweg der neu zu beschreitende Weg ein gemeinsamer sein muß zwischen KPD und SPD. Ich möchte sagen, daß es bei Beginn der politischen Tätigkeit leichter wird, die Einheit zu schaffen, als wenn wir erst bei den Nachwirkungen der Kriegshandlungen angelangt sind. Ich würde mich freuen, bald mit Dir oder mit einem anderen Genossen von Euch dieses Fragengebiet besprechen zu können. Bitte gib mir bald Nachricht.«

Über das Schicksal dieser und weiterer SPD-Angebote berichtete Otto Grotewohl Ende 1945: Eine Antwort auf den Brief von Fechner traf nie ein (nach Ulbricht war er bei ihm freilich auch nie angekommen), und auch die folgenden sechs Gesprächsofferten des ZA, teils mündlich übermittelt, teils in öffentlichen Reden auf KPD- und SPD-Kundgebungen ausgesprochen, blieben ohne Resonanz. Erst am 19. Juni war die KPD zum Gespräch bereit. Erneut schlugen die SPD-Führer vor, sofort mit der Verschmelzung der Parteien zu beginnen, doch die KPD lehnte ab. Walter Ulbricht erklärte, eine verfrühte Vereinigung trage angesichts der unterschiedlichen ideologischen Positionen den Keim der Zerplitterung in sich und könne den Gedanken der Einheit diskreditieren.

Diese Haltung schien aufgrund der langen Feindschaft zwischen beiden Parteien durchaus plausibel. Wichtiger als dieses Moment aber war für die KPD-Führung wohl die ideologische Vielfalt in den eigenen Reihen. Zudem war zu dieser Zeit noch keineswegs klar, mit welcher Spielart sozialdemokratischer Politik die Kommunisten in der SBZ konfrontiert waren, ob mit diesen eine Einheitsfront von oben oder gar eine Einheitspartei überhaupt erstrebenswert war. Und generell stand zu befürchten, daß die traditionell mitgliederstärkere SPD die KPD im Prozeß der Verschmelzung majorisieren könnte.

Bereits diese Reaktion der KPD mag bei vielen Sozialdemokraten die anfängliche Einheitseuphorie gedämpft haben. Später diente sie dem ZA zur Begründung seines Taktierens in der Einheitsfrage. Im Dezember 1945 erinnerte Grotewohl daran, »daß die Sozialdemokratische Partei die Initiative zur Einheit ergriffen hatte« und sich »sehr viel Mühe geben mußte, um mit der Kommunistischen Partei überhaupt ins Gespräch zu kom-

men«[71]. Am 19. Juni aber wurden die Kommunisten initiativ –
nach ihrem Plan. Sie legten den Entwurf einer Vereinbarung für
einen gemeinsamen Arbeitsausschuß vor. In ihm sollten die
ideologischen Streitfragen durch Diskussionen auf allen Ebenen
der Parteiorganisationen geklärt, die Vereinigung vorbereitet
und für die Zwischenzeit die Aktionseinheit beider Parteien
organisiert werden. Die SPD-Vertreter stimmten diesem Vorschlag zu. Beide Parteien verpflichteten sich zur engen Zusammenarbeit bei der Durchführung gemeinsam beschlossener Ak-
tionsaufgaben zur »Liquidierung der Überreste des Nazismus«.
Die »Voraussetzung hierfür« sahen sie im »Aufbau einer antifaschistischen, demokratisch-parlamentarischen Republik«. Sie
verabredeten die Durchführung gemeinsamer Veranstaltungen;
und beide Seiten drückten »ihren festen Willen aus, alles zu tun,
um auf dem Wege guter Zusammenarbeit in allen Fragen des
antifaschistischen Kampfes und des Wiederaufbaues die *Voraussetzungen für die politische Einheit des werktätigen Volkes*
zu schaffen«. Darüber hinaus empfahlen die Spitzenvertreter
von KPD und SPD ihren Organisationen, »in allen Bezirken,
Kreisen und Orten zusammenzutreten, ebenfalls gemeinsame
Arbeitsausschüsse zu schaffen und in gleicher Weise zusammenzuarbeiten, wie das im zentralen Maßstab geschieht«[72].

Die KPD hatte so einen Modus vivendi mit der Sozialdemokratie gefunden, der, bei formaler Selbständigkeit beider Partei-
en, den Aktionsradius der SPD doch einschränkte. Gesichert
war damit freilich noch nichts; denn das kommunistische Ziel
einer Einheitsfront war nicht irgendeine Einheitspartei. Die
KPD folgte vielmehr den Leitlinien, die 1935 der VII. Weltkongreß der Komintern verabschiedet hatte, und nach diesen sollte
die neue Partei so sein, wie die Sozialdemokratie nach kommunistischem Urteil bislang nie gewesen war: »unabhängig von
der Bourgeoisie«, überzeugt von der »Notwendigkeit des revolutionären Sturzes der Bourgeoisie« und der »Aufrichtung der
Diktatur des Proletariats in der Form der Sowjets«. Sie sollte
die »Unterstützung der eigenen Bourgeoisie im imperialistischen Krieg« ablehnen und schließlich »auf der Grundlage des
demokratischen Zentralismus aufgebaut« werden[73] – kurz: sie

[71] Berlin. Quellen und Dokumente, S. 799.
[72] Zit. nach: An die Arbeit!, S. 14.
[73] Zit. nach: Resolution der Brüsseler Parteikonferenz. In: Die Brüsseler Konferenz der KPD 3.–15. Oktober 1935. Hrsg. und eingel. von Klaus Mammach.
Frankfurt a. M. 1975, S. 593.

sollte nichts anderes sein als die um sozialdemokratische Mitglieder erweiterte KPD. Eine solche Partei war jedoch nur gegen die SPD-Führung, also »von unten« durchzusetzen.

Im Lande wie in der Emigration hatten die Ansätze zu einer Einheitsfront aber stets nur kurzfristige Bedeutung. Das Fehlen dauerhafter organisatorischer Verbindungen zeigt indes nur eine Seite der Beziehungen zwischen den Mitgliedern beider Parteien. Denn in vielen Fällen kam es, wie zu Beginn der Nazi-Zeit in Berlin beim Versuch der Unterstützung der Familien von Inhaftierten oder gegen Kriegsende in Leipzig im Umkreis des dort von der KPD initiierten »Nationalkomitees Freies Deutschland«, zu spontaner Kooperation in kleinen und kleinsten Widerstandszirkeln. Und in Gefängnissen, Zuchthäusern und Konzentrationslagern begegneten sich Kommunisten und Sozialdemokraten, auch wenn sie dort häufig – wie im KZ Buchenwald – auf Distanz hielten, doch als Opfer des gleichen Terrors. In den Resten beider Parteien war schließlich, wenn auch unterschiedlich stark, das Bewußtsein vom Versagen der gespaltenen Arbeiterbewegung im Jahre 1933 wach, das Bewußtsein, daß der Kampf gegeneinander den Sieg des Faschismus erst möglich gemacht hatte.

Dieser Konsens erleichterte es den Kommunisten auch, schon sehr früh mit Sozialdemokraten Verständigung über die Bildung einer Einheitsgewerkschaft zu erzielen. Das war für die KPD-Vertreter um so wichtiger, als sie in der Weimarer Republik mit ihrer Gewerkschaftspolitik, der Revolutionären Gewerkschaftsopposition (RGO), erfolglos geblieben waren, zugleich aber die Aversionen der Sozialdemokraten gegen eine gemeinsame Politik mit der KPD bestärkt hatten.

Die Initiative zur Bildung eines Gewerkschaftsbundes ging von der KPD aus. Noch vor der Wiedergründung der Parteien luden Mitglieder und Beauftragte der »Gruppe Ulbricht« Gewerkschafter aller Richtungen (einschließlich der Hirsch-Dunckerschen und christlichen) ein, einen Gründungsausschuß für einen »Freien Deutschen Gewerkschaftsbund« (FDGB) zu bilden. Dieses Gremium, in dem die KPD – gemessen an ihrer gewerkschaftlichen Stärke in Weimar – überrepräsentiert war, veröffentlichte am 15. Juni 1945 einen Gründungsaufruf, in dem eine Einheitsgewerkschaft »unter Zusammenfassung aller früheren Richtungen« gefordert und Mithilfe beim Wiederaufbau zugesagt wurde. Der FDGB wurde als Dachverband von Industriegewerkschaften konzipiert, von vornherein hatte der

tow rope

Bund stärkere Befugnisse als die erst im Sommer sich herausbildenden Einzelgewerkschaften. Die Kooperation von Kommunisten und Sozialdemokraten in den Gewerkschaften, aber auch das wiederaufbrechende Konkurrenzverhältnis zwischen beiden sollte den Prozeß der Annäherung und schließlichen Verschmelzung von KPD und SPD wesentlich mitbestimmen.

Mit der Schaffung des gemeinsamen Arbeitsausschusses hatte das ZK seine Vorstellung über den Prozeß der Bildung einer Einheitspartei, erst Aktionseinheit, dann Verschmelzung, durchgesetzt. Die KPD-Führung hatte Zeit gewonnen, die eigene Partei personell und organisatorisch zu festigen und zugleich in der Zusammenarbeit mit regionalen und örtlichen SPD-Organisationen im Sinne der Einheit »von unten« die für sie günstigen Bedingungen der Vereinigung zu schaffen. Tatsächlich hatten der Zentralausschuß der SPD und vor ihm Max Fechner ihre Einheitsangebote ohne vorherige Verständigung mit den Parteimitgliedern außerhalb Berlins formuliert. Schon die ersten Kontakte mit den Parteibezirken zeigten den Berliner Befürwortern der Einheitspartei, daß anderswo andere Kooperationsmodelle entwickelt worden waren, daß in anderen Regionen SPD-Funktionäre Einwände gegen jede Vereinigungspolitik geltend machten, bzw. die politische Zielrichtung des ZA generell ablehnten. Als es Ende August dem Zentralausschuß gelungen war, mit den in den Ländern wiedererstandenen Parteiorganisationen Kontakt aufzunehmen, erfuhren die ZA-Emissäre in Leipzig: »Die Kommunisten wollen uns überall überfahren, überall werden unsere Genossen rausgeworfen, mit den Kommunisten gibt es keine ›Zusammenarbeit‹«, und sie mußten sich vorwerfen lassen, sie wollten die Partei »ins Schlepptau der KPD« bringen[74]. Darüber hinaus stellten sich auch strategisch-taktische Gegensätze heraus. So distanzierte sich der SPD-Zentralausschuß selbstkritisch von der Politik der Weimarer SPD und damit auch von ihrer liberaldemokratischen Zielsetzung. Er hatte sich zudem auf eine sogenannte »Ostorientierung« sozialdemokratischer Politik verständigt. Das wesentliche Moment dieser Vorstellung bestand darin, daß die Sozialdemokratie ihre Funktion nicht in der Vermittlung zwischen den Systemen in Ost und West sehen, sondern sich vielmehr langfristig auf eine wirtschaftliche und politische Entwicklung nach dem Osten hin einstellen solle. Auch dieser Ver-

[74] Frank Moraw, Die Parole der »Einheit« und die deutsche Sozialdemokratie. Bonn, Bad Godesberg 1973, S. 109.

such einer Neuorientierung sozialdemokratischer Politik stieß in vielen Parteibezirken auf Kritik. So wurde Gustav Dahrendorf, der diese strategische Leitlinie in Leipzig vorgetragen hatte, entgegengehalten, die Sozialdemokratie brauche sich ihrer Politik vor 1933 nicht zu schämen. Und Rußland unterscheide sich in seinen imperialistischen Zielen durchaus nicht von den westlichen Ländern.

Ähnliche Erfahrungen machte der Zentralausschuß bei seinen ersten Kontakten mit der in Thüringen wiedererstandenen SPD-Organisation. Hier war Hermann Brill im Juli mit seinem Angebot für die Bildung einer einheitlichen Arbeiterpartei bei der dortigen KPD-Führung ebenso auf Ablehnung gestoßen wie der Zentralausschuß beim Zentralkomitee der KPD in Berlin. Um die Vereinigung zu ermöglichen, hatten die Thüringer Sozialdemokraten am 8. Juli nicht die SPD wiedergegründet, sondern sich – auf Vorschlag Brills – im »Bund demokratischer Sozialisten« zusammengeschlossen. Auch nach der Ablehnung des Vereinigungs-Angebots hielten die Thüringer an ihrem Einheitskonzept fest. Sie dachten jedoch nicht an eine Parteienfusion, sondern an eine Organisation nach dem Vorbild der Labour Party, an eine Organisation mit korporativer Mitgliedschaft von SPD, KPD und Gewerkschaften. Mit dieser Organisationsform verband Brill offenbar die Hoffnung, die Eigenständigkeit der SPD erhalten und das schließliche Aufgehen seiner Partei in einer von der KPD dominierten Einheitsorganisation vermeiden zu können.

Zugleich trafen in Berlin Meldungen ein, nach denen sich lokale SPD-Organisationen unter dem Eindruck des kommunistischen Programms zur KPD bekannt hatten. So richtete der SPD-Stadtverband Stralsund an die örtliche Kommandantur eine Bitte um Zulassung und teilte dabei mit, daß man sich weder an der alten Taktik der SPD vor 1933 noch am Heidelberger Programm der SPD orientieren wollte, sondern vielmehr für die »vollinhaltliche Übernahme des Aufrufs der Kommunistischen Partei vom 12. Juni 1945« sei[75].

In diesem Sinne also repräsentierte der Berliner SPD-Zentralausschuß (trotz der zumindest in den ersten Nachkriegstagen

---

[75] Ebd., S. 106; ähnlich argumentierten Sozialdemokraten in Greifswald. Vgl. Erinnerungen und Dokumente aus der Zeit der Vereinigung der KPD und SPD zur SED 1945/46. Hrsg. von der Kommission zur Erforschung der Geschichte der örtlichen Arbeiterbewegung bei der Bezirksleitung Rostock der SED. o. O., o. J., S. 128.

starken Einheits-Neigung vieler SPD-Mitglieder) keineswegs die ganze SPD in der SBZ. Er spiegelte vielmehr nur eine Strömung innerhalb der ostdeutschen Sozialdemokratie wider, eine Richtung, die sich überdies sehr bald dem Druck der einheitsfeindlichen Sozialdemokratie aus den Westzonen ausgesetzt sah, die sich um Kurt Schumacher zu gruppieren begonnen hatte. Der ZA hätte mithin im Falle einer positiven Reaktion der KPD-Führung vor erheblichen politischen wie organisatorischen Problemen gestanden, sein Fusionsangebot einzulösen.

Vor vergleichbaren Problemen stand aber auch die KPD-Führung. Sie hatte sich sowohl mit jenen Mitgliedern auseinanderzusetzen, die an der bis 1933 verbindlichen Parteilinie festhielten und deshalb ein organisiertes Zusammengehen oder gar die Verschmelzung mit der SPD ablehnten, als auch mit Genossen, die schnell eine einheitliche Arbeiterpartei bilden wollten. Und sie war überdies mit der anfänglichen organisatorischen Schwäche ihrer Partei konfrontiert. In der Einheitsfrage waren drei Strömungen erkennbar. Einerseits strebten kommunistische Grundorganisationen gegen den Widerspruch ihres ZK danach, im Sinne der alten Taktik der Einheitsfront von unten Sozialdemokraten für die KPD zu gewinnen. So hatten in der Provinz Brandenburg Kommunisten die Absicht, alle Sozialdemokraten in die KPD aufzunehmen. In Königs Wusterhausen setzte sich die KPD-Ortsgruppe aus 25 ehemaligen Sozialdemokraten und 20 Kommunisten zusammen. Und im Blankenfelde (bei Bernau) war die KPD-Leitung der Meinung, eine »schlagkräftige Gruppe von 10 bis 20 Mitgliedern« sei »besser als eine Massenpartei«[76]. Andere Kommunisten, wie der Mecklenburger KPD-Funktionär Hans Warnke, (zwischen 1924 und 1933 Erster Sekretär der KPD-Bezirksleitung Mecklenburg) weigerten sich, die Sinnhaftigkeit der Wiedergründung der SPD anzuerkennen und dabei auch noch mitzuwirken, wozu ihn der sowjetische Stadtkommandant von Güstrow aufgefordert hatte: »Ich konnte zunächst nicht verstehen, warum wir helfen sollten, damit die SPD wieder in Gang kam. Erst nach einem längeren Gespräch erkannte ich die Notwendigkeit«.[77] Welche Not-

[76] Karl Urban, Die Vereinigung der KPD und SPD im Kampf um die Schaffung der Grundlagen der antifaschistisch-demokratischen Staatsmacht in der Provinz Brandenburg (Mai 1945 – April 1946). Potsdam 1963, S. 51.

[77] Zit. nach: Erinnerungen und Dokumente aus der Zeit der Vereinigung von KPD und SPD zur SED 1945/46, S. 13 ff., hier S. 15; vgl. auch Ders. in: Vereint sind wir alles, S. 650 ff.

wendigkeit Warnke erkannt hatte, welches Konzept sich hinter dem Kommandanten-Rat verbarg, demonstrierte er, als kurz darauf in Güstrow ein Sozialdemokrat, stellvertretend für eine ganze Gruppe, um Aufnahme in die KPD nachsuchte. Warnke lehnte ab und erklärte dem Sozialdemokraten, »daß es nicht darum gehen könne, ihn und andere Sozialdemokraten in die KPD aufzunehmen, sondern daß es um die vielen sozialdemokratischen Genossen in Güstrow ginge. Wer sollte sie führen, wenn nicht er?«

Die zweite Tendenz in der KPD-Mitgliederschaft zeigte sich vor allem bei den KPD-Genossen, die im Zuchthaus oder im KZ ihre Differenzen mit den Sozialdemokraten beigelegt hatten, und in den zeitweilig von US-Truppen besetzten Teilen der SBZ, wo es unter dem dort noch herrschenden Verbot jeder politischen Tätigkeit spontan zur Kooperation mit Sozialdemokraten gekommen war. So hieß es in der Entschließung der politischen Gefangenen des Zuchthauses Brandenburg, die diese kurz nach ihrer Befreiung am 27. April 1945 gefaßt hatten: »Wir politischen Gefangenen haben den Weg zur politischen Einheit zwischen den sozialdemokratischen und kommunistischen Arbeitern beschritten – uns hat der politische Terror zusammengeschweißt. Wir haben gelernt, die Einheit als eine Lebensfrage zu erkennen ...« Ein ehemaliger »Brandenburger« kommentierte später: »Es ist darum nur natürlich, daß mit dem Befehl Nr. 2 ... für viele dieser Genossen der Zeitpunkt gekommen schien, nun sofort die einheitliche marxistische Partei der Arbeiterklasse zu schaffen.«[78]

Auch bei den Kommunisten in den zunächst von US-Truppen besetzten SBZ-Gebieten überwog offenbar die Tendenz für die rasche Bildung einer Einheitspartei. So hatte sich am 25. Juni 1945 – wenige Tage vor der Ankunft der sowjetischen Besatzungstruppen – in Eisleben die »Partei der Werktätigen« (PdW) gebildet. Zu ihr gehörten neben Sozialdemokraten und Kommunisten auch Anhänger der christlichen Arbeiterbewegung und ehemalige Mitglieder des ADGB, von denen einige in der Illegalität in der »Antifaschistischen Arbeitergruppe Mitteldeutschlands« und nach der Okkupation im »Antifaschistischen Bürgerausschuß« Eisleben mitgearbeitet hatten. Diese Partei hatte rasch ca. 10000 Mitglieder erfaßt.

[78] Zit. nach: Fritz Gäbler, Altes Denken mußte überwunden werden. In: Vereint sind wir alles, S. 472 ff., hier S. 472 f.

Wenige Tage nach ihrer Gründung, inzwischen waren die sowjetischen Besatzungstruppen eingezogen, wurde sie von den KPD-Kadern auf Anweisung ihres Berliner ZK wieder aufgelöst – nach heftigen Konflikten, wie sich 30 Jahre später einer ihrer Mitbegründer erinnerte: »Es gab heiße Diskussionen, die Mitglieder der Partei der Werktätigen weigerten sich kategorisch, ihre einheitliche Organisation aufzugeben. Von einer Auflösung dieser in der Illegalität und Halblegalität erstarkten Gemeinschaft konnte keine Rede sein. Die Sozialdemokraten lehnten es ab, ihrer alten Partei wieder beizutreten. Die Kommunisten erklärten, nur ein geschlossener Eintritt der PdW-Mitglieder in eine zentrale Organisation käme in Frage ... Wir haben uns damals viel Mühe gegeben, zu erklären und zu beschleunigen.«[79]

Neben diesen Tendenzen gab es eine (wahrscheinlich nicht schwache) dritte Strömung, die jede Vereinigung oder Kooperation mit den Sozialdemokraten ablehnte. Obwohl konkrete Hinweise auf die Virulenz dieser Haltung fehlen, kann doch aus der damaligen ZK-Deutung, das »Sektierertum« sei in der Partei weit verbreitet, der Schluß gezogen werden, daß in der KPD speziell jene Mitglieder, die tatsächlich 1933 »stehengeblieben« waren, auch die Erinnerung an heftige Feindschaft zwischen »Sozis« und »Kozis«, zwischen »Sozialfaschisten« und »Moskaujüngern« aufbewahrt hatten.

Nach dem Scheitern der ersten Einheitsbemühungen der SPD wurde das Verhältnis zwischen beiden Parteien im wesentlichen durch folgende Momente geprägt: Erstens wuchsen in der SPD, speziell auf der Ebene der Kreis- und Bezirksverbände, Zweifel an der Bereitschaft der KPD zu fairer Zusammenarbeit. Die KPD-Leitungen, gestützt auf die örtlichen Kommandanturen und regionalen SMA-Institutionen, brachten ihre Kader entgegen dem vereinbarten Kooperationsprinzip und oftmals gegen den Willen der Sozialdemokraten in einflußreiche Positionen im Wirtschafts- und Verwaltungsapparat und verdeutlichten so ihr Streben nach politischer wie personeller Vorherrschaft. Zweitens wurde die SPD beim Aufbau ihrer Organisation materiell und politisch gegenüber der KPD deutlich benachteiligt. Die Sozialdemokraten bekamen weniger Papier und Lizenzen zum Druck von Zeitungen als die KPD, ihre Publikationen

[79] So Otto Gotsche, Lehr- und Arbeitsjahre. In: Sinn und Form 27 (1975), S. 210ff., hier S. 253f.

unterlagen strengerer Zensur, und auch bei der materiellen Ausstattung der Parteibüros (Autos, Telefone, Mobiliar) war die
KPD deutlich im Vorteil. Drittens bemühte sich die KPD –
ihrem Einheitskonzept entsprechend –, »unten«, speziell in den
von der SPD traditionell unterbewerteten Betrieben, eine enge
Einheitsfront zwischen KPD- und SPD-Organisationen herzu-
stellen und diese Gruppen politisch zu beeinflussen. Viertens
gelang es der KPD-Führung in dieser Zeit, ihre Partei personell
zu stärken und die Leitlinien des Demokratischen Zentralismus
durchzusetzen. Die KPD-Mitgliederschaft wuchs – gemessen
am Stande der unmittelbaren Nachkriegstage (ca. 50000), aber
auch gemessen am Stande von 1933 (100000) – anfangs schneller
als die der SPD, die 1932 in den späteren SBZ-Gebieten 581000
Mitglieder erfaßt hatte. So waren in Sachsen im Februar 1946 in
der KPD 156000 (1933 ca. 40000), in der SPD 185000 (1933 ca.
140000) Mitglieder organisiert. Ähnlich vollzog sich die Entwicklung im agrarischen Mecklenburg, wo die SPD ihren vor
1933 erheblichen Vorsprung verlor. Hier zählte die KPD im
Februar 1946 55000 (1933 ca. 2800), die SPD 70000 (1933 ca.
35000) Anhänger. Insgesamt wuchs die Zahl der KPD-Mitglieder in der SBZ (einschließlich Berlin) nach DDR-Angaben von
rd. 151000 im August 1945, über knapp 450000 (Januar 1946),
etwa 589000 (Ende März) auf 600000 beim Vereinigungsparteitag. Zu diesem Zeitpunkt wies die SPD für die SBZ (einschließlich Berlin) allerdings 681500 Mitglieder aus (Dezember 1945
ca. 376000). Das rasche Wachstum der KPD, das wohl auch aus
dem verbreiteten Eindruck resultierte, eine Mitgliedschaft in
der SMAD-nahen, einflußreichen Partei sei karrierediensllich,
brachte die alten Parteikader in die Minderheit. Fünftens
schließlich stand der Berliner ZA nach dem Scheitern seiner
frühen Einheitsbemühungen und der strikten Ablehnung jeder
Form von Einheitspolitik durch die von Schumacher inspirierte
(provisorische) SPD-Führung der Westzonen unter doppeltem
Druck: Er mußte die Ost-SPD gegenüber der KPD politisch
profilieren; und er mußte – um dennoch zum Ziel der Einheit
zu gelangen – zugleich einen Weg finden, der weder zu einer
widerspruchslosen Hinnahme der Einheits- (später Fusions-)
Taktik der KPD führte, noch zu der von Kurt Schumacher
geforderten bedingungslosen Ablehnung jedweder Kooperation mit den Kommunisten.

CDU und LDP: Der Weg in den Block

Wie im Westen Deutschlands waren auch im bürgerlichen Politikspektrum der SBZ nach Kriegsende vor allem die Kräfte aktiv, die nach einem antinazistischen, demokratischen Neubeginn suchten. Sowohl in den Gründerkreisen der Christlich-Demokratischen Union als auch in den Gruppen, die die Wiederbelebung einer liberalen Partei erwogen, trafen sich zunächst Politiker, die in Weimar auf dem linken Flügel ihrer Parteien, dem Zentrum oder der Deutschen Demokratischen Partei (DDP), gestanden hatten. Die Mehrzahl dieser Frauen und Männer suchte – in Erinnerung an die Weimarer Parteienvielfalt und den Parteienstreit – nach einem Konzept, das ein Wiederaufleben der alten Gegensätze verhindern könne. Dies schien ihnen gerade angesichts der Notwendigkeit gemeinsamer Wiederaufbauanstrengungen zwingend.

Es war diese Grundstimmung, wahrscheinlich aber auch die Erkenntnis der herausragenden Stellung der Kommunisten, die sie gesprächsbereit machte und schließlich zur Annahme der Block-Offerte der KPD bewog. Unmittelbar nach seiner Rückkehr nach Berlin schon hatte Ulbricht Kontakt zu Exponenten der bürgerlichen Parteien gesucht und schließlich den einstigen Reichslandwirtschaftsminister Andreas Hermes (bis 1933 Zentrums-Abgeordneter des Reichstages und während der NS-Zeit im bürgerlichen Widerstand) gefunden. Mit ihm wie mit dem greisen Eugen Schiffer (vor 1933 Mitglied der Deutschen Demokratischen Partei und zeitweilig Reichsjustizminister) diskutierte er über Möglichkeiten einer künftigen Zusammenarbeit. Auch in den Gesprächen der Exponenten des bürgerlichen Lagers mit den zumeist konziliant agierenden Politoffizieren der SMAD war der Eindruck entstanden, eine zumindest kurzfristige Zusammenarbeit sei möglich. Gleichwohl waren manche der späteren Parteigründer nicht von vornherein bereit, das sowjetische Angebot zur Gründung zweier bürgerlicher Parteien zu akzeptieren. Jakob Kaiser (bis 1933 Funktionär der christlichen Gewerkschaften in Westdeutschland und Mitglied der Zentrums-Fraktion im Reichstag, nach 1933 im Widerstand) und Ernst Lemmer (bis 1933 Generalsekretär der liberalen Hirsch-Dunckerschen Gewerkvereine und Mitglied der DDP-Fraktion des Reichstages, nach 1933 Journalist für ausländische Zeitungen) erwogen vor ihrem Engagement für die CDU-Gründung Pläne für eine Partei, die nach dem britischen Labour-Vorbild strukturiert werden sollte. In ihr sollten Sozialdemokraten sowie christliche, liberale und freie Gewerkschafter zusammenarbeiten, nicht aber Kommunisten. Dieser Plan fand bei der SPD kein Interesse. Auch ein zweiter Versuch Kaisers, der starken Position der Kommunisten, die durch ihre Einheitsfront mit der SPD noch gekräftigt werden sollte, parteipolitisch zu begegnen, ging ins Leere. Wilhelm Külz, die herausragende Persönlichkeit im LDP-Gründerkreis (bis 1933 Mitglied der DDP und Oberbürgermeister von Dresden, in der Weimarer Zeit kurzfristig Reichsinnenminister) lehnte den Plan für eine gemeinsame Partei ab. Er wollte eine eigene, liberale Partei.

In dieser Situation waren die Gründerkreise um so eher bereit, sich als Parteien zu konstituieren und die zumindest indirekt formulierte Voraussetzung für eine Zulassung, die Zusammenarbeit aller Parteien in einem Block, hinzunehmen. Auch wenn manche CDU-Gründer dieser neuen Form parteipolitischer Zusammenarbeit mit Skepsis entgegensahen, so waren sie doch – ebenso wie die LDP-Initiatoren – aufgrund ihrer Überzeugung, das Nachkriegschaos erfordere Gemeinsamkeit, zur Mitarbeit im Block bereit. Zusammenarbeit schien auch deshalb möglich, weil die Parteigründer Programme vorlegten (die CDU am 26. Juni, die LDP am 5. Juli 1945), die in ihren zentralen politischen Aussagen mehr Verbindendes als Trennendes enthielten, und das galt auch für die (taktisch gewandelte) Programmatik der KPD.

So bejahte die CDU zwar das Privateigentum, forderte aber dessen Bindung »an die Verantwortung für die Allgemeinheit«, strebte in diesem Sinne die Verstaatlichung der Bodenschätze an und verlangte: »Der Bergbau und andere monopolartige Schlüsselunternehmungen . . . müssen klar der Staatsgewalt unterworfen werden.« Sie sprach sich für eine »weitgehende Heranziehung des Großgrundbesitzes« aus und plädierte schließlich angesichts des Nachkriegselends für den »Aufbau in straffer Planung«[80].

Anders die LDP. Sie stellte sich mit ihrem Gründungsaufruf vom 5. Juli gleichsam als Rechtspartei im Parteiengefüge der SBZ vor. Die LDP-Gründer traten für die Wiederherstellung des Berufsbeamtentums ein und warben für die Beibehaltung des Privateigentums als »Voraussetzung für die Initiative und erfolgreiche wirtschaftliche Betätigung«. Auch sie aber wollten einer »Unterstellung« von Industriebetrieben und landwirt-

---

[80] Zit. nach: Flechtheim, Dokumente, Bd. 2, S. 27 ff.

schaftlichen Unternehmen »einer übertriebenen Größenord-
nung« unter öffentliche Kontrolle zustimmen, wenn diese dazu
geeignet und »reif« seien und ein »überwiegendes Interesse des
Gesamtwohls« es verlange[81]. Auch der LDP-Gründerkreis hatte so seine Bereitschaft zu sozialökonomischen Veränderungen
angedeutet.

Am 14. Juli 1945 gründeten die Vertreter der Parteien in Berlin die »Einheitsfront der antifaschistisch-demokratischen Parteien«. Sie kamen überein, bei »gegenseitiger Anerkennung ihrer Selbständigkeit« einen Ausschuß zu bilden, der sich die
Aufgabe stellte, Deutschland »auf antifaschistisch-demokrati-
scher Grundlage« aufzubauen, dabei »Geistes- und Gewissensfreiheit« zu sichern und in »ehrlicher Bereitschaft« die Maßnahmen der Besatzungsbehörden durchzuführen. Zugleich rief die
Einheitsfront die Regionalorganisationen der Parteien dazu auf,
in den Ländern, Bezirken, Kreisen und Gemeinden in entsprechenden Gremien zusammenzuarbeiten.

Sowohl bei der Namensgebung – »Einheitsfront« statt
»Block« – als auch bei der Formulierung der Plattform hatten
sich KPD und SPD kompromißbereit gezeigt. Diese Haltung
bewog schließlich CDU und LDP, eine von der SPD vorgelegte
Geschäftsordnung zu akzeptieren, die vorsah, Beschlüsse allein
»auf dem Wege der Vereinbarung« und »somit nicht durch Abstimmung« zu fassen, durch Vereinbarungen, die als »bindend
für alle Parteien« erklärt wurden[82]. Durch ihre Zustimmung zu
den Prinzipien der Einstimmigkeit und Verbindlichkeit der
Einheitsfront-Beschlüsse aber schränkten die nichtsozialistischen Parteien bereits mit ihrem Beitritt zum Block ihre Ak-
tionschancen wesentlich ein. Sie banden sich an eine – wie die
Entwicklung zeigen sollte – unkündbare Koalition, deren politische Richtlinien letztlich immer außerhalb des Blocks formuliert wurden.

Durch die Aktionsgemeinschaft mit der SPD hatte die KPD
nach ihrer Sicht die Voraussetzungen für ihre Bündnispolitik
mit dem Bürger- und Kleinbürgertum geschaffen und sie mit
der Bildung des Parteienblocks institutionell abgesichert. Es
war ihr gelungen, die politischen Exponenten ihrer potentiellen
Bündnispartner an sich zu binden, und es bot sich die Chance,

[81] Ebd., S. 269 ff.
[82] Peter Hermes, Die Christlich-Demokratische Union und die Bodenreform
in der Sowjetischen Besatzungszone Deutschlands im Jahre 1945. Saarbrücken
1963, S. 113.

sie auf diese Weise für ihr Transformationskonzept einzusetzen. Die KPD-Führung hatte damit innerhalb kurzer Zeit erreicht, worauf alle in der Emigration entwickelten Pläne für den Neubeginn gezielt hatten: die Schwächung der Sozialdemokratie durch eine Einheitsfront und die Gewinnung von Teilen des Bürgertums und der Mittelschichten.

Mit der Bildung der Landes- und Zentralverwaltungen und der Zusammenarbeit der Parteien in der »Einheitsfront« waren wichtige Weichenstellungen erfolgt. Die KPD hatte über ihre Kader in der regionalen und zentralen Administration entscheidenden Einfluß auf die entstehenden Behördenapparate erlangt und mit dem Beitritt der Parteien zur »Einheitsfront«, zum Block, den politischen Pluralismus schon in den ersten Nachkriegswochen organisatorisch eingebunden. Diese Erfolge beschränkten sich anfangs freilich auf die oberen Entscheidungsebenen. Noch fehlte der Administration ein einheitlicher Unterbau, und die Untergliederungen der Blockparteien mußten diszipliniert werden.

Die »Antifa-Komitees«: ungeliebte Basis?

Ohne eine zumindest provisorische Verwaltung waren freilich nur wenige Gemeinden gewesen. Denn in den meisten größeren, aber auch in kleineren Städten und speziell in den industriellen Ballungszentren entstanden entweder schon vor, zumeist aber unmittelbar nach dem Einmarsch der Roten Armee »Volkskomitees«, »Antifa-Ausschüsse«, oder es bildeten sich Gruppen, die sich als Teile des Nationalkomitees »Freies Deutschland« bezeichneten. Sie verstanden sich teils als Volksfront-Komitees mit breiter sozialer Basis, teils als eher gewerkschaftsähnliche Zellen oder aber – revolutionär – als Orts- bzw. Stadt-»Sowjets«. Wieviele dieser Ausschüsse nach Kriegsende im Gebiet der SBZ existierten, ist noch immer nicht ermittelt worden. Die DDR-Geschichtswissenschaft[83], die sich dieser Frage erst vor wenigen Jahren intensiver anzunehmen begann, ist bislang noch damit beschäftigt, Quellen sicherzustellen. Immerhin wurden bislang u. a. für den heutigen Bezirk Dresden 68, für Thüringen 80 Antifa-Ausschüsse ermittelt. Als sicher

[83] Der erste umfassendere Überblick über den in der DDR erreichten Forschungsstand wurde 1978 von Günter Benser vorgelegt: Antifa-Ausschüsse – Staatsorgane – Parteiorganisation. Überlegungen zu Ausmaß, Rolle und Grenzen der antifaschistischen Bewegung am Ende des zweiten Weltkrieges. In: ZfG 14 (1978), S. 785ff.

gilt, daß das in Weimar tätige »Thüringen-Komitee« im Mai 1945 Kontakte zu 55 Städten und Gemeinden unterhielt. Vom Leipziger »Nationalkomitee Freies Deutschland« wird berichtet, es habe sich auf 38 Ortsausschüsse im Stadtgebiet und zehn entsprechende Gremien im Landkreis gestützt. Ähnliches wurde mitgeteilt über die Mansfelder Region in Sachsen-Anhalt. Und auch für den Berliner Raum wie selbst für Mecklenburg-Vorpommern liegen Informationen über die Existenz dieser Organisationsformen vor. In den Regionen, in denen diese Bewegung besonders stark war, fand der DDR-Historiker Günter Benser eine Dominanz von Arbeitern, die zumeist der KPD bzw. der SPD angehörten. Mit ihnen arbeiteten aber auch Angestellte, ehemalige Beamte und Wissenschaftler, die vor 1933 Mitglieder bürgerlicher Parteien gewesen waren. Diese Komitees brachten die Strom- und Wasserversorgung wieder in Gang, begannen damit, die knappen Lebensmittel zu erfassen und zu verteilen, organisierten den Verkehr und machten sich – zumeist ohne Aufforderung durch die örtlichen Kommandanten – daran, Behörden, Schulen, Gerichte und Betriebe zu entnazifizieren.

Über die politischen Ziele, mit denen diese Gremien ihre Arbeit begannen, lassen sich verallgemeinernde Aussagen bisher nicht formulieren. Die von der DDR-Geschichtswissenschaft zögerlich mitgeteilten Informationen ergeben ein widersprüchliches Bild. Und offen bleiben muß deshalb vorerst auch, ob diese Ausschüsse – wie es im Hinblick auf die Westzonen immer wieder betont wurde – tatsächlich als Indikatoren für eine breite Bereitschaft zu einem radikalen Neubeginn gelten können, oder ob sich in ihnen vor allem Impulse der alten politischen und gewerkschaftlichen Arbeiterbewegung äußerten.

Doch wenn auch detaillierte Darstellungen der Arbeit und der Konflikte dieser im Osten wie Westen nur kurzlebigen Ausschüsse fehlen, so ist doch offenkundig, daß sich die remigrierten KPD-Funktionäre im Osten ihnen gegenüber ähnlich repressiv verhielten wie die Besatzungsmächte und die wiedererstehenden Parteien im Westen. Überall dort, wo sich diese Komitees nicht widerspruchslos dem Führungsanspruch der Remigranten fügten, begegneten diese den Initiativen mit lebhaftem Mißtrauen und verhinderten damit letztlich genau so – wenn auch aus anderen Motiven – wie die Besatzungsmächte im Westen die Entwicklung alternativer Ansätze für einen Neubeginn.

Aus diesem Grunde wurden bereits im Mai/Juni 1945 alle jene Antifa-Ausschüsse aufgelöst, die sich nicht in die neuen Verwaltungen integrieren lassen wollten, oder die sich, wie die »Berliner Vereinigte Kommunistische Partei«, bereits zu einer Zeit als Einheitspartei begriffen, in der die KPD die Einheitsfrage noch nicht formuliert hatte. Dort jedoch – etwa in Dresden – wo die Antifa-Komitees nach DDR-Darstellung Anfang Mai praktisch die staatliche Gewalt ausübten, sich aber gleichwohl als Vorläufer des Blocks verstanden, konnten sie zu Blockausschüssen der entstehenden Parteien umgebildet werden.

Doch unabhängig vom Selbstverständnis dieser Initiativ-Komitees und unabhängig auch von ihrer Bereitschaft zur Kooperation mit den neuen Verwaltungsorganen: Die KPD-Führung drängte schon deshalb auf ihre rasche Eliminierung, weil sich in diesen Zirkeln offenbar häufig auch jene Kommunisten und Sozialdemokraten zu organisieren begonnen hatten, die an die Möglichkeit eines Beginns der sozialistischen Revolution in Deutschland, zumindest aber in der SBZ, glaubten und in den Komitees bessere Organisationsformen zur Propagierung ihrer Linie sahen als in der Verwaltung oder in einem Parteienblock, der schon aufgrund seiner politischen Struktur eher dem ZK-Konzept gerecht wurde als dem ihren.

»Meistens galt es«, erinnerte sich Ackermann[84], »›linke Überspitzungen‹ zu korrigieren. So in der Stadt Meißen, wo wir einen kompletten städtischen ›Rat der Volkskommissare‹ vorfanden. Genosse Mücke ... – er stellte sich mir damals als ›Vorsitzender des Rates der Volkskommissare‹ vor, Gerhard Ziller war ›Volkskommissar für Kultur‹ – wollte zunächst nicht einsehen, was politisch notwendig war.« (Ziller war später, bis zu seinem Selbstmord 1957, ZK-Sekretär für Wirtschaftsfragen.)

Ähnlich interpretierte sich auch das Antifa-Komitee in Rostock. Als dieser Ausschuß vom sowjetischen Stadtkommandanten aufgelöst und aufgefordert wurde, in der neu zu bildenden Stadtverwaltung mitzuarbeiten, reagierte sein Sprecher, so berichtete der Schriftsteller Willi Bredel, damals Mitarbeiter der Gruppe Sobottka in Rostock, in seinem dokumentarischen Roman ›Ein neues Kapitel‹[85] rebellisch: »Wir Kommunisten haben bei Lenin gelernt, daß der alte kapitalistische Staatsapparat zerschlagen und ein neuer, ein proletarischer Staat an seine Stelle gesetzt werden muß, wenn die Herrschaft des Volkes, oder

[84] In: Staat und Recht (1965), S. 665 ff.
[85] Berlin 1963 (erw. u. bearb. Aufl.), S. 41.

genauer gesagt, die Diktatur des Proletariats gesichert sein soll. Können Sie uns erklären, Genosse Kommandant, weshalb das plötzlich nun nicht mehr gelten soll?«

Mit Widerständen dieser Art hatte sich auch die Gruppe Ulbricht in Berlin auseinanderzusetzen. Auch hier waren zahlreiche Komitees entstanden, in denen KPD-Genossen mitarbeiteten, die offenbar mehrheitlich gegen den Kurs ihres ZK opponierten. In einem Brief an Georgi Dimitroff (9. Mai) berichtete Ulbricht[86]: »Wir haben diese Büros geschlossen und den Genossen klargemacht, daß jetzt alle Kräfte auf die Arbeit in den Stadtverwaltungen konzentriert werden müssen.« Doch die Schließung der Antifa-Büros reichte keineswegs aus, um die offenbar weit verbreitete Sympathie für diese Organisationsform rasch zu zerstören. Noch am 27. Juni 1945 kritisierte Ulbricht bei einer Instruktion von Parteifunktionären aus Berlin und der Provinz Brandenburg die »Rummurkserei mit der Antifa«[87].

Die restriktive Haltung der KPD-Führung gegenüber dieser spontanen Aktivität an der Basis war doppelt problematisch: Einerseits wurden so Ansätze zur Neuorganisation zerschlagen, die oftmals aus dem Widerstand herrührten oder erst aufgrund der KPD-Propaganda für die Bildung von »Volksausschüssen« oder Organisationen des NKFD entstanden waren. Und andererseits wurde so auch ein Teil durchaus kooperationswilliger Antifaschisten zumindest vorübergehend abgestoßen, d. h. das ohnehin geringe Potential für den Beginn der antifaschistisch-demokratischen Umwälzung geschwächt.

Mit ihrer Politik zielte die Parteiführung nicht allein auf die einheitliche Ausrichtung der Partei gemäß den Leitlinien ihrer Konzeption. Sie war auch ein Mittel, ihre Vorstellung vom Verwaltungsaufbau organisatorisch und bündnispolitisch abzusichern. Organisatorisch war es ihr vor allem um einen einheitlichen Administrationsaufbau zu tun, bündnispolitisch um eine – freilich zumeist repräsentative – Beteiligung von Vertretern der nichtsozialistischen Parteien.

Die Entnazifizierung: Aufstieg der neuen Machtelite
Damit diese Verwaltungsapparate richtig funktionieren konnten, brauchten sie zunächst das richtige Personal. Mit der Mehr-

[86] Walter Ulbricht, Zur Geschichte der deutschen Arbeiterbewegung. Bd. 2, Berlin (DDR) 1955, S. 417.
[87] Ders. Zur Geschichte der deutschen Arbeiterbewegung. Bd. 2, Zusatzband, Berlin (DDR) 1966, S. 233 und 232.

zahl der bisherigen Mitarbeiter des öffentlichen Dienstes konnten und wollten weder SMAD und KPD noch die SPD oder die antinazistischen Führungen der Blockparteien zusammenarbeiten. Denn Beamte und Behördenangestellte hatten mehrheitlich der NSDAP (Gesamtmitgliederschaft bei Kriegsende etwa 6,5 Millionen, davon wohl 1,5 Millionen in der SBZ) bzw. ihren Nebenorganisationen[88] angehört und waren – gemäß dem ursprünglichen Konsens der Alliierten – aus ihren Positionen zu entlassen. Das galt für die gesamte öffentliche Verwaltung, für Schulen und Universitäten, für die Justiz, das öffentliche Verkehrs- und Gesundheitswesen, für Theater, Bibliotheken und Kindergärten. Die dabei entstehenden Probleme waren erheblich. Bei Kriegsende hatten ca. 72 Prozent der Lehrer in Schulen auf späterem SBZ-Gebiet, ca. 80 Prozent der Richter und Staatsanwälte, ein Drittel der Beschäftigten (darunter mehr als die Hälfte der Beamten) der Deutschen Reichsbahn der NSDAP angehört, und auch die Beamten und Verwaltungsangestellten in den Ländern waren nahezu allesamt Parteigenossen (Pg) gewesen – in Thüringen 90 Prozent.

Im August 1945 verpflichtete ein SMAD-Befehl alle Pg, aber auch alle ehemaligen Offiziere vom Leutnant an sowie natürlich auch alle Mitglieder der SA, SS und die Mitarbeiter der Gestapo, sich bei den Kommandanturen registrieren zu lassen. Im Verlaufe dieser und anderer, kaum koordinierten Aktionen wurden nach westlichen Schätzungen etwa 150 000 Menschen verhaftet, ein Teil von ihnen von Sowjetischen Militärtribunalen abgeurteilt oder ohne Urteil in die Sowjetunion gebracht, ein anderer in den ehemaligen Konzentrationslagern Buchenwald und Sachsenhausen interniert. Die Zahl der dort Umgekommenen wird auf 70 000 geschätzt. Manche der damals Festgenommenen waren im Sinne der Entnazifizierungs-Bestimmungen wohl unschuldig. Sie wurden Opfer von nur schwer zu kontrollierenden Rachegefühlen und wohl auch häufig von Denunziationen.

Die gleichsam geregelte Entnazifizierung vollzog sich auf der Grundlage von Direktiven des Kontrollrats und SMAD-Befehlen. Anders aber als etwa die britische Besatzungsmacht legte

---

[88] Rolf Badstübner (Die Geschichte der DDR unter dem Aspekt von Erbe und Tradition, in: Zeitschrift für Geschichtswissenschaft, 33. Jg, 1985, H. 4, S. 338 ff.) geht für 1945 von insgesamt vier Millionen Mitgliedern der NSDAP und ihrer Gliederungen auf dem Gebiet der SBZ aus.

die sowjetische Wert darauf, tatsächlich alle, »aktivistische« wie »nominelle« Pg, aus dem öffentlichen Dienst zu entfernen, und zwar bis zum Jahresende 1945. Dementsprechend verlangten die Landesverwaltungen die »Säuberung« aller Administrationsbereiche. Es wurden Kommissionen gebildet, die die bisherigen Mitarbeiter überprüften und die Mehrzahl entließen. Es entstanden »Reinigungs-« und »Sonderreinigungsausschüsse«, und es ergingen die ersten Urteile durch deutsche Gerichte. Betroffen war nicht allein der öffentliche Dienst; gesäubert werden sollte auch das Industriemanagement. Voll realisiert wurde das Entnazifizierungsprogramm freilich auch in der SBZ nicht. Ohne die Mitarbeit der eigentlich zu Entlassenden wären große Bereiche des öffentlichen Lebens zusammengebrochen. Deshalb auch setzte sich rasch das von allen politischen Kräften betonte Bemühen um Differenzierung durch. Unterschieden werden sollte zwischen Aktivisten und Mitläufern, und den Mitläufern war die Chance geboten, sich im Wiederaufbau zu bewähren. Das galt vor allem für junge Menschen. Schon 1945 wurde etwa in Brandenburg ehemaligen Mitgliedern der NS-Jugendorganisationen und jenen jungen Pg, die durch »Sammelüberweisungen« von diesen in die NSDAP gekommen waren, der Zugang zum öffentlichen Dienst ermöglicht. Pragmatischer als vorgesehen mußte angesichts des Lehrermangels in den Schulen verfahren werden. Gleichfalls in Brandenburg wurde im Herbst 1945 die Einstellung von Lehrer-Pg gestattet, doch durften sich die Kollegien zu höchstens einem Drittel aus Pädagogen dieser Kategorie rekrutieren, und für die Fächer Deutsch und Geschichte waren sie gesperrt. Von 1946 an aber wurde nur noch ein 10-Prozent-Anteil (in allen SBZ-Ländern einheitlich) geduldet. Rücksicht war auch in der Industrie zu üben. Hier war die KPD, vor allem aber die an den Reparationen interessierte SMAD, auf die Mitarbeit speziell von Technikern und Ingenieuren angewiesen, und eine nominelle NSDAP-Mitgliedschaft allein war kein Ausschlußgrund. Beim Management indes griffen sie rigoroser durch. Die wirtschaftlichen Kommandohöhen sollten auf keinen Fall den alten Eliten überlassen werden. Selbst wenn der ökonomische Sachverstand der neuen Direktoren und Werkleiter häufig gering war: Zuverlässigkeit galt mehr als Know-how. Bis 1947 hatte sich das Sozialprofil des Managements entscheidend verändert. Die ehemaligen Direktoren stellten unter den Leitern der nun allerdings schon volkseigenen Betriebe nur noch einen 6,2 Prozent-Anteil,

dragging, sluggish

frühere Arbeiter (21,7 Prozent) und Angestellte bildeten mit 52,4 Prozent eine absolute Mehrheit.

Diese Umschichtung war symptomatisch für den gesamten Prozeß der Entnazifizierung. An die Stelle von Vertretern der alten Bildungs- und Besitzeliten traten Funktionsträger, die aus bislang sozial unterprivilegierten Schichten stammten. Dieser Umschichtung entsprach freilich eine politische Auslese, die dafür Sorge trug, daß der Einfluß der KPD in vielen Bereichen dominierte. An die Stelle der ca. 520 000 »Ehemaligen«, die zwischen 1945 und 1948 den öffentlichen Dienst und die Büros der Industrie verlassen mußten, sozial abstiegen oder – wie viele – die SBZ verließen, traten Funktionäre, die zu großen Teilen der KPD bzw. SED angehörten. Das galt mehr für die rasch ausgebildeten »Volksrichter« und »Volksstaatsanwälte« (80 Prozent der Teilnehmer der ersten Kurse waren Mitglieder der SED), weniger für die bis zum Herbst 1946 eingestellten etwa 40 000 »Neulehrer« (noch Ende 1948 war nur knapp die Hälfte der Lehrerschaft in der SED organisiert). Es galt aber vor allem für die Staats- und Landesangestellten. Was DDR-Historiker als »klassenmäßige Ausgestaltung der neuen Macht«[89] charakterisieren, stellte sich deshalb auch als zunehmende Kontrolle des Behördenapparats dar. Im August 1946 waren z. B. in der sächsischen Landesverwaltung 56,5 Prozent der Mitarbeiter Angehörige der SED, Mitglieder von CDU und LDPD bildeten mit zusammen neun Prozent nur eine Minderheit. Im dortigen Personalamt, der Stelle also, die für die Personalpolitik aller sächsischen Behörden zuständig war, bekannten sich gar 95 Prozent zur SED. Auch wenn DDR-Historiker beklagen, der Umschichtungsprozeß insbesondere in der Jusitz-Verwaltung sei nur schleppend vorangekommen, so war doch auch dort spätestens bis 1948 die Vorherrschaft der KPD/SED gesichert.

Die quantitative Dominanz war damals freilich noch nicht erreicht. 1948 stellte die SED in allen Ländern und auf allen Verwaltungsebenen erst 43,6 Prozent der Mitarbeiter des Staatsapparats. Da jedoch den anderen Parteien zu dieser Zeit nur knapp 12 Prozent der Angestellten angehörten, die parteilosen mit 44,7 einen erheblich größeren Anteil stellten, und die

[89] Errichtung des Arbeiter- und Bauernstaates der DDR 1945–1949. Autorenkollektiv unter der Leitung v. Karl-Heinz Schöneburg. Berlin (DDR) 1983, S. 93.

SED-Mitglieder in aller Regel die Schaltstellen der Behörden kontrollierten, war die Vormachtstellung der KPD/SED schon in dieser Zeit auch personell garantiert. Die Mitarbeiter selbst wurden durch ihren Aufstieg in die Gruppe der Staatsdiener kaum begünstigt: Das Berufsbeamtentum und seine Privilegien waren abgeschafft; die Beamtengehälter lagen häufig unter denen anderer Bereiche; Zugang zu den knappen Überlebensmitteln auf den grauen und schwarzen Märkten war wegen des straffen Disziplinarrechts noch schwerer zu erreichen; ein Gewinn an Sozialprestige mit der neuen Position nur selten verbunden; und Chancen für Einfluß und Aufstieg boten sich vor allem durch den strikten Vollzug der Weisungen hierarchisch gegliederter Apparate. Ausgeprägt wurden damals die (vordergründig politisch motivierte) Subalternität und der machtbewußte Bürokratismus, die den Staatsapparat der DDR noch heute kennzeichnen.

Die Betriebsräte: Massenbasis für den Neubeginn?

Ganz anders stellte sich die Situation in den Industrie-Betrieben dar. Dominierten im Behördenapparat schon früh Hierarchie, Zentralismus und bürokratische Disziplin, so herrschte in den Betrieben eine zunächst kaum kontrollierte und auch nur schwer kontrollierbare kollektive Spontaneität. Wie stark sie politisch gerichtet war, ob sie bewußt auf die Überwindung der alten Eigentumsverhältnisse zielte, oder ob die Initiativen dieser in der DDR so genannten »Aktivisten der ersten Stunde« vor allem der Notsituation entsprangen, läßt sich angesichts der dürftigen Quellenlage nur schwer rekonstruieren. Vielfach belegt sind Vorgänge, die auch aus den damaligen Westzonen häufig berichtet wurden: In vielen Orten übernahmen Arbeiter und Angestellte, zunächst weder von den Kommandanturen noch von deutschen Behörden legitimiert, die Industriebetriebe in eigene Regie. Das geschah in der SBZ vor allem in den Werken, die von ihren Besitzern verlassen oder durch die Zonenteilung von den westdeutschen Konzernleitungen abgeschnitten worden waren. Die Arbeiter begannen mit dem zumeist provisorischen Wiederaufbau der Produktionsstätten, säuberten das Management von bekannten Nazis und begannen – sofern die Lagerbestände dies zuließen – mit der Produktion. Sie wählten »Betriebsausschüsse« oder Betriebsräte, diese setzten neue Werkleitungen ein oder leiteten die Betriebe als Kollektivorgane.

Im Herbst 1946 ließ sich der FDGB-Bundesvorstand aus 100 »willkürlich ausgewählten Betrieben« über den Stand der Entnazifizierung (und damit häufig auch über den der faktischen Enteignung) berichten. In diesen Mitteilungen[90] hieß es u. a.: »Im August 1945 konnten wir als Betriebsrat erreichen, daß der reaktionäre Betriebsleiter Hilbert entlassen wurde. Wir suchten uns einen neuen Betriebsleiter, und jetzt ging die Produktion los«. (Mannsfeld AG. Metallwerke Rothenburg, Provinz Sachsen, Belegschaft: 495). »Die Betriebsleitung wurde gesäubert. Unser bisheriger Betriebsratsvorsitzender, ein langjähriger Raffineriearbeiter, wurde technischer Direktor.« (Zuckerraffinerie Halle, Belegschaft: 800). »Durch die Säuberung der Betriebsleitung sind wir unseren früheren Betriebsleiter los. Die Aufsicht liegt jetzt bei dem Kollegen Rybarcyck aus Wittenberg.« (Gummiwerke Elbe, Piesteritz, Belegschaft: 1100). »Unser Betrieb gehörte dem sogenannten Phrix-Konzern an, dessen Hauptleitung sich in Hamburg befindet. Wir sind aber durch Beschluß der Gesamtbelegschaft aus dem Konzern ausgeschieden ... Zum Treuhänder wurde im März d. J. in geheimer Abstimmung ein bisheriger Werkmeister gewählt, der das Werk zur Zufriedenheit der Belegschaft leitet.« (Kurmärkische Zellwolle und Zellulose AG, Wittenberg, Belegschaft: 1409). »Im Juli 1945 setzte sich der damalige Nazidirektor Wussow (persönlicher Freund von Sauckel) vor dem Einmarsch der Roten Armee nach dem Westen ab. An seine Stelle traten zwei Arbeiter, und zwar ein Dreher und ein Schlosser, in die Direktion ein.« (Olympia Büromaschinenwerk Erfurt, Belegschaft: 2323).

Daß es sich bei dieser FDGB-Auswahl um typische Beispiele handelte, hatten bereits die Rechenschaftsberichte der FDGB-Landesorganisationen auf der 1. Delegiertenkonferenz der SBZ-Gewerkschaften gezeigt. Obwohl in ihnen auf die spontane Übernahme der Betriebe durch die Belegschaften nur noch am Rande eingegangen wird – in der Zwischenzeit waren sie bereits den Landesverwaltungen unterstellt –, bringen auch sie noch die offenbar häufige antifaschistische Emphase des Neubeginns in der Arbeit der Betriebsräte zum Ausdruck.

Es gab also eine Initiativbewegung, die sich – von Sozialdemokraten und Kommunisten mobilisiert – in Betriebsräten organisierte, einen Großteil der Industrie enteignete, das Manage-

[90] Zit. nach: Dem Betriebsrätegesetz wird Leben verliehen. Hrsg. v. Freien Deutschen Gewerkschaftsbund für die sowjetisch besetzte Zone. Berlin 1947, S. 13 f.

ment entnazifizierte und weitreichende Mitbestimmungsrechte durchsetzte, und das noch vor dem Erlaß entsprechender SMAD-Befehle oder deutscher Gesetze. Gegen die Annahme einer *breiten* Massenbewegung spricht freilich zweierlei: einerseits die in ihrer Wirkung kaum zu überschätzende Begegnung mit den siegreichen Sowjettruppen, mit ihrem aus Revanchedenken und Sieges-Euphorie resultierenden Verhalten, das speziell in den Vergewaltigungen und Beuteaktionen das Bolschewismus-Bild zu bestätigen schien, das die Nazi-Führung seit 1933 vermittelt hatte. In die gleiche Richtung wirkten wohl die 1945 beginnenden Demontagen, deren demoralisierende Wirkung auch in der DDR-Literatur erwähnt wird. Das galt speziell in den Fällen, in denen Werke abgebaut wurden, die gerade zuvor von den Arbeitern wieder in Gang gesetzt worden waren. Und nicht wesentlich besser traf es die, die als Sowjetische Aktiengesellschaften fortbestanden, der Verfügung der neuen Besitzer also entzogen wurden. Ähnlich negativ wirkten die Entnahmen aus der laufenden Produktion. Kurz nach seinem Eintreffen aus den USA in Berlin notierte Bertolt Brecht: »die übernahme der produktion durch das proletariat erfolgt in dem zeitpunkt (und scheint vielen also zu erfolgen zu dem zweck) der auslieferung der produkte an den sieger.«[91]

Führt bereits die Frage nach der Breite der Initiatoren-Bewegung in Bereiche kaum gesicherter Spekulation, so ist es noch schwieriger, ihre politischen Intentionen zu rekonstruieren. Nachzuweisen, wenn auch kaum zu verallgemeinern, ist allein die hier und da formulierte Vorstellung von einem Übergang zu gleichsam genossenschaftlichen Eigentums- und Leitungsprinzipien. So plädierte der Sprecher des FDGB Mecklenburg auf der ersten Delegierten-Konferenz der Gewerkschaften dafür, dem Mecklenburger Beispiel zu folgen und einen Teil der enteigneten Betriebe in »genossenschaftliche Betriebe« (Arbeitergenossenschaften) umzuwandeln[92]. Er wurde dafür im Schlußwort Hans Jendretzkys, des vom Kongreß gewählten 1. FDGB-Vorsitzenden, kritisiert. Ähnliche Tendenzen meldete im November 1945 die Dresdner ›Volksstimme‹[93] aus Sachsen, und

[91] Bertolt Brecht, Arbeitsjournal. Bd. 2: 1942–1955. Hrsg. v. Werner Hecht, Frankfurt a. M. 1974, S. 533.
[92] Protokoll der ersten allgemeinen Delegiertenkonferenz des Freien Deutschen Gewerkschaftsbundes für das sowjetisch besetzte Gebiet. 9.–11. Februar 1946. Berlin 1946, S. 98.
[93] Volksstimme v. 16. 11. 1945.

schon im September 1945 hatte das SPD-Blatt ›Das Volk‹ die Neigung vieler Betriebsräte kritisiert, statt den »Interessen der Gesamtheit ... die Gesichtspunkte des einzelnen Unternehmens in den Vordergrund zu stellen« und vorgeschlagen, den Industrie- und Handelskammern, in denen die Gewerkschaften Mitbestimmungsrechte hatten, eine »lenkende Funktion« zu geben[94].

Forderungen wie diese stimmten offenbar mit denen überein, die auch die »linke« Opposition innerhalb der KPD vorgetragen hatte. Und diese Stoßrichtung mag denn auch der Grund dafür gewesen sein, daß die KPD den Arbeitern in dieser Zeit ein nur schwach entwickeltes Klassenbewußtsein attestierte. Weil andere Konzepte vertreten wurden als die von ihr vorgelegten, sah sich die Parteiführung auch ganz aktuell vor der ihr ohnehin aufgegebenen Pflicht, ihr politisches Bewußtsein in die Klasse hineinzutragen. Daß diese Politik gegenüber der Betriebsräte-Bewegung aber keineswegs immer ein Bremsen spontaner Aktivität bedeutete, zeigte sich in der Mitbestimmungs-Politik von Partei und Gewerkschaften wie in ihrem Verhalten in der Problematik der Treuhänderschaft. So setzten KPD und SPD zwar zunächst Anordnungen durch, nach denen die sogenannten herrenlosen, tatsächlich häufig in Selbstverwaltung operierenden Betriebe von Treuhändern geleitet werden sollten, die von den örtlichen Behörden einzusetzen waren. Sie akzeptierten aber zugleich, daß sich Belegschaften ihre Treuhänder selbst wählten, was im hochindustrialisierten Sachsen dazu führte, daß sich die Treuhänder zu 47 Prozent aus Arbeitern rekrutierten. Folgten die Parteien und Gewerkschaften hier einem offenkundig kräftigen Druck der Basis, so waren sie in der Durchsetzung weitreichender Mitbestimmungsforderungen in der Privatindustrie wie in der öffentlichen Wirtschaft durch die Organisierung von Agitation und Streiks selbst aktiv.

Diese Auseinandersetzung begann nach dem Erlaß des Betriebsräte-Gesetzes des Alliierten Kontrollrates im April 1946. Zwar hatte die Thüringische Landesverwaltung bereits im Oktober 1945 ein Betriebsräte-Gesetz erlassen, das auf den Entwurf einer Thüringischen Betriebsräte-Konferenz zurückging. Das Kontrollrats-Gesetz aber bildete die erste einheitliche und verbindliche Rechtsbasis. Auf ihrer Grundlage fanden im Sommer 1946 auch die ersten allgemeinen Betriebswahlen statt.

[94] Das Volk v. 8. 9. 1945.

Da das Kontrollrats-Gesetz jedoch in seinen wesentlichen Passagen nicht über das Betriebsräte-Gesetz von 1920 hinausging, d. h. Bestimmungen über die Teilhabe von Lohnabhängigen an Planungs- und Leitungsentscheidungen nicht vorsah, setzten Gewerkschaften und Betriebsräte seit dem Sommer 1946 »Betriebsvereinbarungen« durch, die diese Mitspracherechte sichern sollten. Nach Mitteilung des FDGB-Bundesvorstandes regte sich der Widerstand der Unternehmer vor allem in mittleren und Kleinbetrieben, aber »befremdlicherweise ... zeigten auch manche Leitungen öffentlicher und landeseigener Betriebe nicht immer das richtige Verständnis ...«[95].

Ob und wie sich die Gewerkschaften gegenüber den öffentlichen Betrieben durchsetzen konnten, ist nicht belegt. Über die Taktik gegenüber renitenten kapitalistischen Unternehmern heißt es im Geschäftsbericht des Gewerkschaftsbundes für 1946: »Mehrfach stellten Belegschaften widerspenstigen Unternehmern ein Ultimatum, das fast immer den gewünschten Erfolg hatte. In einigen Betrieben genügte auch das noch nicht, und es mußte erst eine Arbeitsniederlegung erfolgen, die dann in jedem Falle, sei es nach wenigen Stunden, sei es nach wenigen Tagen, den gewünschten Erfolg hatte ... Fast in allen diesen Fällen wurde auch die Bezahlung der Arbeitsruhe durchgesetzt (in Berlin kamen sieben Belegschaften erst durch Arbeitsniederlegung zum Abschluß von Betriebsvereinbarungen über das Mitbestimmungsrecht ihres Betriebsrates).«[96]

Im März 1947 waren so in etwa 14 000 SBZ-Betrieben, die insgesamt 70 Prozent aller Arbeiter und Angestellten beschäftigten, Betriebsvereinbarungen durchgesetzt, die weitreichende Mitbestimmungsrechte bei der betrieblichen Planung und bei der Preis- wie Personalpolitik schufen.

Partei und Gewerkschaften reagierten zwischen 1945 und 1947 auf die Basisbewegungen also zwiespältig: Einerseits stellten sie sich allen Forderungen entgegen, die über den von der KPD/SED formulierten Geist der Epoche, über die Ziele der antifaschistisch-demokratischen Umwälzung, hinausgingen. Andererseits aber respektierten oder förderten sie jene Bewegungen, die auf eine weitreichende Mitbestimmung zielten, und

---

[95] Zit. nach: Geschäftsbericht des Freien Deutschen Gewerkschaftsbundes 1946. Hrsg. v. Vorstand des FDGB (sowjetisch besetzte Zone). Berlin 1947, S. 160.
[96] Ebd., S. 161.

sie erwirkten so die faktische Enteignung oder Entmachtung der Besitzer der Produktionsmittel häufig noch vor dem Erlaß entsprechender SMAD-Befehle und deutscher Gesetze.

Vor dem Hintergrund der so bestimmten Beziehungen zwischen dem aktivierten Teil der Arbeiter und der KPD/SED sind denn auch alle jene Deutungen zu prüfen, die die erste Umwälzungs-Phase in der DDR als ausschließlich fremdbestimmt begreifen.

Für die ersten Jahre trifft (im Hinblick auf die Sonderlage Deutschlands als besiegtem Aggressor freilich nur bedingt) auch für die SBZ zu, was Isaac Deutscher für alle Volksdemokratien formulierte: »Die Revolution, die Stalin ... nach Ost- und Mitteleuropa hineintrug, war in erster Linie eine Revolution von oben ... Obwohl die lokalen kommunistischen Parteien die unmittelbaren Träger und Ausführenden dieser Revolution waren, fiel die entscheidende Rolle der Roten Armee zu, die nach außen im Hintergrund blieb. Damit soll nicht gesagt sein, daß die Arbeiterklasse der betreffenden Länder mit diesem Umsturz nichts zu tun hatte. Ohne ihre Beteiligung wäre die Revolution von oben unwirksam geblieben ... Was sich in der russischen Einflußsphäre vollzog, war daher halb Eroberung und halb Revolution. Deshalb wird eine richtige Bewertung dieser Vorgänge so außerordentlich schwierig.«[97]

Die formelle Enteignung der Großindustrie und die Bodenreform
Am 30. Oktober 1945 verfügte die SMAD mit dem Befehl 124 die »Beschlagnahme allen Eigentums des deutschen Staates, der NSDAP und ihrer Organisationen, der Verbündeten des Nazi-Reiches und darüber hinaus aller jener Personen, die von der SMAD durch besondere Listen oder auf eine andere Weise bezeichnet werden«. Sie wies die Länder- und Provinzverwaltungen an, alle anderen »herrenlosen Handels-, Industrie- und landwirtschaftlichen Unternehmen« zu registrieren und provisorisch zu verwalten[98]. Dieser Befehl betraf alle NS-Aktivisten und Rüstungsprofiteure und erfaßte so »praktisch alle Großbetriebe und natürlich alle Betriebe der Konzerne«[99].

---

[97] Isaac Deutscher, Stalin. Eine politische Biographie. Stuttgart 1962, S. 582.
[98] Um ein antifaschistisch-demokratisches Deutschland. Dokumente aus den Jahren 1945–1949. Berlin (DDR) 1968, S. 189ff.
[99] Doernberg, Die Geburt eines neuen Deutschland, S. 337.

Diese, wie es hieß, vorübergehend beschlagnahmten (»seque-strierten«) Betriebe wurden (mit Ausnahme der von der SMAD übernommenen und in SAG umgewandelten) am 21. Mai 1946 durch den SMAD-Befehl 154/181 bis zur »endgültigen Lösung des Eigentumsrechts an diesem Vermögen« den Landesverwal-tungen zur Verfügung gestellt[100]. Die Banken waren bereits durch den zehnten Befehl der SMAD (23. 7. 1945) geschlossen, ihre Einlagen jedoch auf kurz danach den in den Regionen gebildeten Landes- und Provinzialbanken übertragen worden. Ihre formelle Enteignung – und zwar rückwirkend zum Kapi-tulationstag (8. Mai 1945) – erfolgte durch Landtagsbeschlüsse in den Jahren 1947 und 1948.

Die ordnungspolitisch relevanten SMAD-Befehle ergänzten oder legalisierten häufig freilich nur, was von deutschen Behör-den – und hier vor allem von der Verwaltung des am stärksten industrialisierten Landes Sachsen – schon zuvor entschieden worden war. So hatten die sächsischen Behörden bereits am 29. Oktober – also einen Tag vor dem Sequester-Befehl 124 – die entschädigungslose Enteignung des Flick-Konzerns verfügt, weil – wie es in der Verordnung hieß – Flick wie »zahlreiche (andere) deutsche Monopolkapitalisten« ohnehin seiner Verur-teilung entgegensehe[101]. *see coming*

Bereits am 4. April 1946 – also nahezu zwei Monate vor der Übergabe der sequestrierten Betriebe an die Landesverwaltun-gen – hatte das Präsidium der Landesverwaltung Sachsen mit der »Verordnung über Volksbegehren und Volksentscheid« die Rechtsgrundlage für den Volksentscheid über die »Enteignung der Naziaktivisten und Kriegsverbrecher« verabschiedet, in dem am 30. Juni 1946 77,6 Prozent der abstimmenden Sachsen dem Enteignungs-Gesetz zustimmten, 16,56 Prozent das Ge-setz ablehnten und 5,8 Prozent ungültige Stimmzettel abgaben. Auf den sächsischen Volksentscheid gestützt, erließen alle ande-ren Landes- und Provinzverwaltungen der SBZ bis Mitte Au-gust weithin gleichlautende Enteignungsgesetze.

Der sächsische Kohlenbergbau war bereits im September 1945 der Landesverwaltung unterstellt, also faktisch enteignet worden. In Thüringen und Sachsen-Anhalt erfolgte die Ver-staatlichung des Bergbaus und der Bodenschätze aufgrund des Widerstandes von CDU und LDP erst in den Jahren 1947 und

---

[100] Um ein antifaschistisch-demokratisches Deutschland, S. 272f.
[101] Ebd., S. 184.

1948. Die Enteignung der Groß- und Mittelbetriebe vollzog sich so in drei Phasen: zunächst durch spontan handelnde Arbeiter, dann durch SMAD-Befehle und schließlich nach deutschem Recht. Bereits 1947 war auf diese Weise der Anteil der Privatbetriebe an der industriellen Produktion auf ca. 44 Prozent geschrumpft.

Tiefgreifend waren auch die Veränderungen auf dem Lande. Anders als in der Industrie fehlte freilich bei der Enteignung der Großgrundbesitzer weitgehend das Moment der Spontaneität. Hier bedurfte es, folgt man zeitgenössischen und retrospektiven DDR-Darstellungen, einer erheblichen Mobilisierungsanstrengung und administrativer Akte, um die Landbevölkerung von der Berechtigung der Landnahme zu überzeugen. So erinnerte sich Ulbricht an einen Besuch in Schlaitz im Kreis Bitterfeld (Sachsen-Anhalt) im Juli 1945, bei dem er mit zögernden Bauern über die Legitimität von Enteignungen gesprochen hatte: »›Das ist doch ganz einfach‹, rieten wir ... ›Sie nehmen dem Gutsbesitzer den Boden weg, dann ist schon der erste Schritt zu einer demokratischen Ordnung geschaffen.‹ Ein Bauer meinte: ›Aber wir haben doch gar kein Gesetz dafür, ein Gesetz fehlt uns.‹ ›Ein Gesetz?‹ fragte ich ihn. ›Wenn die Bauern hier beschließen, daß sie dem Gutsbesitzer das Land wegnehmen, ist das ihr demokratisches Recht.‹ Da meinten die Bauern: ›Ja, Sie haben schon recht, aber ein Gesetz wäre doch gut.‹ Wir beruhigten sie: ›Na gut, wenn ihr ein Gesetz braucht, werden wir auch ein Gesetz beschaffen, damit ihr das ganz ordentlich durchführen könnt.‹«[102]

Die KPD initiierte die Gesetze: Am 30. August 1945 schlug die Partei im Hauptausschuß des Antifa-Blocks in Berlin den Beginn der Debatte über die Bodenreform vor und stieß dabei auf Einwände der CDU. Deshalb legte sie am 1. September dem Antifa-Block in Sachsen-Anhalt eine Resolution vor, in der die entschädigungslose Enteignung der »Naziaktivisten und Kriegsverbrecher« und des Großgrundbesitzes über 100 ha »zum Zwecke der Landzuteilung an landarme Bauern und Landarbeiter« gefordert wurde[103]. Und dieser Landesblock stimmte zu. Am 3. September beschloß die Provinzialverwaltung Sachsen-Anhalts eine Verordnung, die allein Staatsbesitz,

[102] Walter Ulbricht, Die Bauernbefreiung in der Deutschen Demokratischen Republik. Bd. 1, Berlin (DDR) 1961, S. 44.
[103] Vgl. Hermes, Die Christlich-Demokratische Union, S. 113 f.

das Eigentum von Versuchsanstalten und Kirchenland von der Enteignung ausnahm, und bis zum 10. September hatten die übrigen Landesverwaltungen mit gleichlautenden Verordnungen nachgezogen. Vom September 1945 an wurden in allen Ländern und Provinzen der SBZ insgesamt etwa 14000 Objekte dieser Art mit einer Gesamtfläche von etwa 3,3 Millionen ha in Landstücken zwischen 0,5 und zehn ha an rund 500000 Personen verteilt. Der Rest fiel »Volkseigenen Gütern« oder den Ländern zu. Die größten Bodenanteile erhielten die landlosen Bauern und die Landarbeiter (120000), die landarmen Bauern (82000) und die Umsiedler (91000) mit rd. 1,9 Millionen ha. Die größte Empfängergruppe aber bildeten Arbeiter und Angestellte, die nicht aus der Landwirtschaft kamen, mit rd. 183000 Begünstigten. Sie bekamen im Durchschnitt freilich nur 0,6 ha, konnten diese Flächen also zumeist nur als Nebenerwerbsstellen bewirtschaften.

Die durch die Bodenreform entstandene neue Besitzstruktur war einerseits durch das Anwachsen der Betriebe mit einer Größe zwischen fünf und zehn ha (1939 = 16,4 Prozent, 1946 = 31,6 Prozent) gekennzeichnet. Andererseits ging der Anteil der Großbetriebe mit mehr als 100 ha von 28,3 Prozent im Jahre 1939 auf 5,2 Prozent der landwirtschaftlichen Nutzfläche im Jahre 1946 zurück. Diese schon in der Anlage der Bodenreform erkennbare Tendenz zur Parzellierung stieß sowohl in der KPD wie bei der SPD auf Einwände und wurde auch von der CDU-Führung kritisiert. Innerhalb der KPD-Führung wendeten sich offenbar mehrere Funktionäre gegen die Aufteilung der großen Flächen und setzten sich für die genossenschaftliche Bewirtschaftung der Güter ein. Ähnlich wie einige Kommunisten argumentierten auch Sozialdemokraten, die sich bereits im Berliner Gründungsaufruf für einen genossenschaftlichen Zusammenschluß auf dem Lande ausgesprochen hatten. Während jedoch die SPD-Vertreter im Block wie in den Bodenreform-Kommissionen mit der KPD in Aktionseinheit blieben, versuchten die CDU-Führer Andreas Hermes und Walther Schreiber, ihre Vorstellungen von einer – von ihnen grundsätzlich geforderten – Bodenreform durchzusetzen. Sie traten für Entschädigungen speziell der nicht NS-belasteten Großgrundbesitzer ein und plädierten für einen Zuteilungs-Modus, der »lebensfähige Familienbetriebe« begünstigt hätte. Als diese Forderungen abgelehnt wurden, sprachen auch sie sich für eine genossenschaftliche Bewirtschaftung der großen Flächen aus.

111

Damit aber lieferten sie der KPD das Argument, ihre Vorstellungen hätten von Anfang an darauf gezielt, den Großgrundbesitz wiederherzustellen. Die Parzellierung wurde durchgesetzt.

3. Die Festigung der Macht

Die Vereinigung von KPD und SPD
Bei allen grundsätzlichen Entscheidungen, der Enteignung der Großindustrie, der Bodenreform und der Entnazifizierung, hatten sich KPD und SPD als kooperationsfähig erwiesen. Sie hatten die verabredete Aktionsgemeinschaft eingehalten und waren auf diese Weise den häufig widerstrebenden bürgerlichen Blockpartnern gegenüber politisch dominant gewesen. Das Verhältnis der Parteien aber hatte sich wieder abgekühlt. Altes Mißtrauen war aufgebrochen, und nur noch in öffentlichen Bekundungen begegneten sich die Führungen der Parteien herzlich.

Diese Situation charakterisierte Otto Grotewohl am 14. September 1945 vor einer SPD-Funktionärskonferenz in Berlin. In Anwesenheit einer KPD-Delegation unter Führung Piecks erinnerte er an die Vereinbarung vom 19. Juni, in der beide Führungen einander versprochen hatten, gemeinsam die Voraussetzungen für die Einheit der Arbeiterbewegung zu schaffen, Grotewohl konstatierte: »Wer diese Voraussetzungen mit mir einer gewissenhaften Prüfung unterzieht, wird mit mir zu dem Schluß kommen, daß sie für eine organisatorische Vereinigung noch nicht erfüllt sind.«[104]

Die Schwierigkeiten der Kooperation führte er vor allem auf die politische Tradition der Kommunisten zurück. Deren Führung sei es noch nicht gelungen, »den letzten Mann und die letzte Frau davon zu überzeugen, daß die Erkenntnis von der Anwendung der Demokratie eine geschichtliche Notwendigkeit geworden ist«, woraus für die SPD-Führung die Schwierigkeit resultiere, die eigenen »Anhänger von dem Zweifel in die ehrliche Überzeugung der kommunistischen neuen Orientierung (zu) befreien.« Diese Zweifel rührten nach Grotewohl sowohl aus den Relikten der einstigen Feindschaft zwi-

[104] Zit. nach: Wo stehen wir – Wohin gehen wir? Der Historische Auftrag der SPD. Berlin (Druckhaus Tempelhof) Oktober 1945, S. 32.

schen den Parteien als auch aus der Praxis, sich »in den letzten Ausläufern der Organisationen und in den kommunalen Selbstverwaltungskörperschaften oft unter völliger Außerachtlassung des Grundsatzes demokratischer Parität ... gegenseitig den Rang abzulaufen.«[105]

Trotz dieser Kritik hielt Grotewohl am SPD-Votum für die Einheitspartei fest: Diese Einheit war für ihn jetzt aber nur noch als Konsequenz eines längeren Entwicklungsweges denkbar, als dessen »erste Stufe« er – nach der Bildung politischer Parteien in den Westzonen – die »Schaffung einer *einheitlichen Sozialdemokratischen Partei*« für Gesamtdeutschland sah. Als zweite Stufe galt ihm die Profilierung dieser gesamtdeutschen SPD zum »Sprecher für die deutsche Arbeiterklasse ..., der berechtigt und berufen ist, im Namen des *gesamten* deutschen Volkes mit den Alliierten und damit mit der Welt einmal wieder zu reden«. Den Anspruch auf diese Sprecherrolle begründete Grotewohl mit der Tatsache, daß weder die Sowjetunion die »gegenwärtigen bürgerlichen Parteien Deutschlands ... als die berufenen Vertreter des deutschen Volkes«, noch die Westmächte die KPD »als die Gesamtvertretung der deutschen Arbeiterklasse und des deutschen Volkes« anerkennen würden. Sein Schluß: »Die sozialdemokratische Partei Deutschlands hat die Aufgabe für die *politische Willensbildung als Sammellinse* zu wirken, in der sich die Ausstrahlungen der übrigen Parteien ... in Deutschland treffen ...« Deshalb sei die Sozialdemokratische Partei Deutschlands »*zuerst* dazu berufen, den neuen Staat zu errichten«[106].

Damit hatte der Zentralausschuß den Versuch unternommen, die Einheitsfrage zu vertagen und dem politischen Führungsanspruch der Kommunisten einen sozialdemokratischen entgegenzuhalten. Zugleich versuchte er, der SPD in den Westzonen – vor allem Kurt Schumacher – mit dem Hinweis auf die Stufen des Vereinigungsprozesses ein Abrücken von der starren Ablehnung jeder Kooperationsform mit der KPD zu erleichtern. Gerade diese Passagen seiner Rede hatte Grotewohl ausdrücklich an die »Genossen in den Westzonen« adressiert.

Diese neue Haltung veranlaßte die KPD-Führung nun ihrerseits, auf die Vereinigung zu drängen. Schon im Anschluß an das Referat Grotewohls betonte Pieck moderiert selbstkritisch,

[105] Ebd., S. 32 f.
[106] Ebd., S. 43.

daß die »Lösung der gemeinsamen großen Aufgaben ... in allen Bezirken ehrliche und keinerlei Mißdeutungen zulassende Tätigkeit« verlange und schloß seine Ansprache an die SPD-Funktionäre »mit der Aufforderung, eine einheitliche Partei zu schaffen, um die begonnenen Aufgaben zu Ende zu führen«[107]. Schon fünf Tage darauf, am 19. September, begann die KPD auf eine rasche Vereinigung der Arbeiterparteien zu drängen. Pieck sprach von der »verhängnisvollen Spaltung der Arbeiterklasse und der inneren Zerrissenheit des deutschen Volkes« und forderte eine möglichst baldige Vereinigung der beiden Arbeiterparteien. Es sei die »heilige Verpflichtung aller in der Arbeiterbewegung tätigen Kämpfer«, den »Willen zur Einheit in die Tat umzusetzen«[108]. Der KPD-Führer ließ es bei diesem Plädoyer nicht bewenden. Er verdeutlichte auch, daß die KPD bei der angestrebten Einheit nur die Gemeinsamkeit mit solchen »Führern suche, die nicht zurückgreifen wollen auf ihre alte Politik«. »Wir haben das Vertrauen zu den sozialdemokratischen Arbeitern, daß sie nicht aus Pietät für diese alten Führer (›solche Gestalten wie Noske, Severing, Stampfer‹) zulassen werden, daß diese wieder die Führung der Partei übernehmen, sondern daß sie dafür sorgen, daß neue zuverlässige Kräfte an ihre Stelle treten ...«[109]

Piecks Rede war gleichsam der Startschuß für die Einheits-Bewegung, die nun von der KPD über ihre Grundorganisationen, die regionalen Leitungen und speziell über die von beiden Parteien beschickten regionalen und lokalen »Aktionsausschüsse« eingeleitet wurde.

Vor diesem Hintergrund kam es am 6. Oktober 1945 zur ersten Begegnung zwischen Grotewohl und Schumacher auf der Konferenz von Wennigsen (bei Hannover), an der SPD-Vertreter aller vier Besatzungszonen wie Abgesandte des noch in London arbeitenden Exil-Parteivorstandes der SPD teilnahmen. Im Verlaufe eines hektischen (auch von persönlichen Rivalitäten) geprägten Disputs wiederholte Schumacher seine Ablehnung einer Zusammenarbeit oder gar einer Verschmelzung mit der KPD, äußerte den Verdacht, die KPD wolle die SPD als »Blutspender für ihre schrumpfende Organisation« nutzen und ging davon aus, daß eine zentrale Reichsinstanz, wie etwa ein sozial-

[107] Ebd., S. 44; s. a. Das Volk v. 18. 9. 1945.
[108] Deutsche Volkszeitung (KPD) v. 20. 9. 1945.
[109] Ebd.

demokratischer Reichsparteitag, unter den gegebenen besatzungspolitischen Verhältnissen unmöglich sei. Damit war dem ZA ein wesentliches Argument genommen: Der Stufenplan war faktisch bedeutungslos geworden. Auch der später so genannte »Wennigser Kompromiß«, in dem Schumacher als der »politische Beauftragte der drei westlichen Besatzungszonen« und der ZA als die »Führung der Sozialdemokratischen Partei Deutschlands in der östlichen Besatzungszone« anerkannt wurden, und beide Seiten sich zu Konsultationen verpflichteten, erwies sich letztlich als Belastung der ZA-Position. Was die Ost-SPD so an organisatorischer Selbständigkeit gewann, erwies sich als politischer Verlust: Der »Kompromiß« gab Schumacher die Legitimation für die Abwehr des Einflusses, den die Berliner SPD-Führung auf verschiedene SPD-Organisationen in West- und Süddeutschland gewonnen hatte und der Zentralausschuß verlor durch die Beschränkung seines Mandats auf die SBZ die Chance, für seine Position in den Westzonen nachhaltig zu werben.

Schwerer noch wog die Minderung der sozialdemokratischen Manövrierfähigkeit gegenüber der KPD. Die SPD-Führung war von nun an nicht mehr in der Lage, ihre Zurückhaltung gegenüber dem kommunistischen Einheitswerben mit dem Hinweis auf eine nationale Parteienfusion stichhaltig zu begründen, und sie verlor überdies durch ihre Isolierung von der West-SPD politisch-moralischen Rückhalt bei den Funktionären der SBZ, die bereit waren, dem Schumacherschen Parteikurs zu folgen.

Doch obwohl sich seine Aktionsmöglichkeiten durch die nun forcierte Einheitskampagne der KPD zusätzlich verschlechtert hatten, weil die Kommunisten zusammen mit ihrer Agitation gegen die »rechten« die »linken« (einheitswilligen) SPD-Strömungen umwarben und zudem im Oktober zu Gesprächen über eine »Vertiefung der Aktionseinheit« einluden, versuchte der zerstrittene ZA, an seiner Position festzuhalten und sie sogar auszubauen. Am 11. November – in einer Rede anläßlich des Jahrestages der November-Revolution von 1918 – formulierte Grotewohl vier Bedingungen für die Vereinigung der Parteien. Die Einheit der Arbeiterbewegung dürfe weder durch einen »Beschluß von Instanzen« zustandekommen, noch könne sie Ergebnis eines »äußeren Drucks oder indirekten Zwanges« sein. Sie müsse vielmehr dem Willen entspringen, den »sozialistischen und demokratischen Aufbau« in »kameradschaftlicher

Leistungskonkurrenz erfolgreich zu Ende zu führen«. Mit einer »zonenmäßigen Vereinigung« zu beginnen, sei schädlich, weil dies die »Vereinigung im Reichsmaßstab ... nur erschweren und vielleicht das Reich zerbrechen« werde[110]. Die Rede Grotewohls ging freilich ins Leere. Die Presse durfte sie nicht veröffentlichen. Was womöglich als Mobilisierungsversuch der Parteibasis gedacht war, bot später denen, die die Rede hatten hören können, nur Gelegenheit, über den Sinneswandel des ehrgeizigen Parteiführers nachzusinnen.

Mit dieser – angesichts des Einheitsdrucks der Kommunisten und der Absage Schumachers an SPD-Reichsorganisationen – höchst problematischen Konzeption ging der Zentralausschuß in die mit der KPD-Führung für den 20. und 21. Dezember 1945 verabredete gemeinsame Beratung. Auf der mit jeweils 30 kommunistischen und sozialdemokratischen Funktionären (unter ihnen die Spitzenfunktionäre der Länder) beschickten »Sechziger Konferenz« sollten die gegenwärtigen und künftigen Formen der Aktionseinheit diskutiert und beschlossen werden. Grotewohl wiederholte hier den bereits im November formulierten Standpunkt der SPD-Führung. Er monierte erneut die »Vorzugsstellung« der KPD, forderte die »vorbehaltlose Aufgabe aller unzulässigen Einflußnahme auf die SPD und auf einzelne Sozialdemokraten« und lehnte die von der KPD vorgeschlagene Aufstellung gemeinsamer Kandidatenlisten bei künftigen Wahlen ebenso ab wie den von der KPD offerierten Modus zur Vereinigung. Die KPD hatte, taktisch auf die SPD-Vorbehalte gegen eine nur zonale Parteienfusion reagierend, in ihrem Resolutionsentwurf für die Konferenz zunächst bekundet: »Die Schaffung der Einheitspartei ist nur einheitlich über ganz Deutschland und nur unter Einbeziehung aller Organisationen beider Parteien möglich«[111], zugleich aber betont, daß der Weg über die »Beschlußfassung von Reichsparteikongressen angesichts der Lage in Gesamtdeutschland« eine Verzögerung »um viele Monate« bedeuten würde. Deshalb schlug die KPD vor, die »in der demokratischen Entwicklung fortge-

[110] Zit. nach: Der neue Kampf um Freiheit. Briefe und Dokumente Berliner Sozialisten. Hrsg. v. Research Department der American Association for a Democratic Germany. Nr. 2 der Schriftenreihe ›Für ein Demokratisches Deutschland‹, S. 47f.; vgl. auch Protokoll und Materialien der Sechziger Konferenz in der wenig sorgfältigen, lückenhaften Edition von Gert Gruner und Manfred Wilke, Sozialdemokraten im Kampf um die Freiheit. München 1981.

[111] Berlin. Quellen und Dokumente, S. 788ff.

116

schrittenen Bezirke« sollten »den übrigen Bezirken Deutschlands ein Beispiel« geben, indem sich zunächst die Orts-, Kreis- bzw. Bezirksorganisationen »ohne jeden Druck und Zwang« für eine Vereinigung aussprechen, Länder- bzw. Provinzialkongresse diese Verschmelzungen beschließen und beide Führungen schließlich der Vereinigung zustimmen. Die so geschaffene Einheitspartei sollte alle Leitungspositionen paritätisch mit ehemaligen Sozialdemokraten und Kommunisten besetzen. *27*

Gegen diese Verfahrensweise erhob Grotewohl grundsätzliche Bedenken. Ein Zusammenschluß zuerst in der SBZ werde die Einheit »der deutschen Arbeiterbewegung« unmöglich machen. Eine Verschmelzung könne deshalb erst nach Schaffung »einheitlicher Reichsorganisationen« und dem »Zusammentritt erster Reichsparteitage« erfolgen. Diese Prozedur, warb der Taktiker, sei auch für »die uns befreundete Sowjetunion« von Bedeutung, denn die »größtmögliche politische Stärke« der deutschen Arbeiterklasse bringe jene »Garantien für die Erhaltung des Friedens . . ., die die Welt und besonders die sozialistische Sowjetunion in der Zukunft braucht«[112].

Obwohl die SPD ihre Kritik an der kommunistischen Einheitspolitik aufrecht erhielt und durch Diskussionsbeiträge von SPD-Delegierten, wie etwa den Gustav Klingelhöfers (der als erster auf Formen physischen Terrors gegen einheitsunwillige Sozialdemokraten verwies) noch bekräftigte, hielten die sozialdemokratischen Vertreter doch am formulierten Ziel der Einheit fest. Grotewohl lehnte zwar einige Momente des ZK-Entwurfs ab, den Verschmelzungsmodus und die Einheitsliste, stimmte der KPD-Vorlage aber zu: »Zu den allgemeinen Ausführungen des Zentralkomitees haben wir im großen und ganzen nichts hinzuzufügen. Sie stimmen im wesentlichen mit dem überein, was wir selbst zu sagen hätten.«[113]

Vielleicht war es diese vermeintliche programmatische Nähe, vielleicht auch die Einsicht in die Unhaltbarkeit der eigenen Position, die den Wandel speziell Grotewohls, aber auch anderer SPD-Funktionäre bewirkte. Auffällig bleibt jedoch, daß die Sozialdemokraten, die noch am 20. Dezember deutlich ihr Unbehagen an der von der KPD vorgeschlagenen Verfahrensweise artikuliert hatten, am 21. einer Entschließung zustimmten, die bei den Mitgliedern wie in der Öffentlichkeit den Eindruck

[112] Ebd., S. 804.
[113] Ebd., S. 802.

erweckte, die SPD stehe in der Ostzone unmittelbar vor der Verschmelzung mit der KPD. In der Resolution verpflichteten sich Kommunisten und Sozialdemokraten, »überall neue Schritte zur Entfaltung der antifaschistischen Aktionseinheit« zu unternehmen, gemeinsame Wahlprogramme zu formulieren, um über diese »Erweiterung und Vertiefung« der Aktionseinheit den »Auftakt zur Verwirklichung der politischen und organisatorischen Einheit der Arbeiterbewegung, d.h. zur Verschmelzung zu einer einheitlichen Partei« zu geben. Darüber hinaus verständigte sich die Konferenz auf die Grundlinien der programmatischen Orientierung der künftigen Partei, beschloß die Herausgabe einer gemeinsamen Zeitschrift (›Einheit‹) in einem gemeinsamen Verlag und vereinbarte »gemeinsame Zirkel- und Schulungstätigkeit«.

Daß diese Erklärung der Delegierten beider Parteien tatsächlich zumindest in jenen Passagen, die sich auf die konkreten Schritte zur Vorbereitung der Einheit bezogen, ein Kompromißprodukt war, konnte der SPD-Zentralausschuß den Funktionären im Lande ebensowenig vermitteln wie den Sinneswandel Grotewohls. Zwar übersandte der Berliner Vorstand allen Landesausschüssen und Bezirksverbänden interpretierendes Material, in dem u. a. auf die von den SPD-Delegierten bewirkten Veränderungen des ZK-Entwurfs verwiesen wurde, und bekräftigte mit einem Beschluß vom 15. Januar seine Verschmelzungsversion. In den Ländern, Kreisen und Grundorganisationen aber herrschte aufgrund der Beschlüsse der Sechziger Konferenz der Eindruck vor, der ZA und die Repräsentanten der Landesvorstände hätten sich mit der KPD auf die rasche Verschmelzung verständigt. Insbesondere die Landesvorstände, die speziell in Mecklenburg, Thüringen (nach dem Rücktritt Brills Ende Dezember 1945) und Sachsen, ohnehin von Einheitsfreunden beherrscht waren, begegneten dem von der KPD initiierten und (seit November 1945) von der SMAD unterstützten neuerlichen Einheitsdruck ohne nennenswerten Widerstand.

In Betrieben und Grundorganisationen kam es – von der KPD inspiriert und von den sowjetischen Instanzen nach Kräften gefördert – zu Zusammenschlüssen und Einheitskundgebungen, und verschiedene SPD-Kreisorganisationen verlangten die rasche Vereinigung. Auch die Gewerkschaftswahlen waren entgegen der Vereinbarung über den Verzicht auf ihre parteipolitische Akzentuierung von der KPD genutzt worden, die Einheitsbewegung zu stärken. Bereits am 22. Dezember 1945 instruierte Ulbricht die Bezirkssekretäre der KPD: »Wir müssen die Frage der Einheit mit in den Vordergrund stellen, damit wir auch bei den Gewerkschaftswahlen nur solche Werktätigen als Delegierte und in die Leitungen wählen, die für die Einheit sind.« Ziel war es, »die Rechten auf diese Weise zu isolieren«[114].

In den Westzonen setzte Schumacher am 6. Januar 1946 unter dem Eindruck der Entschließung der Sechziger Konferenz auf einer SPD-Funktionärs-Konferenz, an der Vertreter aus allen westlichen Besatzungszonen teilnahmen, eine Entschließung durch, in der es hieß, daß in Anbetracht der besatzungspolitischen Situation Deutschlands die »organisatorische Einheit« der SPD nicht gegeben sei und deshalb »Abmachungen und Beschlüsse der Partei der östlichen Besatzungszone nicht bindend oder richtungweisend für die Sozialdemokratische Partei in den westlichen Besatzungszonen« sein könnten[115].

Anfang Februar 1946 schließlich wurde Grotewohl vom SMAD-Chef Schukow bedeutet, die Position des ZA sei angesichts der fehlenden Voraussetzungen für eine nationale Verschmelzung der Arbeiterparteien unhaltbar geworden, und ein Festhalten an ihr bedeute letztlich die Ablehnung jeder Vereinigung. Nur wenige Tage später, am 8. Februar, mußte Grotewohl bei einem zweiten Treffen mit Schumacher erfahren, daß die Führung der West-SPD nicht die Absicht hatte, die Hinhaltetaktik des ZA zu unterstützen. Schumacher sah für die Ost-SPD nur die Alternative »Eroberung der Sozialdemokratischen Partei Deutschlands [durch die KPD] oder Auflösung«[116].

Derart von den Genossen im Westen im Stich gelassen (diese hätten dem Konzept des Zentralausschusses wenigstens taktisch entgegenkommen können), von der SMAD bedrängt (und womöglich auch umworben) und unter dem Druck der KPD auf die eigene Parteibasis, gab die SPD-Führung in der SBZ ihre nun vollends haltlos gewordene Verzögerungspolitik auf. Sie hatte ihre Behauptungschancen ebenso überschätzt wie die Solidarität der westdeutschen SPD um Schumacher. Sie hatte zudem die Virulenz der Einheitsbewegung in der eigenen Partei falsch interpretiert und auch den Willen der KPD, den Klärungsprozeß bei den Sozialdemokraten abzuwarten. Am 11. Februar, nach einer Aufforderung der KPD-Führung, die Einheit möglichst am 1. Mai zu vollziehen, beschloß der ZA,

[114] Ulbricht, Zur Geschichte, Bd. 2, 2. Zusatzband, Berlin (DDR) 1968, S. 379.
[115] Nach Moraw, Parole der Einheit, S. 141 f.
[116] Erich W. Gniffke, Jahre mit Ulbricht. Köln 1966, S. 138.

»der Mitgliedschaft der Partei alsbald die Einheit der beiden Arbeiterparteien zur Entscheidung vorzulegen«, nicht auf dem Wege einer Urabstimmung, sondern durch ein Votum der Delegierten. Seine Entscheidung begründete er damit, daß »die Verhandlungen mit den Vertretern der westlichen Zonen ergeben haben, daß die Einberufung eines Reichsparteitages auf absehbare Zeit nicht möglich« sei. Er beschloß die Einberufung von Bezirks- und Landesparteitagen und legte fest, daß ein SPD-Parteitag für die SBZ endgültig sprechen werde.

Dieser Beschluß kam erst in einer zweiten Abstimmung zustande. Die erste hatte – wie es die Vereinigungs-Gegner interpretierten – mit einer Niederlage der Einheitsbefürworter geendet. Offenbar war aber im ersten Durchgang vielen unklar, worüber konkret entschieden werden sollte. Max Fechner hatte einen Text vorgelegt, in dem drei Anträge zusammengefaßt waren: 1. am kommenden Tag auf dem parallel tagenden ersten FDGB-Kongreß keine Fusionserklärung abzugeben, 2. die Diskussion über die Vereinigung zu vertagen und 3. tags darauf darüber zu entscheiden, ob die Sozialdemokratische Partei der Ostzone aufgelöst werden solle. Für diesen uneinheitlichen Antrag hatte sich eine 9 : 5-Mehrheit ergeben. Im zweiten Durchgang, in dem das Datum der Verschmelzung zur Entscheidung stand, sprachen sich acht Mitglieder für und drei gegen die Fusion aus, dafür waren alle fünf Vorsitzenden der Landesverbände.

Am 21. und 22. April 1946 schließlich trat ein gemeinsamer Parteitag von SPD und KPD zusammen und beschloß einstimmig die Vereinigung der Parteien zur Sozialistischen Einheitspartei Deutschlands. Ihm waren Parteitage beider Organisationen in allen SBZ-Ländern und Zonenparteitage vorangegangen, die der Vereinigung zugestimmt und die Delegierten für den Vereinigungs-Parteitag gewählt hatten. Der Vereinigungsparteitag beschloß in den »Grundsätzen und Zielen« das Programm der SED. In seinen wesentlichen Passagen spiegelt es die Absicht wider, Programm-Elemente beider Parteien zu vereinbaren. Die SED verständigte sich auf das Ziel der »Herstellung der Einheit Deutschlands als antifaschistische, parlamentarisch-demokratische Republik«, schlug den Ausbau der Selbstverwaltung durch »demokratisch durchgeführte Wahlen« vor, sprach sich, wirtschaftsdemokratisch, für die »gleichberechtigte Mitwirkung der Gewerkschaften« in den in »Wirtschaftskammern« zusammengefaßten Unternehmen aus, und plädierte für die

»Beseitigung der kapitalistischen Monopole«. Als Fernziel formulierte die Partei den Kampf für »die Verwandlung der kapitalistischen Warenproduktion in eine sozialistische, für und durch die Gesellschaft betriebene Produktion«. Zugleich erklärte die SED: »Die Sozialistische Einheitspartei Deutschlands erstrebt den demokratischen Weg zum Sozialismus, sie wird aber zu revolutionären Mitteln greifen, wenn die kapitalistische Klasse den Boden der Demokratie verläßt.«[117] Zusammen mit dem Programm beschloß der Kongreß ein Organisationsstatut, das in seinen wesentlichen Momenten der Organisationsweise der deutschen Sozialdemokratie entsprach und vorsah, die Parteivorstände auf allen Ebenen paritätisch, d. h. mit der gleichen Zahl von Sozialdemokraten und Kommunisten zu besetzen.

Der Beschluß über die Vereinigung wurde einstimmig gefaßt. Gegenstimmen – die letzten auf einem SED-Parteitag überhaupt – gab es nur bei der Verabschiedung des Statuts. Ebenso einstimmig hatten sich vorher die Landesparteitage und am 20. April 1946 der Zonenparteitag der SPD für die Fusion ausgesprochen. Diese Eintracht war jedoch unter vielfältigen Pressionen zustandegekommen. Seit November hatte sich die SMAD intensiv in die Vereinigungskampagne eingeschaltet. Ihr kam es vor allem darauf an, die Position der Kommunisten in den bevorstehenden Wahlen zu verbessern. Kurz zuvor hatten in Österreich und Ungarn die (dort freilich traditionell schwachen) Kommunisten herbe Niederlagen erlitten, und auch die ersten Kommunalwahlen in den Westzonen hatten gezeigt, daß die KPD die Konkurrenz mit der Sozialdemokratie nicht würde bestehen können. Auf die SPD waren etwa in Bayern 16,7 Prozent, auf die KPD hingegen nur 2,4 Prozent Stimmen entfallen, bei Teilwahlen in Hessen hatte die SPD 41,4 Prozent erreicht, die KPD hingegen nur 4,6. Wie der damalige Leiter der Informationsverwaltung der SMAD, Oberst Tjulpanow, mitteilte, ließ sich Marschall Schukow seinerzeit regelmäßig (zweimal wöchentlich) über die Fortschritte des Vereinigungsprozesses berichten. Schukow lud auch Pieck und Grotewohl gemeinsam zum Gespräch. Grotewohl-Biograph Heinz Voßke notierte: »Die Begegnung blieb für Otto Grotewohl ein unvergeßliches Erlebnis.«[118] Die Interventionen der Besatzungsmacht reichten

[117] Zit. nach: Dokumente und Materialien zur Geschichte der Deutschen Arbeiterbewegung. Hrsg. v. Institut für Marxismus-Leninismus beim ZK der SED. Reihe III, Bd. 1 (Mai 1945–April 1946), Berlin (DDR) 1959, S. 623 ff
[118] Heinz Voßke, Otto Grotewohl. Leipzig 1979, S. 52 f.

von eindringlichen Gesprächen bis hin zu Festnahmen (und langjährigen Inhaftierungen) von einheitsunwilligen SPD-Funktionären. So wurde der mecklenburgische Landessekretär Willi Jesse noch nach der Vereinigung festgenommen, angeklagt und für mehrere Jahre in der Sowjetunion inhaftiert. Diese massive physische und psychische Einflußnahme erzeugte ein Klima, das geeignet war, auch einheitsbereite Funktionsträger eher zu irritieren als zu bestärken, das aber eine offen artikulierte innerparteiliche Opposition wenig ratsam erscheinen ließ. In den Parteizeitungen kam sie ohnehin nur in Ausnahmefällen zu Wort. Die sowjetische Zensur ließ sie nicht zu.

Bei alledem ist andererseits unverkennbar, daß vor allem in der SPD-Basis und hier insbesondere in den Betrieben das seit Oktober heftige und suggestive Einheitswerben der KPD vielfach erfolgreich war. Hier war die Frage der Einheit stets weniger unter dem Gesichtspunkt von Ideologie und Parteiräson, vielmehr unter tages- und wirtschaftspolitischen Aspekten diskutiert worden und stand im engen Zusammenhang mit den von Kommunisten und Sozialdemokraten gemeinsam unternommenen Wiederaufbaubemühungen. Diese Strömung bleibt in der These von der »Zwangsvereinigung« ebenso unberücksichtigt wie die zwar widersprüchliche, doch konstant positive Haltung von SPD-Funktionären auf Landesebene.

Tatsächlich war es nicht allein das Gemisch von politischem Druck und kalkulierter physisch-psychischer Pression (Redeverbot, Verhaftungen, materielle Benachteiligungen etc.) gegen einheitsunwillige Sozialdemokraten, das den Fusions-Prozeß in Gang brachte. Neben allen Differenzen und trotz allen Drucks war die Vereinigung auch getragen von einem offenkundig noch immer lebendigen Einheitsstreben in der SPD-Mitgliederschaft. Einer Interpretation wie dieser widerspricht auch nicht das Ergebnis der Urabstimmung der Westberliner Sozialdemokraten vom 31. März 1946 – der einzigen Mitgliederbefragung, nachdem sie in Ostberlin von der sowjetischen Besatzungsmacht verboten und in Rostock nach massiven Einwirkungen des Zentralausschusses abgewehrt worden war. Auch wenn zu berücksichtigen ist, daß die Urabstimmung dort in einer besonderen Kampfsituation stattfand – der ZA hatte zum Boykott, die westliche Öffentlichkeit zu einem klaren Nein aufgefordert, es beteiligten sich nur etwa 70 Prozent der Westberliner Parteimitglieder – zeigte sich sowohl in der Formulierung der Fragen durch die Einheitsgegner wie im Wahlergebnis selbst die Vielschichtigkeit sozialdemokratischer Orientierung. Gefragt wurde nicht nach der Bereitschaft zur Verschmelzung, sondern nach einem Ja oder Nein zur »sofortigen« Vereinigung. In ihren Agitations-Materialien erklärten selbst jene, die zum »Nein« aufriefen, daß auch sie grundsätzlich für ein Zusammengehen beider Parteien einträten, und deshalb auch wurde eine zweite Frage gestellt: »Bist du für ein Bündnis, welches gemeinsame Arbeit sichert und den Bruderkampf ausschließt?« Auf die erste Frage antworteten 82 Prozent der Teilnehmer mit Nein, bei der zweiten entschieden sich knapp 62 Prozent mit Ja.

Der Beginn der Planwirtschaft

Bei der Eroberung ihrer politischen Machtpositionen konnte sich die KPD-Führung wesentlich auf die sowjetischen Militärbehörden stützen. Sie halfen bei der Bildung des Blocks, unterstützten die Verschmelzung mit der SPD und stellten die Weichen für den Aufbau eines neuen Staatsapparats und die Rekrutierung des notwendigen Personals. Sowjetische Hilfe erfuhr die KPD auch bei der Durchsetzung ihrer ordnungspolitischen Ziele in der Industrie. Die neue Eigentumsordnung war von der SMAD teils post festum legalisiert, teils durch eigene Befehle geschaffen worden.

Hilfreich war die Besatzungsmacht (schon im Interesse ihrer Reparationsziele) auch bei der Wiederingangsetzung der Produktion. Durch die Umwandlung wichtiger Betriebe in SAG wurden jedoch viele traditionelle Produktionsketten zerstört, durch die Demontage anderer (z. B. der wenigen Stahlwerke) ganze Industriezweige lahmgelegt, und die immer wieder kurzfristig veränderten Forderungen nach Reparationsanteilen aus der laufenden Produktion erschwerten alle mittel- oder längerfristig gültigen betrieblichen Planungen. Die Situation der SBZ-Betriebe, die schon aufgrund ihres hohen Zerstörungsgrades, ihrer Abtrennung von traditionellen Lieferanten und der Lernprobleme der neuen Verwalter vor erheblichen Schwierigkeiten standen, wurde durch diese Politik noch weiter kompliziert. Wirtschaftswachstum stellte sich unter diesen Bedingungen vor allem als Versuch der Rekonstruktion dar, als Bemühen, einigermaßen kontinuierliche Produktionsabläufe zu garantieren, damit, nach den Forderungen der Besatzungsmacht, wenigstens ein kleiner Teil der Nachfrage der Bevölkerung befriedigt werden konnte.

Zumindest das Niveau der Vorkriegsproduktion (1936) rasch

zu erreichen, war deshalb ein immer wieder genanntes Ziel. Die Produktion des Jahres 1936 sagte angesichts der durch die Teilung entstandenen Disproportionen zwar noch nichts über die Leistungsfähigkeit der Industrie aus, zumal ja die Bevölkerung seither um etwa drei Millionen angewachsen war; sie markierte aber eine Produktivität, von der aus kontinuierliches Wachstum möglich schien. Erreicht wurde es freilich erst 1950: 1946 produzierte die SBZ-Industrie nur 42,1 Prozent des Ausstoßes von 1936, 1947 waren es schon 59, und 1948 71,7 Prozent. Für 1950 errechneten die Statistiker sogar ein Plus von 10,6 Prozent gegenüber der Vorkriegszeit. Die Struktur dieses Wachstums allerdings blieb problematisch. In zumindest drei lebenswichtigen Bereichen, in der Metallurgie, der Produktion von Baumaterialien und in der Lebensmittelindustrie, blieb die Produktion auch 1950 noch hinter den Vorkriegsergebnissen zurück. So lagen die Werte für die Metallurgie bei 60, für Baumaterialien bei ca. 90 und für die Lebensmittelindustrie bei nur knapp 80 Prozent des Standes von 1936. Insbesondere das Zurückbleiben der Metallurgie, die ohne westdeutsche Lieferungen schon vor 1945 die Anforderungen der metallverarbeitenden Industrie des Gebietes nicht hätte befriedigen können, schuf erhebliche Probleme, zumal die Lieferungen westdeutschen Stahls noch 1947 – nach DDR-Angaben – nur etwa sechs Prozent der Lieferungen des Jahre 1938 betrugen. Sie fielen zwischen Mai 1948 und Juni 1949 – während der Blockade West-Berlins – wie nahezu alle anderen Bezüge aus den Westzonen fort und konnten nur notdürftig durch Importe aus der Sowjetunion, Polen und der CSR ersetzt werden. Überdies muß in Rechnung gestellt werden, daß in den Produktionsstatistiken dieser Jahre auch die SAG zu Buche schlugen.

Ferner ist zu berücksichtigen, daß zumindest in den Jahren bis 1947/48 ein erheblicher Teil der in der SBZ-Industrie erzeugten Güter aufgrund der knappen Rohstoffe in Qualität und Sortiment weit unter dem Vorkriegsstandard lag und ein sicher nicht geringer Teil der Produktion nur eingeschränkten Gebrauchswert hatte. Viele Betriebe hatten sich infolge des Rohstoff- und Halbzeugmangels auf die Produktion von knappen Gütern des täglichen Bedarfs umgestellt, d. h. aus Lagerresten und Schrott *scrap* Waren produziert, die sich für den unmittelbaren Austausch eigneten. Im Winter 1945/46 warnte Fritz Selbmann, damals sächsischer Wirtschaftsminister: »Es wird nicht gehen, daß wir einfach weiter Bratpfannen und Schöpflöffel *ladles* herstellen, nur um den Abfall zu verarbeiten. Wenn ich manchmal in einer Ausstellung einen Aschenbecher aus Stahl sehe, tut mir das Herz im Leibe weh. Oder wenn ich höre, daß der Bürgermeister von Altenberg die Altenberger Zinntellerindustrie wieder aufbauen will. Zinn brauchen wir so notwendig wie das tägliche Brot. Wir können es uns nicht leisten, diesen Rohstoff einfach zu verschleudern.«[119] Vor diesem Hintergrund, in einer Situation eklatanten Mangels an Rohstoffen und Nahrungsmitteln, sanken die ehedem hochentwickelten Produktions- und Marktverhältnisse vielfach auf das Niveau einfacher Tauschbeziehungen ab, entwickelten sich die in der SBZ damals so genannten »Kompensationen«, der von den Betrieben organisierte Tausch ihrer Produkte auf schwarzen oder grauen Märkten, und die Auszahlung eines Lohnanteils in Naturalform. Die anfangs weithin, später nur noch bedingt autonomen Betriebe setzten ihre Produkte gegen Nahrungsmittel oder dringend benötigte Rohstoffe um, organisierten oftmals komplizierte Ringtausch-Geschäfte, orientierten sich also weniger am gesellschaftlichen Bedarf als an den Interessen ihrer Belegschaften und Tauschpartner.

Noch 1948 gingen in Sachsen 25 Prozent der industriellen Gebrauchsgüter durch den Schwarzen Markt und die Kompensationsgeschäfte der Versorgung verloren. Selbst SAG, wie die Leuna-Werke in Halle, beteiligen sich an Kompensationen. Gleichfalls 1948 stellten »Volkskontrollausschüsse«, die zur Unterbindung solcher Geschäfte gebildet worden waren, »einen Güterzug mit vierzehn Waggons Düngemitteln der Leunawerke sicher, der in den Kreis Haldensleben gefahren war, um die Düngemittel gegen Kartoffeln und Gemüse einzutauschen«[120].

Ein Teil dieser Transaktionen war unter dem Zwang der Verhältnisse legalisiert worden. Doch 1948 plädierten auch die Gewerkschaften für die Aufhebung aller Anordnungen, »die es den Betrieben ... noch heute ermöglichen, einen Teil ihrer Produktion für eigene Zwecke ... zu verwenden.«[121] Diese Forderung entsprach in der Tat den Notwendigkeiten kontinuierlicher Produktion und gerechterer Verteilung und wurde auch von jenen Wirtschafts- und Parteifunktionären gefordert, die zu

[119] In: BZG (1972)[1], S. 78.
[120] Dietmar Keller, Lebendige Demokratie. Berlin (DDR) 1971, S. 39.
[121] Fritz Selbmann u. a., Volksbetriebe im Wirtschaftsplan. Der Auftakt in Leipzig, Bericht von der ersten Zonentagung der volkseigenen Betriebe am 1. Juli 1948. Berlin 1948, S. 49.

Beginn der Wiederaufbauphase selbst auf Formen des einfachen Naturaltauschs hatten zurückgreifen müssen. So erinnerte sich Selbmann: »Mit Heinrich Rau, der im Land Brandenburg die gleiche Funktion ausübte wie ich in Sachsen, [hatte] ich damals regelrechte Handelsverhandlungen, die auf der Basis des Tauschs von Kunstseidenstrümpfen gegen Kartoffeln geführt wurden.«[122]

Bereits 1947 aber – angesichts des hohen Anteils der volkseigenen Betriebe an der Industrieproduktion – waren Bedingungen entstanden, die eine zumindest mittelfristig angelegte Wirtschaftsplanung möglich machten. Dies war für die SED-Führung nicht allein wegen der Kontrolle der Industrie von Bedeutung. Auch im Interesse einer kontinuierlichen Produktion und – wichtiger noch – mit Blick auf eine gerechtere Verteilung war es erforderlich, die Improvisationswirtschaft der ersten Nachkriegsjahre zu überwinden. Zwar hatte sie die Produktion überhaupt erst in Gang gebracht, gesamtwirtschaftliche Gesichtspunkte aber waren in der Phase der Tauschbeziehungen zweitrangig geblieben. Um beiden Zielen, dem politischen und dem ökonomischen, näherzukommen, mußte zunächst Verfügungsgewalt über die Betriebe und ihre Produktion erlangt werden. Doch bei diesem Versuch wurde die SED mit den ganz anderen Orientierungen der Arbeiter und ihrer Betriebsräte konfrontiert. Die gesamtwirtschaftlichen Belange (und ihre politischen Implikationen) waren gegen betriebsegoistische Interessen durchzusetzen. Der Konflikt, der hier aufbrach, zeigte vordergründig kaum politische Konturen. Er resultierte aus der tatsächlich widersprüchlichen ökonomischen Lage: Angesichts des starken Warenmangels, der knappen Rationen, der hohen Schwarzmarktpreise und der dadurch inflationär abgewerteten Löhne konzentrierten sich Arbeiter und Angestellte auf Hamsterkäufe oder auf die Produktion für Kompensations-Geschäfte, es sanken Arbeitsdisziplin und Arbeitsproduktivität.

Vor welche materiellen Probleme Arbeiter- und Angestellte in dieser Zeit gestellt waren, mag ein kurzer Blick auf die Versorgungslage verdeutlichen. Im Gebiet des SBZ war 1945 die seit 1939 sukzessive eingeführte Rationierung von Lebensmitteln beibehalten worden. Erst seit 1948 bot die »Staatliche Handelsorganisation« (HO) lebensmittelkartenfreie Waren an, zu Preisen freilich, die an denen des »Schwarzen Marktes« orien-

[122] In: BZG (1972) 1, S. 78.

tiert waren. Und die konnten Lohnabhängige aus ihren Einkommen kaum finanzieren. Die Lebensmittelrationen wurden nach zwei Ortsklassen (Großstädte: Kategorie I; alle anderen Gemeinden: Kategorie II) zugeteilt und diese in jeweils sechs Gruppen gegliedert. Unterschieden wurde nach Schwerstarbeitern (zu ihnen gehörten auch die leitenden Mitglieder des Staatsapparates der Zone wie der Länder), Schwerarbeitern (unter ihnen auch die Richter und Staatsanwälte der Justizbehörden), Arbeitern (Zuteilungen dieser Gruppe bekamen auch die Referenten der Behörden), Angestellten, Jugendlichen (bis zu 15 Jahren) und der »sonstigen Bevölkerung« (darunter Hausfrauen). Die letzte, die sechste Gruppe, erhielt bis zum Beginn des Jahres 1946 in der Kategorie II weder Fett- noch Fleischzuteilungen. Quantitativ bot sich zwischen November 1945 und August 1946 dieses Bild:

Die Nahrungsmittelrationen in der Zeit vom 1. 11. 1945 bis 31. 7. 1946 pro Kopf und Tag in g[123]

Kategorie	Gruppe	Brot	Nährmittel	Kartoffeln	Zukker	Fleisch	Fett	Marmelade
I	1	450	40	500	25	50	30	30
	2	450	40	400	25	50	30	30
	3	400	30	350	20	40	15	30
	4	300	20	350	20	25	10	30
	5	250	15	350	25	20	20	30
	6	250	15	350	15	15	7	30
II	1	450	40	500	25	40	20	30
	2	400	40	400	25	40	20	30
	3	350	20	300	20	25	10	30
	4	250	15	300	20	20	10	30
	5	200	10	300	25	15	10	30
	6	200	10	300	15	–	–	30

Der Kalorienwert dieser Mengen wurde für die Kategorie I von DDR-Ernährungswissenschaftlern wie folgt ermittelt:

[123] Tabellen nach Gerhard Winkler, Betrachtungen zur Entwicklung der Nahrungsmittelversorgung und des Verbrauchs an wichtige Nahrungsmitteln in der DDR seit 1945 unter besonderer Berücksichtigung der Abhängigkeit des Nahrungsmittelkonsums von der Einkommenshöhe vor allem in Arbeiter- und Angestelltenhaushaltungen. Hab. Schrift, Leipzig 1961 (Maschinenschrift), S. 63 u. S. 69.

Die Kalorienversorgung im ersten Nachkriegsjahr der Verbraucherkategorie I (Kalorien pro Tag und Kopf)

| Nahrungsmittel | Versorgungsgruppen | | | | | |
	Schwerstarbeiter	Schwerarbeiter	Arbeiter	Angestellte	Kinder	Sonstige
Brot	1107,0	1107,0	984,0	738,0	615,0	615,0
Nährmittel	144,8	144,8	108,6	72,4	54,3	54,3
Kartoffeln	375,0	300,0	262,5	262,5	262,5	262,5
Zucker	102,25	102,25	81,8	81,8	102,25	61,35
Fleisch	120,0	120,0	96,0	60,0	48,0	36,0
Fett	255,06	255,06	127,53	85,02	170,0	59,51
Marmelade	82,2	82,2	82,2	82,2	82,2	82,2
Insgesamt:	2186,31	2111,31	1742,63	1381,92	1334,25	1075,35

Wegen der mangelhaften Qualität der abgegebenen Produkte ist jedoch davon auszugehen, daß der reale Kalorienwert 1945 nur ca. 90 Prozent und 1946 sogar nur etwa 80 Prozent des den Rationen zugrundegelegten Gehalts erreichte. Und schon diese Werte lagen häufig unter der Grenze des Existenzminimums.

Der statistisch ermittelte »Gesamtnormalverbraucher«, der Durchschnittskonsument der sechs Gruppen in beiden Kategorien, erhielt im August 1946 1382,8 und seit der Erhöhung der Rationen vom 1. Januar 1947 an 1420,4 Kalorien täglich. Nach dem Fortfall der Kartengruppe 6 und der Einordnung der Mehrzahl ihrer Bezieher in die Gruppe 5 vom 1. Februar 1947 an entfielen auf den Gesamtnormalverbraucher 1543 Kalorien (alle Zahlen ohne Qualitätsabschlag). Diese Menge lag nominal nur um weniges über den Rationen etwa der britischen Zone. Nach DDR-Erkenntnissen aber war die Verteilung in der SBZ besser organisiert, so daß – anders als im Westen – Soll- und Ist-Rationen nachgerade identisch waren.

Ein Teil des Versorgungsdefizits konnte auf Schwarzen (Geld gegen Ware) oder Grauen Märkten (Ware gegen Ware) ausgeglichen werden. Diesen Anteil aber schätzt man in der DDR auf nicht mehr als ca. 140 Kalorien täglich. Erst Mitte 1948 besserte sich die Versorgungslage. Vom 1. Oktober an hatte die niedrigste Ration (Angestellte in der Kategorie II) einen Wert von rund 1600 Kalorien erreicht, und der Gesamtnormalverbraucher konnte mit 1746 Kalorien täglich rechnen. Anders als in den Westzonen änderte die Währungsreform (Juni 1948) an der Versorgung wenig. Zwar wurden seit 1948 Lohnerhöhungen möglich, noch immer aber blieben sie real (auch angesichts des eklatanten Nachholbedarfs) erheblich hinter den nachfragege-prägten Hochpreisen zurück. In dieser Lage waren Naturallöh-ne und Kompensationen die entscheidenden Triebkräfte des Wiederaufbaus. Sie wurden jedoch in dem Maße dysfunktional, in dem es gelang, die Produktion insgesamt zu steigern und so die Voraussetzungen für eine gerechtere Verteilung zu schaffen.

Die Ausrichtung der Produktion an gesamtgesellschaftlichen Erfordernissen versuchten Partei, SMAD und der Behördenap-parat auf drei Wegen zu erreichen: durch die schrittweise Zen-tralisierung von Verfügungsgewalt und Planung, durch eine Kombination von materiellen und ideellen Anreizen zur Pro-duktionssteigerung und durch die Beschneidung der weitrei-chenden Rechte der Betriebsräte. Den ersten Schritt zur Straf-fung zentraler Verfügungsgewalt bildete eine Vereinbarung über die Zusammenarbeit zwischen den Landesregierungen und den für die Wirtschaftspolitik der SBZ relevanten Zentralver-waltungen (10. Februar 1947), mit der diesen u. a. das Recht übertragen wurde, »im Interesse der gesamten SBZ die Arbeiten der Länder und Provinzen auf dem Gebiete der Planung, Len-kung und Kontrolle der Industrie, des Handwerks, des Handels und der Versorgung [zu] koordinieren«[124] und die Planerfüllung zu kontrollieren.

Vier Monate später, im Juni 1947, befahl die SMAD die Bil-dung der »Deutschen Wirtschaftskommission« (DWK), die künftig für die Koordination der wirtschaftsplanenden und -lei-tenden Zentralverwaltungen zuständig war. Und im Februar 1948 wurde der DWK das Recht zugestanden, »Verfügungen und Instruktionen, die für alle deutschen Organe im Gebiet der Sowjetischen Besatzungszone in Deutschland ... verbindlich sind, zu beschließen und zu erlassen sowie deren Durchführung zu prüfen«[125].

Parallel zu diesem Bemühen um die Koordinierung der Wirt-schaftsverwaltung und die Konzentration von Verfügungsge-

---

[124] Zit. nach: Um ein antifaschistisch-demokratisches Deutschland, S. 380 ff.
[125] Ebd., S. 585 f.

walt wurden die volkseigenen Betriebe zunächst regionalen, dann zonalen Anleitungs- und Planungs-Instanzen unterstellt. Die ersten, wie sich zeigen sollte, wegweisenden Organsiationsansätze waren bereits 1946 in Sachsen entwickelt worden. Zwar war auch hier an Planung, im Sinne einer vorausschauenden Berechnung der materiellen und finanziellen Aufwendungen für eine gewünschte Produktvielfalt noch nicht zu denken. Die Planungsansätze galten mehr der Verteilung der knappen Ressourcen. Der Einbindung der Betriebe in größere Verantwortungszusammenhänge diente ihre Zuordnung zu übergeordneten Verwaltungseinheiten. Zu diesem Zwecke faßte das Wirtschaftsministerium alle Betriebe einer Branche zu »Vereinigungen Volkseigener Betriebe« zusammen und leitete diese »VVB« direkt an. Dieses »sächsische Modell« setzte sich in den übrigen Ländern mit etlichen Modifikationen durch und lieferte das Organisationsmuster, nach dem Anfang 1948 die gesamte SBZ-Industrie gesteuert wurde. Auf Vorschlag der Deutschen Wirtschaftskommission verfügte die SMAD mit ihrem Befehl Nr. 76 die Bildung von 75 zonalen »Vereinigungen Volkseigener Betriebe« (mit insgesamt etwa 50000 Beschäftigten), unterstellte diese den »Hauptverwaltungen« der Wirtschaftskommission und sicherte so die zentralistische Verfügungsmacht über wesentliche Bereiche der Industrie. Auch die übrigen VEB unterstanden fortan Leitungen, die in den Ländern und Kreisen gebildet wurden.

Neben dieser organisatorischen Konzentration verordnete die SMAD das Ende aller kollektiven Leitungsformen in den Unternehmen. Fortan galt das »Einzelleitungsprinzip«, d. h. die Verantwortung eines Direktors für den Betrieb. Er wurde als der »einzige Verfügungsberechtigte«, der die »volle Verantwortung trägt«, definiert[126]. Und da er von den übergeordneten Leitungen ausgewählt, also nur ihnen verantwortlich war, schuf sich die Wirtschaftsverwaltung so auch einen intensiven personellen Zugang zu allen betrieblichen Entscheidungen.

Kollektive Entscheidungsgremien, die die Betriebsräte häufig waren, wurden auf diese Weise ebenso eingeengt wie betriebliche Mitbestimmung. Zugleich aber eröffnete die SMAD in den VVB neue formale Teilhabeformen. Es wurden »Verwaltungsräte« (Gewerkschaftsfunktionäre, Angestellte und Arbeiter aus den angeschlossenen Betrieben) bei den VVB-Direktoren gebil-

---

[126] Ebd., S. 626.

det, die das Recht hatten, mindestens einmal im Monat die
»produktionswirtschaftliche Tätigkeit« der VVB zu besprechen
und der Direktion der Vereinigung Vorschläge zu machen. Mitbestimmen immerhin sollten sie bei der Besetzung der »leitenden Funktionen der Vereinigung«.

Die inhaltliche Steuerung der SBZ-Industrie erfolgte 1948 auf
der Grundlage eines Halbjahresplanes (»für das zweite Halb-
jahr 1948«) und seit 1949 anhand des »Zweijahresplanes« für die
Jahre 1949 und 1950. Er sah bis 1950 die Erhöhung der Produktion um 35 Prozent gegenüber 1947 vor, rechnete mit einer
Steigerung der Arbeitsproduktivität um 30 Prozent bei einem
Anwachsen der Gesamtlohnsumme um 15 Prozent. Die Arbeitsproduktivität sollte also doppelt so rasch wachsen wie die
Löhne. Mittel zu diesem Zweck sahen die Planer vor allem in
Verbesserungen der Arbeitsorganisation, im Übergang zu Lei-
stungslöhnen, in der Einführung einer »richtigen Normung«
und im Kampf gegen die »Arbeitsbummelei«[127].

Worauf diese Entwicklung politisch zielte, wurde erst Mitte
1948 offenkundig. Bis dahin war zwar die Zentralisierungs-
Absicht unverkennbar geworden. Die Ballung von Planungs-
und Entscheidungs-Kompetenzen in der DWK war jedoch längere Zeit als ein verwaltungstechnisch notwendiger Schritt im
Kontext der Wiederaufbauanstrengungen zu interpretieren. Ihre politische Dimension war freilich schon erkennbar, als die
SED-Führung im September 1947 (auf dem II. SED-Parteitag)
deutlich ihren Führungsanspruch gegenüber den Blockpartnern
anmeldete, dazu aufforderte, alsbald zur langfristigen Wirtschaftsplanung überzugehen und die SED – gewissermaßen
probehalber – eine »Partei neuen Typus« nannte. Noch wollte
sie sich mit diesem Begriff zwar nicht als leninistische Kaderpartei verstanden wissen, sondern nur als Einheitspartei von
Kommunisten und Sozialdemokraten; doch zur gleichen Zeit
hatte Pieck die Losung ausgegeben, die der Partei die Perspektive wies: »Von der Sowjetunion lernen, heißt Siegen lernen«.

Das neue Ziel wurde erst Ende Juni 1948 deutlich benannt
und damit auch der Zusammenhang von partei- und verwal-
tungspolitischem Wandel. Auf seiner 11. Tagung (nach dem II.
Parteitag) beschloß der SED-Parteivorstand, zusammen mit
den Richtlinien für den Halbjahresplan 1948 und dem Wirt-

[127] Dokumente der Sozialistischen Einheitspartei Deutschlands. Bd. 2,
2. Aufl., Berlin (DDR) 1951, S. 66 ff.

schaftsplan 1949/1950, den Beginn der Transformation der SED in eine »marxistisch-leninistische Partei neuen Typus«. Er machte damit den politischen Gehalt seiner Zentralisierungspolitik explizit: Es galt die Konzentration von Planungs- und Leitungskompetenz durch die Umstrukturierung der SED in eine zentralistisch geführte, disziplinierte Kaderpartei politisch abzusichern und die führende Rolle der Partei durch die Schaffung eines hierarchisch-zentralistischen Institutionengefüges zu garantieren. Die SED hatte tatsächlich von der Sowjetunion gelernt: Sie hatte damit begonnen, die Organisationsstrukturen von Partei, Gewerkschaften und Staatsorganen so abzustimmen, daß ihr Führungsanspruch in allen politischen und wirtschaftlichen Entscheidungen durchgesetzt werden konnte. Dabei stand sie jedoch insbesondere in den Betrieben vor erheblichen Problemen.

Die Zerschlagung der Betriebsräte und der Funktionswandel der Gewerkschaften

Das Ziel, die Arbeitsproduktivität nachhaltig zu steigern (sie lag 1948 bei nur 50 Prozent des Vorkriegs-Niveaus), hatten SMAD, Partei und Gewerkschaften seit 1946 zunächst durch eine Kombination von materiellen und ideellen Anreizen sowie durch Verordnungen zu erreichen versucht, die deutlich auf die Durchsetzung einer straffen Arbeitsdisziplin gerichtet waren. Eine wesentliche Maßnahme im Rahmen dieses Konzepts bildete der SMAD-Befehl 234 vom 9. Oktober 1947. Mit ihm wurde das Ziel verfolgt, durch eine Veränderung der Entlohnungsform die Arbeitsproduktivität zu steigern. Angestrebt wurde ein Lohnsystem, in dem sich die Arbeitseinkommen sowohl nach der individuellen Leistung als auch nach der Bedeutung der Wirtschaftszweige richten sollten, in denen sie verdient worden waren. Als förderungswürdig galten der SMAD speziell jene Zweige, die für Reparationslieferungen produzierten, und dort auch (etwa im Maschinenbau, der Chemie, der optischen Industrie) wurde zunächst die Akkordarbeit wieder verbindlich, auf die nach Kriegsende überall verzichtet worden war. Darüber hinaus verfügte die Militärregierung, die Lebensmittelversorgung in diesen Branchen zu verbessern. Es sollte täglich eine warme, lebensmittelkartenfreie Mahlzeit ausgegeben werden, und zwar ein Essen besserer Qualität (Kategorie A) für hochqualifizierte oder besonders schwer belastete Arbeiter sowie für alle Ingenieure und Techniker und ein Essen mit geringerem

132

Nährwert (Kategorie B) für die übrigen Arbeiter und Angestellten.

Zudem erließ die Zentralverwaltung für Arbeit und Sozialfürsorge – unter ausdrücklicher Berufung auf die SMAD-Order – eine für alle SBZ-Betriebe gültige Arbeitsordnung, mit der die Arbeiter und Angestellten u. a. »verpflichtet« wurden, »fristgemäß und sorgfältig die Leistungsnormen zu erfüllen«[128]. Darüber hinaus bestimmte die Ordnung die »Förderung der besten Arbeiter und Angestellten« durch öffentliche »Danksagungen«, erhöhtes Krankengeld, bevorzugte Einweisung in Sanatorien und Erholungsheime sowie die bevorzugte Beschaffung von »Kleidern, Schuhwerk und anderen Industriewaren«. Verfügt wurden aber auch »Strafmaßnahmen«. Sie reichten vom Verweis, über den »Entzug des zusätzlichen markenfreien Essens für die Dauer bis zu 10 Tagen«, bis zum »Öffentlichen Tadel« und schließlich zur Entlassung.

Der FDGB-Vorstand unterstützte den Befehl und die nachfolgenden Verordnungen (Gewerkschafts-Begriff: »Aufbauplan 234«) lebhaft. Doch die Betriebsräte zogen nicht mit. Erstmals wurde deutlich erkennbar, wie weit sich die Gewerkschaftsführung von ihrer Mitgliederbasis in den Betrieben entfernt, wie sehr sich der FDGB-Vorstand und sein Führungskorps bereits mit den Leitlinien der SED-Wirtschaftspolitik identifizierten. Die Arbeiter und ihre Betriebsräte, aber selbst SED-Betriebsgruppen, setzten der zentralen Intention des Aufbauplanes, der Steigerung der Arbeitsproduktivität durch finanzielle (Leistungslöhne) und naturale Anreize (Zusatzversorgung) zum Teil heftigen Widerstand entgegen. Ein DDR-Autor resümierte: »Viele Arbeiter ... sprachen sich zunächst gegen den Leistungslohn aus. Selbst für manche Arbeiterfunktionäre war diese Absage an die Gleichmacherei nicht immer verständlich .... Es bedurfte vieler Diskussionen in den (SED-)Betriebsgruppen, um zunächst die Parteimitglieder und dann über die Betriebsräte und die Betriebsgewerkschaftsleitungen die Arbeiter davon zu überzeugen, daß die Anwendung des Leistungsprinzips den Interessen der Arbeiter und der Gesellschaft dient.«[129] Wie gering indes die Bereitschaft war, das Lohnsystem zu akzeptieren,

---

[128] Jahrbuch für Arbeit und Sozialfürsorge 1947/48, S. 414 ff.
[129] Horst Lipski, Die beginnende Verlagerung des Schwergewichts der Parteiarbeit auf die Betriebsgruppen (Herbst 1947 bis Frühjahr 1948). In: 20 Jahre Sozialistische Einheitspartei Deutschlands. Beiträge. Berlin (DDR) 1966, S. 73.

zeigten sowohl die Klagen des FDGB über die nur geringe Bereitschaft der Einzelgewerkschaften, die neue Linie durchzusetzen, als auch die nur formale Anerkennung des Leistungsprinzips in den Betrieben selbst. Der Bundesvorstand monierte: »In fast allen Industriezweigen wurden Versuche unternommen, Lohnerhöhungen durchzusetzen, ohne zu erkennen, daß Nominal-Lohnerhöhungen die Schwierigkeiten und die Not nicht überwinden können, ...«[130]. Die häufigsten Lohnformen dieser Zeit waren Prämienleistungslohn, proportionaler Leistungslohn und progressiver Leistungslohn. Der proportionale Leistungslohn galt bei Stück- und Akkordarbeit, ebenso wie der progressive Leistungslohn, bei dem – von einer bestimmten Leistung an – der Lohn überproportional stieg und deshalb vor allem in den volkswirtschaftlich wichtigsten Industriezweigen angewendet werden sollte, um dort rasche Produktionssteigerungen zu bewirken.

Als besonders unpopulär, weil betriebliche Solidarität zerstörend, erwiesen sich die Leistungsanreize in Naturalform. Die Richtlinien der SMAD und der deutschen Behörden wurden immer wieder unterlaufen. Noch 1949 klagte ein SED-Autor im Theorie-Blatt der Partei: »Wir reden schon zwei Jahre gegen die verderbliche und verbrecherische Gleichmacherei, aber in der Praxis gibt es fast noch auf allen Gebieten Gleichmacherei. Anstatt A- und B-Portionen wird oder wurde bis vor kurzem ... alles in einen Topf geworfen, damit auch die anderen ein Essen bekommen. Und so ist es auf dem Gebiet der Verteilung von Textilien, Schuhen, Lohn usw.«[131]

Als »verbrecherische Gleichmacherei« empfand offenbar auch die sowjetische Kommandantur von Berlin, was Walter Felsenstein, Intendant der »Komischen Oper«, tat. Er hatte einen besonderen Leistungsanreiz desavouiert, indem er Lebensmittelpakete (im zeitgenössischen Jargon »Pajoks«), die Angehörige der sogenannten Intelligenz (Ingenieure, Hochschullehrer, Künstler, aber auch Spitzenfunktionäre) von der Militärverwaltung bekamen, sammelte und, wie Brecht notierte, »einigermaßen gleichmäßig« unter den Mitarbeitern seines Hauses verteilte. Die Kommandantur entzog dem Theater die Zuwendungen für zwei Monate, und Brecht kommentierte: »die rus-

---

[130] Aus der Arbeit des Freien Deutschen Gewerkschaftsbundes 1947–1949. Berlin (DDR), S. 150f.
[131] Einheit (1949)[1], S. 29.

sen hatten die ungleichheit der entlohnung, felsenstein die ein-
gleichung für produktionssteigernd befunden.«[132]

Brecht sprach vom Zusammentreffen unterschiedlicher Konzepte, und dies gewann zunehmend an Bedeutung dadurch, daß
sich die deutschen Kommunisten seit dieser Zeit intensiv an den
(per definitionem) fortschrittlichen Erfahrungen der Sowjetunion orientierten (und wohl auch orientieren sollten) und
kaum einen Schritt ohne vorherige Konsultationen mit der
KPdSU-Führung gingen. Immer wieder reisten SED-Delega-
tionen in die UdSSR, machten sich dort auch mit dem sowjetischen Lohnsystem vertraut und setzten diese Erkenntnisse in
Richtlinien für die Parteiarbeit um. So wird über den Besuch
der ersten SED-Delegation Anfang 1947 in Moskau berichtet,
bei dem sich u. a. Pieck, Grotewohl und Ulbricht »mit der Rolle
und Tätigkeit der sowjetischen Gewerkschaften, mit Problemen
der Steigerung der Produktion und der Verbesserung der Ar-
beits- und Lebensbedingungen bekannt machten ... Sie hatten
wesentlichen Einfluß auf die Vorbereitung des II. Parteitages
der SED.«[133]

Die Übertragung sowjetischer Erfahrungen, die Ausrichtung
am Gesellschaftsmodell der Sowjetunion von 1947/48 an, zeigt
sich insbesondere in der parallel zur Lohnkampagne initiierten
Aktivisten-Bewegung. Sie wurde 1947 ins Leben gerufen, lief
nur zögernd an, erreichte aber im Herbst 1948, mit der Leistung
eines Bergmanns zonenweite Bedeutung: Am 13. Oktober 1948
– am 1. Jahrestag des SMAD-Befehls 234 – fuhr im Zwickauer
Steinkohlenschacht »Gottes Segen« der Grube »Karl Lieb-
knecht« der Bergmann Adolf Hennecke, vor 1933 Funktionär
der kommunistischen Revolutionären Gewerkschaftsopposition, bis zur KPD-SPD-Vereinigung Sozialdemokrat, seit 1947
»Instrukteur« der Aktivistenbewegung, eine Hochleistungs-
schicht. Nach sorgfältiger arbeitsorganisatorischer Vorbereitung stellte er mit 387 Prozent der Normleistung einen neuen
DDR-Rekord auf. Wie intensiv diese Leistung auch politisch
vorbereitet worden war, berichtete Otto Buchwitz, der damalige Vorsitzende der SED-Landesleitung Sachsen dem SED-Parteivorstand kurz nach der Tat des Aktivisten: »Seine Leistungen
übertrafen schon immer diejenigen seiner Kollegen. ... Er ist

[132] Brecht, Arbeitsjournal, S. 533.
[133] Die brüderlichen Beziehungen zur Partei und zum Lande Lenins. In: BZG
(1975)², S. 219; s. a. Heinz Voßke, Über die politisch-ideologische Arbeiterklasse
in den ersten Nachkriegsjahren (1945–1949). In: BZG (1972)⁵, S. 725 ff.

[von der Parteileitung] dann im Laufe der nächsten Wochen entwickelt worden, ... ihm wurde das Ziel gesteckt, seine Norm mit 250 Prozent zu erfüllen ... Unser Ziel war, herauszufinden, wie wir eine (breitere) Aktivistenbewegung entwickeln können. Ich gebe gern zu, wir wurden ein wenig beeinflußt, daß wir so etwas ähnliches wie einen Stachanow [ein sowjetischer Bergmann, der 1935 seine Norm um das Vierzehnfache überboten hatte] bei uns brauchen.«[134]

Wie Henneckes Kollegen reagierten, schilderte er selbst so: »Ich wußte, worauf ich mich eingelassen hatte ... Sicher würde der oder jener kommen und sagen: Mensch, Adolf, war das nötig? Und als ich dann ausfuhr, war alles ganz anders. Ich existierte mit einemmal nicht mehr. Meine Kumpel sahen mich nicht. Ich war für sie Luft ... Es kamen Briefe, anonyme Briefe, mit Morddrohungen. Der Strick läge schon bereit und ähnliche Naziparolen ... Drei Tage wußte ich nicht, was ich bin. War ich nun ein schlechter Genosse oder ein guter? Dann kam ein Brief aus Berlin von Pieck und Grotewohl.«[135]

Die Partei bestätigte die Tat, nannte die Aktivisten-Bewegung fortan Hennecke-Bewegung, unterstützte die Kampagne kurzfristig durch Sonderschichten ihrer Funktionäre und förderte sie durch materielle wie ideelle Anreize, durch Prämien (Hennecke bekam für seine Leistung einen Anzugstoff, 1,5 kg Fett, eine Flasche Trinkbranntwein, drei Schachteln Zigaretten sowie – kennzeichnend für die damalige Bedeutung des Geldes: nur 50 Mark) und Auszeichnungen, die schließlich dazu beitrugen, daß die Aktivisten-Bewegung von Ende 1948 (ca. 4200) bis 1950 (ca. 114 400 Aktivisten) zunehmend an Bedeutung gewann.

Dieser Durchbruch gelang freilich erst, nachdem in den Betrieben der in den Betriebsräten organisierte Widerstand gegen die differenzierenden neuen Lohnformen und die sie stützenden leistungsorientierten Zuteilungsweisen von Industriewaren und Lebensmitteln gebrochen worden war.

Um dies zu erreichen und damit auch ihrem Führungsanspruch zum Durchbruch zu verhelfen, aktivierte die Partei ihre Arbeit in Betrieben und Gewerkschaften, baute die betrieblichen Gewerkschaftsorganisationen aus und schuf so den seiner-

---

[134] Zit. nach: Annelies Voigtländer, Die Tat Adolf Henneckes und die Anbahnung enger Beziehungen zwischen der Arbeiterklasse der UdSSR und der DDR. In: BZG (1971) 4, S. 620 ff., hier S. 623.
[135] Hennecke-Portrait von Karl-Heinz Jacobs. In: Die erste Stunde. Portraits. Hrsg. v. Fritz Selbmann, Berlin (DDR) 1969, S. 191 f.

zeit oft zitierten »Dualismus« von Betriebsräten und Betriebsgewerkschaftsleitungen (BGL), dessen Überwindung – im
Sinne der Stärkung der BGL – dann, seit 1948, erklärtes Ziel
von SED und FDGB war. Da bis 1947 die Betriebsräte »fast
ausschließlich die alleinigen Träger der Gewerkschaftsarbeit«
waren[136], ihre Arbeit sich aber in »sehr vielen Fällen« darauf
konzentrierte, »das Vertrauen der gesamten Belegschaft zu erhalten, ohne daß sie dabei immer Rücksicht nahmen auf die
Gesamtentwicklung der Wirtschaft«, bemühte sich die SED zunächst darum, durch eine stärkere Bindung der Räte an die
Gewerkschaftsapparate deren Gewicht zu mindern. So verfügte
der FDGB-Bundesvorstand im April 1947: »Vorbereitung und
Durchführung der Betriebsrätewahlen (Mai/Juni 1947) sind in
erster Linie eine Angelegenheit der Industriegewerkschaften
und ihrer Betriebsgewerkschaftsgruppen«[137], die gerade kurz
zuvor, im Januar/Februar 1947, in zahlreichen SBZ-Betrieben
gebildet worden waren. Schon im Juli 1947 hatte der FDGB-
Vorsitzende Herbert Warnke geschrieben: »Nach den Satzun-
gen des FDGB ist der Zusammenschluß der Gewerkschaftsmitglieder im Betrieb, also die Betriebsgewerkschaftsgruppe diejen-
nige Instanz, welche die gewerkschaftspolitischen Aufgaben zu
beschließen und durchzuführen hat. Hierzu gehört auch das
Tätigkeitsgebiet des Betriebsrats.«[138]

Anfang Mai 1948 beschloß die FDGB-Spitze, die BGL mit
der Entwicklung von innerbetrieblichen Wettbewerben und der
Durchsetzung der Leistungsprinzipien des Befehls 234 zu betrauen, weil die Betriebsräte – so die Erkenntnis des FDGB-
Vorstandes – nicht in der Lage seien, »eine Mobilisierung der
Arbeiter und Angestellten für die neuen Aufgaben zu erreichen
...«[139] Der FDGB verfügte deshalb, die »Betriebsräte ... von
allen Aufgaben, für die die Betriebsgewerkschaftsleitungen zuständig sind, restlos zu befreien ...«[140], d. h. er nahm den Räten
die Kompetenz für die gesamte betriebliche Lohn- und Sozial-
politik und übertrug sie den schließlich im September 1948 in
allen SBZ-Betrieben gewählten BGL. Zugleich wurden Wahlen
für das Gremium der Vertrauensleute sowie die Bildung von
Abteilungsgewerkschaftsgruppen angeordnet und die Vorstän-

[136] Aus der Arbeit des FDGB, S. 338.
[137] Ebd., S. 243.
[138] Die Arbeit (1947) 7, S. 193.
[139] Aus der Arbeit des FDGB, S. 346.
[140] Beschluß v. 8. 5. 1948. Ebd., S. 413.

de der Industriegewerkschaften »verpflichtet, ... ihre Betriebsgewerkschaftsgruppen besser und gründlicher anzuleiten«.

Damit diese Unterstellung betrieblicher Gewerkschaftsarbeit unter die Kontrolle der Industriegewerkschaften dem angestrebten Zweck gerecht wurde, mußte zugleich versucht werden, die Einzelgewerkschaften selbst bzw. ihre Vorstände der Kontrolle durch die FDGB-Spitze zugänglich zu machen. Dies war insbesondere deshalb schwierig, weil sich in den Führungen der Industriegewerkschaften noch starker sozialdemokratischer Einfluß erhalten hatte, der nur selten ohne Konflikte gebrochen werden konnte. Von der FDGB-Spitze hingegen war Widerstand nicht zu erwarten. Von der Gründung des Gewerkschaftsbundes an war sie von KPD-Funktionären dominiert worden, und sie fügte sich in die den Gewerkschaften zufallende Rolle offenbar ohne Bedenken.

Um eine Konsolidierung der BGL zu erreichen, verzögerte der FDGB-Vorstand zunächst die ursprünglich für Oktober 1948 angesetzten Betriebsratswahlen. Dann wählte er ca. 600 Gewerkschaftsfunktionäre für eine Arbeitstagung aus, die am 25. und 26. November 1948 in Bitterfeld stattfand. Diese Konferenz beschloß, den Kampf gegen das »Nurgewerkschaftertum« und für das neue Lohnsystem zu führen, und beauftragte schließlich den geschäftsführenden Bundesvorstand, »Schritte zu unternehmen, daß die Vertretung der Interessen der Arbeiter und Angestellten in den Betrieben und Verwaltungen ... den Betriebsgewerkschaftsleitungen übertragen werden«[141]. Wiederum kurz darauf vereinbarte der FDGB-Vorstand mit der nun zuständigen DWK-Hauptverwaltung für Arbeit und Sozialfürsorge, in allen Betrieben, »in denen die gewerkschaftliche Organisiertheit 80 Prozent und mehr der Belegschaft beträgt, die Betriebsräte mit den Betriebsgewerkschaftsleitungen zu vereinigen«. Das bedeutete die faktische Auflösung der Räte und die – auf Vorschlag der BGL erfolgende – Aufnahme der »besten und aktivsten Betriebsräte« in die BGL, da in dieser Zeit bereits – zumindest in den mittleren und großen Betrieben – zwischen 80 und 90 Prozent der Arbeiter und Angestellten Gewerkschaftsmitglieder waren.

Zwar trug die SED mit dieser Entscheidung zur Lösung des

---

[141] Ebd., S. 420; vergl. auch: Sopade. Querschnitt durch Politik und Wirtschaft. Dezember 1948, S. 13 ff. (keine Betriebsratswahlen in der Ostzone).

Gegensatzes zwischen betrieblichen und gesellschaftlichen Interessen bei. Sie verschärfte aber zugleich den politischen Widerspruch zwischen den unmittelbaren Interessen der Arbeiter und Angestellten, das in den Betriebsräten seinen organisatorischen Ausdruck gefunden hatte, und ihrem eigenen Avantgarde-Anspruch, und das belastete auch ihre Wirtschaftspolitik. Denn an die Stelle der gewünschten individuellen und betrieblichen Initiativen trat nun die Notwendigkeit bürokratischen Reglements. Verstärkt wurde die Entfremdung der Partei von wesentlichen Teilen ihrer Basis, und es setzten sich jene Formen der Revolution von oben durch, auf die die Industriearbeiter im Juni 1953 schließlich massenhaft reagierten, die aber gleichwohl die DDR-Entwicklung bis in die sechziger Jahre hinein wesentlich prägten.

Überdies schuf die Parteiführung durch die Zerschlagung der Betriebsräte auch Distanz zu Teilen ihrer Betriebsorganisationen. Denn es waren häufig SED-Mitglieder, die in die Betriebsräte gewählt worden waren: 1946 gehörten mehr als 50 Prozent der Partei an, und auch bei den Betriebsratswahlen des Jahres 1947 stellte die SED offenbar mehr als die Hälfte der Betriebsräte[142]. Nun sagt der gleichbleibende Anteil von SED-Mitgliedern zunächst nur wenig über die politische Struktur dieser Gremien aus. Denn zweifellos hatte sich die Zusammensetzung der Betriebsräte seit 1945, sowohl durch die Betriebsrätewahlen der Jahre 1946 und 1947 als auch dadurch verändert, daß viele Positionen in den durch die Entnazifizierung gesäuberten Behördenapparaten usw. mit Betriebskadern besetzt worden waren. Da die Kaderpolitik in aller Regel Angelegenheit der KPD bzw. seit der Bildung der SED Sache ehemaliger KPD-Mitglieder war, kann davon ausgegangen werden, daß zumeist ehemalige KPD-Mitglieder aus den Betrieben und auch aus den Betriebsräten in die Verwaltungen bzw. zu Vorbereitungslehrgängen für den Schul- oder Justizdienst oder in die Betriebsleitungen delegiert wurden. Dies wiederum führte zu einer Stärkung der ehedem sozialdemokratischen SED-Betriebskader in den Betriebsräten. So erklärt sich denn vielleicht auch die Mitteilung der FDGB-Führung, daß die Betriebsräte (offenbar im Jahre 1948) in aller Regel Kollegen waren, »die bereits vor 1933 die gleichen Funktionen bekleidet hatten«[143],

142 Vgl. Neuer Weg (1947) 8, S. 18; s. a. (1948) 2, S. 25.
143 Aus der Arbeit des FDGB, S. 338.

also wohl mehrheitlich aus der Sozialdemokratie oder den sozialdemokratisch orientierten Gewerkschaften kamen, die bis 1933 die Betriebsräte dominiert hatten. Getroffen wurde so also der Teil der SED-Mitgliederschaft, dessen Einfluß durch die bald darauf einsetzende Kampagne gegen den »Sozialdemokratismus« ohnehin zurückgedrängt werden sollte.

Was für die Betriebsräte galt – der Wandel ihres Sozialprofils infolge der gesellschaftlichen Umschichtung durch die Entnazifizierung – betraf die gesamte Industriearbeiterschaft. In sie stiegen viele der ehemaligen Pg ab, und sie nahm große Teile der Zuwanderer aus den einstigen Ostgebieten auf. Dieser Sachverhalt bot der SED-Führung zusätzlichen Anlaß, ihren ohnehin theoretisch erhobenen Anspruch, politisches Bewußtsein »in die Arbeiterklasse hineinzutragen« (Lenin), zu aktualisieren. Und dieses Vortrupp-Bewußtsein wiederum war den Parteivertretern im FDGB ein Argument für den Rollenwandel der Gewerkschaften.

Im September 1948 diagnostizierte die ›Arbeit‹[144], das theoretische Blatt des FDGB-Vorstandes, daß der 24,7-Prozent-Anteil der Umsiedler an der Gesamtbevölkerung sowie die halbe Million ehemaliger Nationalsozialisten, »die ja nun entsprechend ihrer Stellung im Produktionsprozeß der Arbeiterklasse zugerechnet werden müssen« und 12 Jahre NS-Diktatur die »ideologische Zusammensetzung der Arbeiterklasse stärkstens beeinträchtigt« hätten. Einen Monat später ergänzte Herbert Warnke im theoretischen Organ der SED ›Einheit‹[145]: »Es ist also die Aufgabe der Partei und der Gewerkschaften ..., das Bewußtsein der gesamten Arbeiterklasse zu heben, es zu einer einheitlichen Klassenideologie zu entwickeln«, zu einem Klassenbewußtsein, das »am klarsten und reinsten in einem neuen Verhältnis zur Arbeit« erscheine, »wie es bereits in der Aktivisten-Bewegung, in den Wettbewerben, in den Pionieren des Leistungslohnes zum Ausdruck kommt«. Die wesentlichen politisch-organisatorischen Mittel zur Erreichung dieses Ziels sah er – im Hinblick auf den Betrieb – in der Anerkennung der führenden Rolle der BGL und – mit Blick auf die Gewerkschaften – in der Anerkennung der Führungsrolle der SED. Warnke referierte so, was im Gewerkschaftsapparat als neues gewerk-

[144] Fritz Ulrich, Analyse und Struktur der Arbeiterklasse in der SBZ. In: Die Arbeit 2 (1948), S. 276 ff.
[145] Einheit 3 (1948), S. 1010.

schaftliches Selbstverständnis tendenziell durchgesetzt worden war: die Interpretation gewerkschaftlicher Arbeit als Funktion einer Massenorganisation, die die Richtlinienkompetenz der Partei (der Avantgarde) akzeptierte und ihre wesentliche Aufgabe darin sah, zusammen mit der Planerfüllung die Konsolidierung der SBZ nach dem Vorbild der Volksdemokratien voranzutreiben.

Die Transformation des Parteiensystems

Unter dem Druck der SED, die sich schrittweise zu einer kommunistischen Kaderpartei wandelte, den Staatsapparat zentralisierte, Verfügungsmacht in der Industrie gewann und die Gewerkschaften ihrem Konzept zuordnete, veränderte sich auch die Rolle der Blockparteien. Durch ihren Beitritt zur Koalition der Parteien-Einheitsfront waren ihrer Entfaltung zwar schon früh enge Grenzen gezogen worden. Gleichwohl hatten sie sich stets als politische Verbände begriffen, die im gegebenen Kräfteverhältnis gesellschaftliche Teilinteressen durchzusetzen suchten. Je deutlicher jedoch die SED den Anspruch formulierte, mit ihrer Politik das gesellschaftliche Gesamtinteresse zu vollziehen, desto komplizierter gestaltete sich das Verhältnis im Parteienblock.

Anders freilich als in den Betrieben, in denen die Betriebsräte weniger den Zielen als den Methoden der gesellschaftlichen Umwälzung Widerstand entgegensetzten, standen der SED mit der CDU und der LDPD Parteien gegenüber, in denen sich immer deutlichere Vorbehalte gegen Methoden *und* Ziele der Transformationsprozesse artikulierten. Schon angesichts der ungelösten nationalen Frage mußte die SED-Führung darauf verzichten, die Parteien einfach zu zerschlagen, was 1947/48 in Rumänien und Ungarn geschah. Aber auch ihr eigenes Bündniskonzept und mit ihm die Legitimationsbasis für antifaschistisch-demokratische Ordnung wären durch eine offene Unterdrückungspolitik in Gefahr geraten. Sie mußte vielmehr versuchen, den Block und mit ihm die Parteien zu erhalten. Dies bot ihr im übrigen auch die Chance, in CDU und LDP die Kräfte zu fördern, die – aus welchen Überlegungen auch immer – zur Zusammenarbeit unter SED-Bedingungen bereit waren.

Eine Voraussetzung für den Erfolg dieses taktischen Konzepts schufen die Blockparteien selbst. Sie hatten in der kurzen Zeit ihres Bestehens kaum Zeit gefunden, sich politisch zu vereinheitlichen, und in ihren Führungen wurden – auch unter

dem Eindruck der SED-Politik – immer wieder Konflikte aus-
getragen, die auch dem eigenen sozialreformerischen Engagement und damit der Frage galten, wie weit die Parteien dem
SED-Drängen auf einen tiefgreifenden sozialen Wandel nachge-
ben oder ihm Widerstand entgegensetzen sollten. Daneben
blieb es für CDU und LDPD natürlich nicht ohne Bedeutung,
daß von der Umwälzung der Eigentumsordnung ein Teil ihrer
Klientel betroffen wurde, daß das Besitzbürgertum und zunehmend auch Teile des gewerblichen Mittelstandes an wirtschaftlicher Bedeutung verloren.

Seine erste Belastungsprobe hatte der Parteienblock in der
Bodenreform erfahren. Zwar stimmten nach langen Diskussionen im zentralen Block (Berlin) alle Parteien der »Enteignung
der Kriegsverbrecher und aktivistischen Nazis« der »Aufteilung
des Besitzes der Feudalherren« öffentlich zu. Intern aber konnten sich KPD, SPD und LDP mit der CDU weder über den
Kreis der Betroffenen noch über etwaige Entschädigungen verständigen. Gleichwohl setzten KPD und SPD schließlich auch
mit Unterstützung der LDP ihre Vorstellung von einer Bodenreform durch. In dieser Situation weigerten sich die CDU-Vor-
sitzenden Hermes und Schreiber, einen Blockaufruf für die Unterstützung der Neubauern zu unterschreiben und damit diese
Bodenreform nachträglich zu legitimieren. Ihre Weigerung bewirkte die Kritik einzelner CDU-Organisationen, und diese
Kritik bot der SMAD den Anlaß, Hermes und Schreiber das
Vertrauen zu entziehen und sie – de facto – abzusetzen.

Eine weitere Erschütterung erlebte die Einheitsfront durch
die Enteignung der Industrie. Aber auch bei der Diskussion um
den sächsischen Volksentscheid gelang es der SED, die Wider-
sprüche innerhalb der Blockparteien für ihre Ziele zu nutzen.
Sie unterstützte die sozialreformerischen Kräfte in CDU und
LDP und veranlaßte so die sächsischen Parteiführungen, gemeinsam mit dem FDGB einen Aufruf des Landesblocks für ein
»Ja« im Volksentscheid zu unterzeichnen. Im zentralen Block
jedoch wandte sich die CDU vergebens gegen alle Maßnahmen,
die »auf eine Änderung des Wirtschafts- und Sozialgefüges in
Sachsen hinauslaufen, was nicht Aufgabe und Angelegenheit
eines deutschen Teilgebietes sein« könne.

Während der Gemeinde- und Landtagswahlen im September
bzw. Oktober 1946 verstärkten sich die Spannungen erheblich.
Die Behinderung der nichtsozialistischen Parteien spitzte die im
Wahlkampf ohnehin aufbrechenden politisch-weltanschauli-

chen Gegensätze zu und führte zu einer Krise, die alle Ebenen der Parteienkooperation belastete. Im Vorfeld der Gemeindewahlen, für die nur die Parteien Kandidaten nominieren durften, die über registrierte Ortsgruppen verfügten, verweigerte die SMAD häufig die Registrierung von LDP- und CDU-Verbänden und nahm den Parteien in vielen Gemeinden die Chance, mit eigenene Listen aufzutreten. Beide Parteien wurden bei der Papierzuteilung benachteiligt, und ihre Publikationen unterlagen strengerer Zensur.

Zwar gewann die SED bei den Gemeindewahlen 57,1 Prozent und bei den Landtagswahlen 47,6 Prozent der gültigen Stimmen, doch zeigte gerade diese Differenz das Ausmaß der Behinderungen, denen CDU und LDP bei den Gemeindewahlen ausgesetzt waren. Denn bei den Oktoberwahlen erzielten diese Parteien zusammen (LDP 24,6 Prozent, CDU 24,5 Prozent) einen höheren Stimmenanteil als die SED, die allein dank des Stimmengewinns ihrer Massenorganisation – die Vereinigung der gegenseitigen Bauernhilfe (VdgB) erreichte 2,8 Prozent – in drei von fünf Landtagen die absolute Mehrheit erlangte.

Die nichtsozialistischen Parteien hatten sich in dieser Zeit im Bewußtsein der Wähler offenkundig als Oppositionsparteien etabliert – und das auch in den einstigen Hochburgen der Arbeiterparteien: In den Großstädten, aber auch in den industriellen Ballungsräumen Sachsens und Sachsen-Anhalts erreichten CDU und LDP die absolute Mehrheit bzw. überdurchschnittliche Resultate.

Einerseits hatten die Wahlen verdeutlicht, daß das Blockprinzip nicht in der Lage war, das Spannungsverhältnis von gewünschter politischer Gemeinsamkeit und realer politischer Konkurrenz wirklich auszuhalten. Andererseits aber hatte sich gezeigt, daß sich die Agrarpolitik, und das hieß in dieser Zeit vor allem die Bodenreform, für die SED rentiert hatte. Im agrarischen Mecklenburg errang sie 49,5 Prozent der Stimmen. Gemessen an ihren Erwartungen mag der Wahlausgang in manchen Parteigremien als Niederlage gewertet worden sein. Gemessen an den Erfolgen der Arbeiterparteien in der Weimarer Republik jedoch, als SPD und KPD nie mehrheitsfähig waren, hatten die Landtagswahlen von 1946, die in formal weithin freier Konkurrenz stattfanden, durchaus respektable Ergebnisse gebracht. Sie hatten allerdings auch gezeigt, daß der Einheitspartei im nichtmarxistischen Lager ein nahezu gleich starker Gegner gegenüberstand.

Gestützt auf ihre Wahlergebnisse, ihre Mehrheitspositionen in den Landtagen von Sachsen-Anhalt und Brandenburg, waren CDU und LDPD nun umso weniger bereit, sich widerstandslos der Block-Disziplin zu fügen. Zwar konnten sie ihre parlamentarische Stärke nur selten umsetzen. Dazu waren die Gegensätze etwa in der Schul- und Ordnungspolitik oder in der Frage des Berufsbeamtentums zwischen beiden zu groß und die parlamentarische Taktik der SED zu geschickt: vor allem bei der Beratung der Landesverfassungen spielte die Einheitspartei ihre Blockpartner gegeneinander aus. Der Wahlgang hatte aber doch das Selbstbewußtsein von Christ- und Liberaldemokraten erheblich gestärkt. Hinzu kam, daß beide Parteien seit der Bildung von interzonalen Dachverbänden im Frühjahr 1947 noch stärker als zuvor ihre gesamtdeutsche Orientierung betonten und sich auch deshalb einer weiteren isolierten Umgestaltung der SBZ-Gesellschaft widersetzten.

Ein weiterer Transformations-Schub zeichnete sich seit 1947 ab. Kurz vor ihrem II. Parteitag begann die SED-Führung, die Prinzipien ihrer Bündniskonzeption offensiv zu formulieren. Im August 1947 erschien eine Diskussionsgrundlage zur Vorbereitung des Kongresses, in der es u. a. hieß: »Im antifaschistisch-demokratischen Block ist die geeinte Arbeiterschaft das entscheidende Kraftzentrum.« Und: »Die . . . Blockpolitik hat zur Folge, daß die fortschrittlichen Kräfte innerhalb der bürgerlichen Parteien gestärkt werden und der reaktionäre Flügel zurückgedrängt wird.«[146]

In dieser Situation wandten sich beide Parteien öffentlich und massiv gegen den Führungsanspruch der SED. Die LDPD – bis dahin unter der Führung von Wilhelm Külz stets konzessionsbereit – drohte mit dem Blockaustritt und teilte mit: »Niemals kann die LDPD einem Block angehören, der das Ziel verfolgt, unter der Führung der Arbeiterklasse den Kommunismus zu verwirklichen.«[147] Der CDU-Vorsitzende Jakob Kaiser definierte seine Partei als »Wellenbrecher des dogmatischen Marxismus und seiner totalitären Tendenzen«[148]. Und gemeinsam stimmten CDU und LDPD im Thüringer Landtag gegen die Überführung der Bergwerke und Bodenschätze in Landeseigentum und verzögerten eine entsprechende Entscheidung in

[146] Einheit 2 (1947), S. 711.
[147] LDPD-Informationen 1 (1947) 28/29, S. 5.
[148] Neue Zeit v. 7. 8. 1947.

Sachsen-Anhalt. Gemeinsam auch erhoben sie immer neue Einwände gegen die beginnende Wirtschaftsplanung und deren machtbewußte Intentionen.

Seine schwerste Erschütterung – sie sollte die Umstrukturierung des Parteiensystems auslösen – erlebte das Parteienbündnis mit der Kontroverse um das »Volkskongreß«-Konzept der SED. Die Einheitspartei hatte im November 1947 einen Plan für die Wahl einer gesamtdeutschen Repräsentation, eines »Volkskongresses für Einheit und gerechten Frieden« vorgelegt. Dieser Kongreß sollte noch vor der Londoner Außenministerkonferenz im November/Dezember zusammentreten. Ziel dieser Veranstaltung war es, die vermeintlich noch immer starke nationale Orientierung der Westdeutschen, ihre vermutete Ablehnung der Staatsbildungs-Tendenzen in diesen Besatzungsgebieten, für eine nationale Kampagne nach SED-Zuschnitt zu mobilisieren. Diesem Plan, von der SED im Block zur Annahme empfohlen, widersprach die CDU. Sie weigerte sich, als Mitträger der Idee zu fungieren, weil eine allein von SBZ-Parteien getragene nationale Bewegung im Westen keine hinreichende Kraft entfalten könne. Dieses Argument war zweifellos richtig, doch um so schwerer traf die Weigerung der CDU die SED. Denn was für eine Initiative allein von SBZ-Parteien zutraf, galt stärker noch für ein Konzept, das nicht einmal von allen Blockpartnern getragen wurde.

Freilich: Die Erfolgsaussichten der Kampagne wären auch mit der CDU kaum größer gewesen. Schon die von LDP und CDU initiierten und von der SED unterstützten Vorstöße zur Bildung eines »Zonenrates« (LDP), einer »nationalen Repräsentation« (CDU) oder eines »nationalen Konsultativrates« (ebenfalls CDU) waren an der Haltung der westdeutschen Parteien, vor allem am Widerstand der SPD gescheitert. Gescheitert war auch die Konferenz der deutschen Ministerpräsidenten in München (Juni 1947), nicht zuletzt wegen der Weigerung der westdeutschen Länderchefs, die Frage der nationalen Einheit vorrangig zu diskutieren; ohne Ergebnis blieben die auf gesamtdeutsche Gemeinsamkeit zielenden »Interzonenkonferenzen« der Gewerkschaften. Trotzdem sahen SED und SMAD in der Haltung der CDU eine Aufkündigung des vermeintlich gegebenen deutschlandpolitischen Konsenses. Als schließlich Jakob Kaiser öffentlich für eine Einbeziehung auch der SBZ in den Marshall-Plan plädierte, entschied sich die SMAD für die Ausschaltung der CDU-Spitze. Sie sprach Kaiser und Ernst Lemmer den Willen zu einer vertrauensvollen Zusammenarbeit ab, förderte Protestresolutionen aus CDU-Gliederungen gegen die Parteiführung, übte Druck auf die Führungsgremien aus und setzte die Spitzenfunktionäre schließlich faktisch ab.

Der nationalen Intention der Volkskongreß-Idee hatte dieses Verfahren sicher nicht gedient. Es nützte aber der Machtsicherung. Mit der CDU-Führung waren wesentliche Exponenten der SBZ-Opposition getroffen worden, und die ihnen nachfolgenden Politiker erwiesen sich bald als kooperationsbereit.

Eines derart massiven Drucks hatte es bei der LDPD – trotz deren zeitweilig durchaus heftiger Kritik an der SED-Politik – nie bedurft. Zwar hatte die nach dem Tode von Külz im April 1948 provisorische Parteiführung unter Arthur Lieutenant (bis 1949 Generalsekretär der LDPD und Finanzminister in Brandenburg, dann im Westen) zeitweilig mit dem Gedanken gespielt, die Partei aufzulösen. Doch unter dem Eindruck der Konflikte zwischen CDU und SED setzten sich mit Hermann Kastner (damals Minister in Sachsen), Hans Loch (damals Minister in Thüringen) und Karl Hamann (später DDR-Minister für Handel und Versorgung, dann verurteilt, schließlich im Westen) Vertreter eines Verständigungskurses durch, die die Voraussetzungen für eine dauerhafte Kooperation mit der SED schufen.

Zunächst aber dauerten in LDP wie CDU die innerparteilichen Konflikte an. Beide Parteien waren noch nicht bereit, den Vormachtanspruch der SED zu akzeptieren. Und je deutlicher sie sich als Oppositionsparteien profilierten, desto rascher wuchsen ihre Mitgliederzahlen. Die CDU hatte 1948 mit 231 000, ebenso wie die LDP mit 197 000 Anhängern ihre größte Mitgliederschaft. Die SED begann daher im Frühjahr 1948 mit dem Aufbau neuer Parteien, der National-Demokratischen Partei Deutschlands (NDPD) und der Demokratischen Bauernpartei Deutschlands (DBD). Sie setzte an ihre Spitzen kooperationswillige Politiker, die meist der KPD/SED nahestanden. (Lothar Bolz, NDPD) oder bis zur Gründung der neuen Parteien zur SED gehört hatten (Ernst Goldenbaum, DPD), und wies ihnen die Aufgabe zu, Mittel- und Kleinbauern (DBD) und städtische Mittelschichten sowie die ehemaligen nominellen Mitglieder der NSDAP (NDPD) zu organisieren, d. h. sie dem Einfluß der Christ- und Liberaldemokraten zu entziehen sowie die nationale Politik der SED zu unterstützen (NDPD). Raschen Erfolg konnten diese Parteien nicht erzielen. Ihre Gründung diente der SED aber dazu, die 1948 fälligen Kommunalwahlen zu verschieben, und die Aufnahme der neuen Parteien und des FDGB in den Block (August/September 1948) führte zu einer nachhaltigen Schwächung der Positionen von LDP und CDU. Damit war die Funktionalisierung der Blockparteien, ihre Tätigkeit gemäß den SED-Richtlinien, angebahnt, und sie bewirkte bald die Ausschaltung der letzten organisierten Opposition aus den Resten des Bürger- und Kleinbürgertums.

4. Die Vollendung der Volksdemokratie

Zum Zusammenhang von SBZ- und Ostblockentwicklung

Die innere Entwicklung der SBZ in den Jahren seit 1945 vollzog sich ebenso wie die der westlichen Besatzungszonen und letztlich aller vom Zweiten Weltkrieg betroffenen Länder in unlösbarem Zusammenhang mit dem Ost-West-Konflikt. Der Kalte Krieg – entstanden aus den Interessen-Divergenzen der alten Großmächte und der Sowjetunion – hatte Anfang 1947 ein Stadium erreicht, das eine Verständigung zwischen den Kontrahenten kaum noch möglich erscheinen ließ. Am 12. März versprach der US-Präsident Harry S. Truman in einer außenpolitischen Erklärung (Truman-Doktrin) allen Völkern amerikanische Hilfe, die »sich der Unterwerfung durch bewaffnete Minderheiten oder durch Druck von außen widersetzen«. Der Präsident sprach in diesem Zusammenhang auch von der Unvereinbarkeit der »Lebensweisen«, der »freien« westlichen und der »unfreien« sowjetischen Welt[149]. Deutlicher als zuvor wurde die Sowjetunion als aggressive Macht gewertet und eine gegen ihren Expansionismus gerichtete Politik der »Eindämmung« als notwendig betont. Daß diese Annahme, die einschloß, daß die Sowjetunion auch über die ökonomisch-militärische Fähigkeit zu einer solchen Expansionspolitik verfügte, weniger auf einer Analyse der sowjetischen Potentiale fußte, sondern eher auf der westlichen Perzeption der kommunistischen Ideologie, ist in den USA erst Jahre später realisiert worden. In den vierziger und fünfziger Jahren war sie kaum umstritten, zumal dieses Bild der Sowjetunion der Legitimation des eigenen, globalen Machtanspruchs durchaus dienlich war. Ihn auch ökonomisch

---

[149] Zit. nach: Europa-Archiv 2 (Juli 1947-Dezember 1947), S. 819ff.

durchzusetzen, war das Ziel des Marshallplanes, des Europäischen Wiederaufbau-Programms.

Der Form nach war das amerikanische Angebot an alle europäischen Staaten gerichtet. Inhaltlich zielte es jedoch auf die materielle Fundierung des Westblocks bzw. auf die Schwächung des kommunistischen Einflusses in Ost- und Westeuropa. Die im Juli 1947 in Paris geführten Verhandlungen mit der Sowjetunion scheiterten. Diese sah in den Bedingungen für die Vergabe und Koordinierung amerikanischer Kredite eine Minderung ihrer nationalen Souveränität und übte Druck auf die osteuropäischen Regierungen aus, das amerikansiche Angebot auszuschlagen. Die Osteuropäer fügten sich widerstrebend, ihr Verhalten zeigte der Sowjet-Führung jedoch, wie stark der Sog der anderen Seite war; und sie forcierte die Einbindung der osteuropäischen Länder in ihren Machtblock. Wesentliche Voraussetzungen dafür waren die beschleunigte ökonomisch-soziale und politische Umgestaltung der betreffenden Länder und die Koordinierung kommunistischer Politik in diesem Raum. Ende September 1947 kamen die Vertreter von neun kommunistischen Parteien (der polnischen, rumänischen, bulgarischen, jugoslawischen, tschechoslowakischen, ungarischen und der sowjetischen sowie der französischen und italienischen) im schlesischen Schreiberhau (heute: Szklarska Poręba) zusammen und bildeten das Kommunistische Informationsbüro (Kominform). Begründet wurde dieser Schritt vom sowjetischen ZK-Sekretär Alexej Schdanow. So wie zuvor Truman die Sowjetunion beschuldigte nun Schdanow die USA der Aggression und verlangte von den europäischen Kommunisten Offensiven gegen die amerikanische Politik. Anders als Truman unterschied er nicht »Lebensweisen« sondern »Lager«, das des »Friedens« und das des »aggressiven amerikanischen Imperialismus«. Doch ebenso wie Truman diente auch ihm diese Grenzziehung zur Legitimation des eigenen Blocks[150]. Seit Anfang 1948 zeigte sich die Kursänderung der kommunistischen Weltbewegung. In Westeuropa gaben die Parteien ihre bis dahin auf breite Volksfronten gerichtete Politik weithin auf. Sie konzentrierten sich (vor allem nach dem unfreiwilligen Verlust von Ministerpositionen in den Kabinetten der antifaschistisch-nationalen Koalitionen in Italien und Frankreich sowie unter dem Druck von Streikbewe-

[150] S. den Text des Kominform-Kommuniqués, In: KAG, XVI. und XVII. (1946 und 1947), S. 1207f.

gungen) auf Aktionen, die gegen die politische und materielle Dominanz der USA in Westeuropa gerichtet waren.

Auch in Osteuropa löste die neue Politik Offensiven aus. Die Kommunisten schalteten dort ihre bürgerlichen oder bäuerlichen Partner in den Nationalen Fronten endgültig aus, vollzogen 1948 binnen weniger Monate überall den Zusammenschluß mit den bis dahin noch bestehenden Sozialdemokratischen Parteien und proklamierten schließlich Ende 1948 den Übergang zum Sozialismus. Durch den Abschluß langfristiger Handelsabkommen begann die ökonomische, durch Freundschafts- und Beistandspakte die enge politische Kooperation im »Lager der Volksdemokratie«.

Zwar hatte die bis dahin vollzogene sozioökonomische Umgestaltung Ost- und Südosteuropas in einigen Ländern die 1944/45 formulierten Ziele der Nationalen Fronten schon überschritten. Der Transformationsprozeß hatte aber noch nicht jene Verfestigung erreicht, die ihn als gänzlich irreversibel hätte erscheinen lassen. Noch fehlte diesen Gesellschaften das für die späteren Volksdemokratien charakteristische Herrschaftsgefüge: die institutionalisierte Hegemonie der zentralistisch geführten vereinigten Arbeiterpartei. Noch konnten die dort entstandenen Regierungen als Koalitions-Kabinette interpretiert werden, in denen die Kommunisten teils durch Wahlen erworbene Vormachtstellungen innehatten – wie in der CSR, wo die KPC 1946 aus den Parlamentswahlen mit knapp 38 Prozent der Stimmen als stärkste Partei hervorgegangen war –, teils durch die Rote Armee (Ungarn, Rumänien, Bulgarien) in Schlüsselstellungen gebracht worden waren oder aber ihren Einfluß einem Kompromiß der Anti-Hitler-Koalition verdankten, wie in Polen, dem die Alliierten in Jalta eine Koalition aus Vertretern des Nationalrates und des Londoner Exils verordnet hatten.

Bis 1947 hatte nur wenig darauf hingedeutet, daß die Kommunistischen Parteien dieser Länder in unmittelbarer Zukunft mit dem Aufbau eines reinen, durch Hilfsorganisationen ergänzten Einparteiensystems beginnen und damit die politisch-organisatorischen Voraussetzungen für den Übergang zur zweiten, zur sozialistischen Etappe der Entwicklung eröffnen wollten. Ein Auslöser des raschen Wandels war der Kalte Krieg.

Ein weiterer Faktor, der zur Beschleunigung des Transformations-Tempos beitrug, war der im Juni 1948 aufbrechende Konflikt zwischen dem Kominform und der KP Jugoslawiens. Er hatte sich an der Weigerung der KPJ entzündet, der Sowjetunion in Jugoslawien, das sich weithin aus eigener Kraft befreit hatte, den gleichen politischen Einfluß zuzugestehen, den die KPdSU in jenen Ländern erzielt hatte, die von der Roten Armee befreit worden waren. Die jugoslawische Abwehr des sowjetischen Hegemoniestrebens schwächte – aus sowjetischer Sicht – den angesichts der amerikanischen Politik notwendigen Formierungsprozeß des Blocks und bot so Anlaß, über eine mit »Trotzkismus«-, »Faschismus«- und Kollaborations-Vorwürfen begründete Kritik jedweder Theorie eines Sonderwegs, eine einheitliche und verbindliche, am sowjetischen Modell orientierte Strategie und Taktik in der gesamten Weltbewegung durchzusetzen.

Der forcierte Umbau der SBZ-Gesellschaft und ihre Integration in die sowjetische Machtsphäre seit 1948 gingen jedoch nicht allein auf die weltpolitisch und lagerintern ausgelösten Blockbildungszwänge zurück. Beides folgte in gleichem Maße der Dynamik der bisherigen Gesellschaftspolitik. Wie in den osteuropäischen Ländern hatten die ökonomisch-sozialen Umbrüche bis 1947 auch in der SBZ zu einer Wirtschafts- und Sozialordnung geführt, die gesamtgesellschaftlicher Planung bedurfte. Planung aber setzte im Selbstverständnis der kommunistischen Parteien Strukturen voraus, die ihrem Führungsanspruch nützten und ihn sicherten. In der Sicht der Parteiführungen war die »Demokratie neuen Typs«, die »Demokratische Republik«, in ein Stadium gelangt, in dem sich die Frage nach ihrer Überleitung in die sozialistische Entwicklungsphase stellte – früher vielleicht als sie es zuvor angenommen hatten, dringlicher sicher angesichts der Blockbildung, aber doch nicht gänzlich ungewollt. Schließlich hatten alle auf dieses Etappenziel hingearbeitet.

Das hatte sich nicht nur in ihrer programmatischen Vorbereitung auf die Nachkriegszeit gezeigt, sondern auch in den Transformationsschritten, die sie seither weithin zeitgleich gegangen waren. Überall war mit der Bestrafung der Kollaborateure deren Enteignung Hand in Hand gegangen und mit ihr die Entmachtung eines Großteils der städtischen Besitzeliten. Überall hatten die von den Kommunisten in Gang gesetzten, von anderen politischen Kräften mitgetragenen Agrarreformen den Großgrundbesitz zerschlagen und den sozialstrukturellen Umbruch vertieft. Überall schließlich – wenn auch nicht immer zeitgleich – wurde in diesen Jahren die Enteignung der Industrie, der Bodenschätze, des Handels und der Banken vorangetrieben. Keine der kommunistischen Parteien kennzeichnete diesen Strukturwandel als Beginn einer sozialistischen Revolution; überall jedoch wurde private Verfügungsgewalt nachhaltig aufgelöst, wurde die Dominanz der Kommunisten offenbar.

Die so entstehenden, einander ähnlichen gesellschaftlichen Verhältnisse führten seit 1947 in allen diesen Ländern zu ersten Versuchen einer mittelfristigen, multilateral freilich noch unverbundenen Wirtschaftsplanung, zur Etablierung von Leitungssystemen mit zentralistischem Zuschnitt und zur Einschränkung unmittelbarer Partizipation an Planungs- und Leitungsentscheidungen durch die Verankerung des Einzelleitungsprinzips in den Wirtschaftsverfassungen.

Vor diesem Hintergrund gesehen hat die Entwicklung des Kalten Krieges seit 1947 die Umgestaltung der osteuropäischen Gesellschaften (einschließlich der SBZ) wohl forciert, angelegt jedoch war dieser Prozeß bereits in der seit 1944/45 verfolgten Politik. Die rasche Formierung der Volksdemokratien im Jahre 1948 erfolgte also aus innen- wie außenpolitischen Zwängen. Sie leitete neue und wiederum gleichartige innergesellschaftliche Umbrüche ein, und diese fundierten die Blockbildung. Die neue Zielsetzung stellte alle herrschenden kommunistischen Parteien vor erhebliche Probleme. Die SED jedoch war darüber hinaus im Rahmen ihres Handlungsspielraums gezwungen, sich auch deutschlandpolitisch zu entscheiden. Grundsätzlich galt es zu wählen zwischen einer gesamtdeutschen und einer Block-Option. Doch gleich wie die SED-Führung sich entschied oder entscheiden mußte, sie hatte ihre Politik abzustimmen auf die nun deutlichen Anstrengungen zur Herausbildung eines westdeutschen Separatstaates. Gerade dies erleichterte freilich auch ihre Entscheidungssituation. Denn je selbstverständlicher der Westen Deutschlands politisch zusammenrückte, je deutlicher die Unfähigkeit der Siegermächte hervortrat, sich über die Einheit Deutschlands zu verständigen, je ergebnisloser die Interzonenkontakte etwa der Gewerkschaften oder der Ministerpräsidenten verliefen, desto besser ließ sich – zumindest gegenüber der eigenen Partei – eine Politik legitimieren, die sich auch weiterhin an der Entwicklung Osteuropas orientierte. Desto kräftiger aber mußte die Sprache der nationalen Agitation sein.

Die SED wird Kaderpartei

Die Jahre bis zur II. Parteikonferenz, auf der die Parteispitze beschließen ließ, auch in der DDR mit der »Schaffung der

Grundlagen des Sozialismus« zu beginnen, waren bestimmt von einer schnellen und weitgehend kompromißlosen Fortführung der 1945 begonnenen gesellschaftlichen und politischen Umwälzung. Am Anfang stand der Umbau der SED in eine kommunistische Partei sowjetischen Typs. Sie war im kommunistischen Politikverständnis die entscheidende Voraussetzung für die erfolgreiche Steuerung von Staat und Wirtschaft. Sie galt als unerläßlich für die Verfestigung und Kontrolle der Verwaltungsapparate, die mit der Gründung der DDR vorangetrieben wurden. Nicht zufällig wurde deshalb im Frühsommer 1948 zusammen mit dem ersten längerfristigen Wirtschaftsplan der Umbau der SED in eine Kaderpartei bolschewistischen Typs beschlossen.

Beschleunigt wurde dieser Prozeß durch den Konflikt zwischen dem Kominform und der Kommunistischen Partei Jugoslawiens. Ende Juni 1948 beschloß das Kominform den Ausschluß der KPJ aus dem Informationsbüro. Das Gremium erklärte die »parteifeindlichen« und »antisowjetischen« Ansichten der KPJ mit dem Marxismus-Leninismus für unvereinbar und kam zu der »Schlußfolgerung«, daß die Führer der KPJ sich damit »außerhalb der Familie der kommunistischen Bruderparteien ... und folglich auch außerhalb der Reihen des Informbüros« gestellt hätten[151].

Diese Erklärung des Kominform nahm das SED-Zentralsekretariat Anfang Juli 1948 zum Anlaß zu betonen, daß die »klare und eindeutige Stellungnahme für die Sowjetunion heute die einzig mögliche Position für jede sozialistische Partei« sei und leitete aus dem Kominform-Konflikt die »wichtigste Lehre« ab, »mit aller Kraft daranzugehen, die SED zu einer Partei neuen Typus zu machen«[152]. Diese Entscheidung wiederum veranlaßte die Führung Ende Juli zu einem Beschluß zur »organisatorischen Festigung der Partei und ihrer Säuberung von feindlichen und entarteten Elementen«[153], um ihre Aktivität und Schlagkraft zu erhöhen. Die daraufhin beginnende Kampagne richtete sich sowohl gegen passive Genossen als auch – und vor allem – gegen jene Mitglieder, die »parteifeindliche« oder »sowjetfeindliche« Haltungen bekundeten, in Korruptions-Affairen verwik-

[151] Zit. nach: Kommuniqué über die Beratung des Informationsbüros der kommunistischen Parteien. In: Neues Deutschland v. 30. 6. 1948.
[152] Vgl. Dokumente der Sozialistischen Einheitspartei Deutschlands. Bd. 2, 2. Aufl., Berlin (DDR) 1951, S. 81 f.
[153] Ebd., S. 83 f.

kelt waren, ihre NS-Vergangenheit verschwiegen hatten oder im »begründeten Verdacht« standen, »Agenten des Ostsekretariats der SPD« bzw. »Spione und Saboteure fremder Dienste« zu sein. Zugleich verschärfte der Parteivorstand die Bedingungen für die Aufnahme neuer Mitglieder und verlangte fortan von jedem Parteibewerber die Empfehlung von zwei Parteimitgliedern (Bürgschaften). Mit diesen Beschlüssen wollte die SED-Führung offenbar dreierlei erreichen: die klare Ausrichtung der SED-Mitgliedschaft an den Leitlinien der von der KPdSU geführten kommunistischen Weltbewegung, die Durchsetzung einer straffen, durch die Androhung des Ausschlusses abgesicherten Parteidisziplin und die Reduzierung des ohnehin bereits schwachen Einflusses ehemaliger Sozialdemokraten. Zugleich aber bedeutete der Ausschluß von Passivisten und die Verschärfung der Aufnahmebestimmungen den Versuch, die im Prozeß der Vereinigung schnell gewachsene Partei auf eine Mitgliederschaft zu reduzieren, die – quantitativ wie qualitativ – die Lenkungs- und Kontrollfunktionen der Partei gewährleisten konnte.

Begründet wurde diese Politik von Ulbricht mit der »Verschärfung des Klassenkampfes« durch »die Feinde des Fortschritts«[154]. Um in diesem Kampf siegreich zu bestehen, müsse einerseits die Partei in »schnellerem Tempo« umgewandelt werden, müßten andererseits die Arbeitsproduktivität gesteigert, die Privatwirtschaft zurückgedrängt, der Kampf gegen die »Großbauern« geführt werden. Den neuen Charakter der SED definierte er, gestützt auf Lenin, als »organisierten Vortrupp der Arbeiterklasse«, der »auf der Grundlage des demokratischen Zentralismus ... mit einheitlicher Parteidisziplin und einheitlicher Parteiführung« agiert und durch »sein Zentralorgan die Linie der Partei den Massen vermittelt«. Dazu jedoch müsse sich die Partei in der Zusammensetzung ihrer Mitgliederschaft und in ihrem ideologischen Niveau »von der Masse unterscheiden«, in die sie – nach Lenin – politisches Bewußtsein hineinzutragen habe. Denn gegenwärtig sei es »zum Teil so, daß es zwischen der SED und der Arbeiterklasse keinen nennenswerten Unterschied gibt ...«. Eine Ursache des Zurückbleibens der Partei sah der Parteivorstand in den in der SED vorhandenen »falschen ›Theorien‹ über einen ›besondern deutschen Weg‹ zum Sozialismus« sowie in Tendenzen der »Unterschätzung der

[154] Einheit 3 (1948), S. 769 ff.

eigenen Kraft der Arbeiterklasse«, eine andere in der ungenü-
genden Vertrautheit der Parteimitglieder »mit den Erfahrungen
des Kampfes um den Sozialismus in der Sowjetunion«[155]. »Um
die Sauberkeit der Partei zu sichern«, verfügte er die Bildung
einer Zentralen Parteikontrollkommission und entsprechender
Gremien in allen Ländern und Kreisen. Diese Kommissionen
hatten fortan die Aufgabe, parteifeindliche Kräfte aufzuspüren,
den Kampf gegen den »Sozialdemokratismus« zu führen und
die Partei gegen Korruption und Karrierismus abzuschirmen.

Zum Problem eines besonderen Weges schrieb Ackermann:
»Ohne die Aneignung und Auswertung der Erfahrungen der
drei russischen Revolutionen und der Erfahrungen der vollen
Verwirklichung des Sozialismus in der UdSSR wird kein Volk
zum Sozialismus kommen.«[156] Zu dieser Erfahrung gehöre auch
die von Stalin 1936 entwickelte These von der notwendigen
Verschärfung des Klassenkampfes beim Aufbau des Sozialismus.

Mit diesen Beschlüssen und Bekenntnissen hatte die SED-
Führung zwischen Juli und September 1948 die ersten Schritte
zur Umwandlung der Partei in eine Organisation bolschewistischen Typs getan. Sie hatte damit jene Entwicklungen teils
nachvollzogen, teils in zeitlicher Parallelität eingeleitet, die auch
für die Politik ihrer Bruderparteien bestimmend gewesen waren. Denn auch in Ost- und Südosteuropa hatten sich seit 1948
»Parteien neuen Typs« herauszubilden begonnen, die – wie die
SED – von jedweder Sonderweg-Theorie Abstand nahmen, mit
der Säuberung begannen und die Führungsrolle der KPdSU
anerkannten.

Zumindest zeitweilig schien die SED-Führung bereit, auch
programmatisch zu den Bruderparteien aufzuschließen. Immerhin hatten Parteitheoretiker in der Vergangenheit wiederholt
auch Entwicklungsprozesse in der SBZ als »volksdemokra-
tisch« charakterisiert, und im November 1948, in einem Artikel
für das Theorieblatt ›Einheit‹, hatte Grotewohl – wie schon
Ende Juni auf einer Parteivorstandtagung – gefordert »in Anbetracht der imperialistischen Politik der Westmächte«, die
»Ausrichtung« der Partei »bei der Durchführung des Wirt-
schaftsplanes und in ihrer Gesamtpolitik . . . eindeutig und ohne
Rückhalt nach dem Osten zu orientieren«, die dortige volksde-

[155] Dokumente der Sozialistischen Einheitspartei, Bd. 2, S. 100 ff.
[156] Vgl. Neues Deutschland v. 24. 9. 1948.

mokratische Ordnung sei »der einzig mögliche und gangbare Weg auch für die Ostzone und ihre Wirtschaftsplanung . . .«[157].

Die ›Einheit‹ veröffentlichte den Grotewohl-Text zu einem Zeitpunkt, zu dem die SED-Führung eine Parteikonferenz einberufen hatte – die erste in ihrer Geschichte und ein Kongreß-Typ, der bis dahin im Parteistatut nicht vorgesehen war. Doch der zunächst mit »Ende November« angegebene Konferenz-Termin wurde immer wieder korrigiert; zunächst beschloß man den 4. Dezember, später den 14. Januar 1949 und schließlich wegen einer »Grippeerkrankung des Parteivorsitzenden Wilhelm Pieck« den 25. Januar. Diese Verschiebung bot den Führungsgremien Zeit, nach Moskau zu reisen (12.–24. Dezember), mit Stalin zu sprechen und die Beschlüsse der Bruderparteien auszuwerten. Bedeutsam waren für die SED insbesondere die Kongresse der polnischen und bulgarischen Parteien im Dezember 1948. Dort charakterisierten die Führungen den Status quo ihrer Gesellschaften und entwarfen den weiteren Entwicklungsweg. Am klarsten tat dies Georgi Dimitroff. Er definierte die schon häufig als »Volksdemokratien« bezeichneten, jedoch politisch noch unbestimmt gehaltenen »Demokratien neuen Typs« nun deutlich als Gesellschaften des Übergangs zum Sozialismus. In ihnen sei die »Macht der Werktätigen unter Führung der Arbeiterklasse« gesichert, die neue Staatsmacht der »Garant der sozialistischen Entwicklung«; sie seien Mitglieder des »antiimperialistischen Lagers« und in freundschaftlicher Zusammenarbeit mit der Sowjetunion verbunden[158].

Das aber war eine Situations- und Wegbestimmung, die angesichts der sowjetischen Deutschlandpolitik für die SBZ nicht gelten durfte. Wollte man sie den Westmächten und den auf Westintegration drängenden Kräften in den Westzonen nicht Vorschub leisten, dann mußte für die SBZ eine andere programmatische Formel gefunden werden. Die SED war erstmals gezwungen, auf die Spezifik ihrer Situation zu verweisen und sich theoretisch von den Bruderparteien abzugrenzen. Am 30. Dezember 1948 ließ sich Pieck vom SED-Zentralorgan ›Neues Deutschland‹ interviewen und u. a. fragen, ob »in der Ostzone bereits die Herrschaft der Arbeiterklasse und damit die Volksdemokratie bestände«. Pieck: »Nein, das ist grundfalsch.« Er

---

[157] Einheit 3 (1948), S. 998 ff., hier S. 1002 f.
[158] Vgl. G. Dimitroff, Über das Wesen der Volksdemokratie. In: Neues Deutschland v. 5. 1. 1949.

verwies auf die Reden Bieruts (Polen) und Dimitroff auf deren Dezember-Parteitagen und schloß aus ihren Aussagen: »Die Bedingungen in der sowjetischen Besatzungszone sind von denen der Volksdemokratien grundverschieden.« Pieck widersprach damit all jenen Äußerungen und Beschlüssen, die seit dem Sommer 1948 immer wieder auf die Identität der SBZ-Entwicklung mit der der Volksdemokratien verwiesen hatten, und insbesondere widersprach er damit Grotewohl.

Bei der Einberufung der Parteikonferenz hatte der Parteivorstand erstmals (und seither stets) festgelegt, welche Themen bei den Wahl- und Delegiertenversammlungen vorrangig zu behandeln seien. Den »unteren Parteieinheiten« wurde aufgegeben, als »Grundlage« ihrer Diskussion die wichtigsten Beschlüsse des Parteivorstandes über die Partei neuen Typus zu benutzen. Auch diese Einstimmung trug dazu bei, daß die Parteikonferenz einstimmig beschloß:

- die Leitung der Partei durch die Bildung eines »Politischen Büros« (Politbüro) zu straffen;
- das »bisherige Prinzip der paritätischen Besetzung aller führenden Funktionen« aufzugeben, weil der frühere ideologische Unterschied zwischen Kommunisten und Sozialdemokraten weitgehend verschwunden sei und in der Partei zahlreiche neue Kräfte herangewachsen seien, die keiner der alten Parteien angehört hätten;
- die Partei als ein »Organisationssystem« zu definieren, »in dem sich alle Glieder den Beschlüssen unterordnen«;
- eine nach der sozialen Herkunft der Bewerber gestufte Kandidatenzeit (Arbeiter ein Jahr, alle anderen zwei Jahre) einzuführen, um »die führende Rolle der Partei sicherzustellen und die Partei vor Schwankungen zu bewahren«;
- den demokratischen Zentralismus zum Organisationsprinzip der Partei zu erklären, d. h. die Prinzipien der Wählbarkeit, der Rechenschaftspflicht, der »straffen Parteidisziplin« und der »Kritik und Selbstkritik« fest in der Organisationsarbeit zu verankern, und schließlich
- »Fraktionen und Gruppierungen innerhalb der Partei« als »unvereinbar mit ihrem marxistisch-leninistischen Charakter« zu erklären[159].

[159] Vgl. Innerparteiliche Maßnahmen. Beschluß des Parteivorstandes vom 24. Januar 1949 und der 1. Parteikonferenz vom 25.–28. Januar 1949. In: Dokumente, Bd. 2, S. 213 ff.

Das Politbüro hatte der Parteivorstand schon unmittelbar vor der Parteikonferenz aus seiner Mitte gewählt. In ihm stellten die Kommunisten vier Vertreter (Pieck, Ulbricht, Paul Merker, Franz Dahlem), die ehemaligen Sozialdemokraten drei (Otto Grotewohl, Otto Meier, Friedrich Ebert). Kandidaten dieses Gremiums wurden Ackermann (KPD) und Karl Steinhoff (SPD). Zugleich bildete der Parteivorstand ein »Kleines Sekretariat des Politbüros« unter Vorsitz von Ulbricht, dem insgesamt fünf Mitglieder angehörten, unter ihnen zwei ehemalige Sozialdemokraten. Ihm wurde die Aufgabe zugewiesen, die Arbeit des Politbüros zu unterstützen, seine Beschlüsse vorzubereiten und ihre Durchführung zu kontrollieren.

Damit war zwar formal die generelle Kompetenz des Parteivorstandes nicht geschmälert, doch die Bedeutung des bis dahin geschäftsführenden Parteivorstandes, des Zentralsekretariats (14 Mitglieder), herabgesetzt. Ihm wurden von nun an alle »politisch wichtigen Vorlagen« vom Politbüro »unterbreitet«. Anstelle eigener Initiativen blieb dem Zentralsekretariat des Parteivorstandes nur noch »das Recht, sich mit Anträgen und Vorlagen an das Politbüro zu wenden«.

Diese Straffung der politisch-organisatorischen Leitungskompetenz verfügte der Parteivorstand auch für die Landesvorstände. Sie hatten »Kleine Sekretariate« (sieben Mitglieder) zu bilden, in denen »in der Regel« der Ministerpräsident des Landes und der Innenminister vertreten sein sollten. Mit dieser Entscheidung wurde die enge personelle Verflechtung von Partei- und Staatsfunktionen eingeleitet, die für alle wesentlichen Ebenen des Apparates bestimmend werden sollte. Der Kernbereich des politischen Systems der SBZ lag damit in den Führungsgremien der SED. Wie die osteuropäischen Kommunisten hatte sich die Einheitspartei am sowjetischen Vorbild orientiert, wie sie zur Ausprägung blockeinheitlicher Entscheidungsstrukturen beigetragen. Diese nun deutlich erkennbare Blockbindung auf der einen und die von Pieck (im Interesse gesamtdeutscher Glaubwürdigkeit) dementierte Entwicklung der SBZ zur Volksdemokratie auf der anderen Seite erzeugte in der Partei offenbar Verwirrung. Wahrscheinlich ist, daß der Kurs in der SED-Führung umstritten war, daß die nun hervorgehobene nationale Option sowjetischem Rat folgte.

Auf der Parteikonferenz jedenfalls betonte nun auch Grotewohl die besonderen Bedingungen der SBZ und nannte insbesondere die Spaltung Deutschlands. Dennoch deutete er die

Möglichkeit einer dauerhaften Eigenentwicklung der SBZ an. Er unterschied – wenn auch nur implizit – zwischen einer gesamtdeutschen und einer Teillösung. »In ganz Deutschland« könne die »Errichtung einer Volksdemokratie erst dann erreicht werden, wenn ... der nationale Kampf siegreich erfüllt und die geeinigte marxistisch-leninistische Partei geschaffen ist«. In der Ostzone könne »die Arbeiterklasse im Unterschied zu den Volksdemokratien eine solche Herrschaft nicht ausüben, weil die Mehrheit der Arbeiterklasse noch nicht kampfentschlossen hinter der Partei steht«, weshalb es auch nicht möglich sei, »unmittelbar zum Aufbau der sozialistischen Gesellschaftsordnung« überzugehen[160].

Für das terminologische Festhalten am Status quo nannte er zwei Gründe: Erstens würde durch eine Diskussion über einen unmittelbar bevorstehenden Übergang zur Volksdemokratie die Partei »desorganisiert«. Zweitens, und diesen Hinweis richtete er an »unsere Zonen-Politiker«, könne kein »noch so schönes Ostdeutschland, möge es immer heißen wie es will, die Aufgabe erfüllen ..., die ein einheitliches, fortschrittliches und demokratisches Deutschland in ganz Europa erfüllen kann ... Ein solches Deutschland bedeutet die endgültige Befriedung Europas«[161].

Was Grotewohl so – und damit ganz anders als in früheren Äußerungen – zusammenfaßte, war genau das, was die Sowjetunion permanent als Ziel ihrer Deutschlandpolitik betont hatte, was aber angesichts der weit fortgeschrittenen Herausbildung des westdeutschen Staates und der quasimilitärischen Konfrontation der Westmächte und der Sowjetunion in der Blockade Westberlins kaum noch zu realisieren war. Die Widersprüchlichkeit eines Konzepts, das real auf die Verfestigung der politischen Strukturen im Rahmen des Blocks zielte, verbal aber den Willen zur Einheit Deutschlands betonte, war der Partei nur schwer zu vermitteln. Noch im März 1949 monierte Pieck: »Auch in der SED besteht bei manchen Genossen noch eine falsche Vorstellung über das gegenwärtige politische Regime in der sowjetischen Besatzungszone. Es wird gleichgestellt mit dem Regime in den volksdemokratischen Ländern.« Pieck wurde nun deutlich: »Es hieße den Spaltern Deutschlands direkt in

[160] Zit. nach: Protokoll der 1. Parteikonferenz der Sozialistischen Einheitspartei Deutschlands, 25. bis 28. Januar 1949. 2. Aufl., Berlin (DDR) 1950, S. 334f.
[161] Ebd., S. 356.

die Hände arbeiten, wenn wir die Lage im Westen unberücksichtigt ließen und damit den Anschein erweckten, als ob wir uns mit der Spaltung Deutschlands abgefunden hätten.«[162]

Was jedoch die SED-Führung in den Jahren zwischen 1948 und 1952 praktizierte, ließ diese Einsicht weithin unberücksichtigt. Ihre Politik war allenfalls noch sekundär gesamtdeutsch. Die SED – ebenso wie die CDU in den Westzonen – bewertete die Integration des eigenen Landes in das supranationale Bündnissystem wie auch die Entwicklung der eigenen Gesellschaft gemäß den Maßstäben der Bündnispartner längst höher als den Versuch, die tatsächlich nur noch geringe Chance einer einheitlichen Entwicklung in ganz Deutschland offenzuhalten. Bedeutsamer als die nationalen Bekundungen war deshalb das politische Resultat der Parteikonferenz. Mit ihren Beschlüssen wurde der Funktionswandel der Partei beschleunigt. Die SED-Führung hatte – wie die Leitungen ihrer osteuropäischen Bruderparteien – ihre Stellung gestärkt und die Prinzipien des demokratischen Zentralismus durchgesetzt. Die im folgenden Jahre beginnende Parteisäuberung trug dazu bei, den Führungsanspruch der Parteispitze gegenüber der Mitgliederschaft auch politisch-psychologisch durchzusetzen.

1950 forderte der III. SED-Parteitag, der die Umbenennung des Parteivorstandes in Zentralkomitee (ZK) beschloß, das ZK auf, »zu gegebener Zeit einen Umtausch der Parteimitgliedsbücher als Mittel zur Erziehung der Partei und zur Verbesserung ihrer Zusammensetzung durchzuführen«.[163] Im Oktober 1950 setzte das ZK die Überprüfung der Mitgliederschaft, d. h. die Diskussion mit jedem Genossen und die anschließende Beratung über seinen weiteren Verbleib in der Partei, für die Zeit zwischen dem 15. Januar und dem 30. Juni 1951 fest.

Bei der Überprüfung sollten »parteifremde und feindliche oder moralisch verkommene Elemente und Karrieristen« aus der Partei entfernt werden. Zu dieser Gruppe zählte das ZK insbesondere ehemalige Mitglieder sozialistischer Splittergruppen: der KPO – (Kommunistische Partei Opposition) –, des ISK (Internationaler Sozialistischer Kampfbund – eine auf den deutschen Philosophen Leonard Nelson zurückgehende, nichtmarxistische, autoritär-sozialistische Strömung am Rande der SPD der dreißiger Jahre), sowie von trotzkistischen und »ähnli-

[162] Lehren der Parteikonferenz. In: Einheit 4 (1949), S. 193 ff., hier S. 198.
[163] Dokumente der SED, Bd. 3, Berlin (DDR) 1952, S. 162 ff.

chen Gruppen«. Diesen Entschluß begründete das ZK mit »Erfahrungen«, die gelehrt hätten, daß »imperialistische Agenturen« (gemeint war vor allem das Ost-Büro der West-SPD) sich um diese Mitglieder besonders kümmerten, »um sie für ihre feindliche Tätigkeit einzusetzen«[164].

Damit hatte die Parteiführung zwar einen durchaus zutreffenden Grund für die Säuberung genannt, denn tatsächlich versuchte damals vor allem das Ostbüro der SPD, über ehemalige Sozialdemokraten und andere oppositionelle SED-Mitglieder Informationen aus der SBZ zu erlangen und in die SED hineinzuwirken. Trotzdem galt die Säuberung weniger der Abwehr feindlicher Einflüsse als dem Zweck, die Partei zu disziplinieren und zu aktivieren. Hierzu dienten insbesondere die im Prozeß der Überprüfung den Genossen und Kandidaten abverlangten »freiwilligen Selbstverpflichtungen«.

Nach Abschluß der Prozedur waren 150696 Mitglieder und Kandidaten durch Streichung aus den Mitgliederlisten bei Inaktivität oder »Unverständnis« gegenüber der Politik der Partei aber sonstigem Wohlverhalten oder durch Ausschluß von Parteifremden oder »Feinden« aus der Partei entfernt worden; 18180 Mitglieder wurden zumeist wegen ideologischer Mängel in den Kandidatenstand zurückversetzt, und bei 4150 Kandidaten hielten es die Überprüfungskommissionen für angebracht, die Kandidatenzeit zu verlängern. Etwa 30000 Mitglieder und Kandidaten traten zwischen dem 31. Dezember 1950 und Mitte 1951 aus der Partei aus – vermutlich aus Unzufriedenheit mit der Überprüfung oder aus Furcht vor der Entdeckung von Fragebogen-Fälschungen. Zugleich korrigierte die Partei ihre Mitgliederlisten und ermittelte in etwa 60000 Fällen Doppelzählungen der Mitglieder und Kandidaten.

Von der nach Stalinschem Muster angelegten Aktion war zunächst die Parteibasis betroffen. Doch noch vor ihrem Abschluß erreichte die Säuberungswelle auch die Führung. Bereits 1949 hatte der Parteivorstand aufgrund einer sowjetischen Weisung verfügt, künftig Parteimitglieder, die längere Zeit in westlicher oder jugoslawischer Kriegsgefangenschaft gewesen waren oder Verwandte im westlichen Ausland bzw. den Westzonen hatten, nicht mehr mit wichtigen Funktionen im Partei- und Staatsapparat zu betrauen und auch gegenüber jenen Genossen Zurückhaltung zu üben, die während der Nazi-Zeit in

[164] Ebd., S. 289f.

westliche Länder emigriert waren. Den Hintergrund dieser kaderpolitischen Restriktionen bildeten die Anklagen gegen die albanischen, ungarischen und bulgarischen KP-Führer Koci Xoxe, Laszlo Rajk und Traitscho Kostoff im Juni, September bzw. Dezember 1949. Diesen Spitzenfunktionären und ihren zahlreichen Mitangeklagten war vorgeworfen worden, sie hätten im Bunde mit Tito, westlichen Geheimdiensten, Trotzkisten und ehemaligen Gestapo-Leuten die Wiederherstellung des Kapitalismus in ihren Ländern betrieben. Diesen Prozessen folgte im Dezember 1952 das Urteil gegen den ehemaligen Generalsekretär der KPC, Rudolf Slansky, und andere prominente tschechoslowakische Kommunisten – aufgrund gleicher Anklagen.

Wie Rajk und Kostoff wurde auch Slansky Kooperation mit US-Diensten zur Last gelegt und behauptet, dieser Kontakt sei über den amerikanischen KP-Sympathisanten Noel H. Field hergestellt worden, der während des Krieges in Frankreich und der Schweiz im Auftrage einer christlichen amerikanischen Flüchtlingshilfe-Organisation auch mit emigrierten Kommunisten zusammengearbeitet hatte. Field war 1948 in Budapest unter dem Verdacht der Arbeit für den US-Geheimdienst festgenommen worden (er wurde 1954 aus der »Untersuchungs«-Haft entlassen, weil sich die gegen ihn erhobenen Beschuldigungen als »haltlos« erwiesen hatten). Allen in Tirana, Budapest, Sofia und Prag Angeklagten waren, bis auf Kostoff, umfangreiche Geständnisse abgepreßt worden. Die Hauptangeklagten wurden zum Tode, andere zu langjährigen Freiheitsstrafen verurteilt, die meisten nach Stalins Tod rehabilitiert.

Die Prozesse hatten offenbar vielfache Ursachen. Einerseits waren seit der Verschärfung des Kalten und dem Beginn des heißen Krieges (1950 kam es in Korea zur ersten militärischen Konfrontation des Ost- und Westblocks) die Beziehungen zwischen den USA und der UdSSR so belastet, daß sich in beiden Ländern und ihren Partnerstaaten der Anti-Sowjetismus bzw. Anti-Imperialismus zu einer allgemeinen Agenten-Hysterie entwickelt hatte. In den USA kam es zu der von Senator McCarthy und seinem Senatsausschuß forcierten Überprüfung »unamerikanischer« Aktivitäten, und in der Bundesrepublik begann die Regierung mit der Prüfung eines Verbots der KPD: es ergingen die ersten Berufsverbote gegen tatsächliche oder vermeintliche Anhänger der Kommunistischen Partei. In der Sowjetunion belebte die Verschlechterung des West-Ost-Verhältnisses die seit je vorhandene Furcht vor direkter oder verdeckter Intervention, eine Sorge, die durch den »Abfall« Jugoslawiens nur noch gefördert und durch Stalins offenbar pathologische Furcht vor Abtrünningen zusätzlich genährt wurde. Tatsächlich schien die Politik der jugoslawischen Kommunisten die Möglichkeit eines selbstbewußten Verhaltens auch anderer kommunistischer Parteien oder ihrer Führer anzudeuten. Bereits 1948 wurde der 1. Sekretär der Polnischen Vereinigten Arbeiterpartei, Gomulka, wegen seiner angeblich nationalistischen Politik abgesetzt, und 1949 wurde er aller anderen Ämter enthoben.

In dieser Situation bot sich der KPdSU die Möglichkeit, mit dem Hinweis auf den Kalten Krieg, die »Verräter«-Politik der jugoslawischen Kommunisten und, gestützt auf absurd konstruierte Anklageschriften, alle jene vermeintlichen oder tatsächlichen Tendenzen in den osteuropäischen Parteien blutig zu zerschlagen, die auf eine größere Selbständigkeit dieser Länder gegenüber der Hegemonialmacht gerichtet waren, um so die Einheit des Blocks, notfalls gewaltsam, zu garantieren. In diesem Kampf glaubte die Sowjet-Führung, so scheint es, sich allein auf die Parteiführer stützen zu können, die während der NS-Zeit in ständigem Kontakt mit der KPdSU gestanden hatten; und sie verdächtigte alle jene abweichlerischer Neigungen, die in diesen Jahren entweder im eigenen Lande oder im westlichen Ausland gewesen waren.

Im Zusammenhang mit den Prozessen in den Nachbarländern begann auch die SED-Führung, die Rolle leitender Funktionäre in der Emigration neu zu interpretieren. Im August 1950 schloß das ZK das bisherige Politbüro-Mitglied, den bereits in der Weimarer Republik prominenten KPD-Führer Paul Merker und eine Vielzahl weiterer Partei-Funktionäre aus der SED aus oder entließ sie aus ihren Positionen. Welche eigenen Ziele die SED-Führung mit dieser Strafaktion verband oder ob sie – was angesichts der unbestrittenen Dominanz der Stalinschen KPdSU-Führung gegenüber der SED zu vermuten ist – allein deren Weisungen umsetzte, muß offen bleiben. Die gegen Paul Merker erhobenen Beschuldigungen deuten an, daß es der Politbüro-Mehrheit – sei es im Eigen-Interesse oder aus Block-Disziplin – darum ging, die Folgen der Abweichung in zwei wichtigen Fragen im Sinne einer exemplarischen politischen Warnung zu dokumentieren. Dem »Agenten Merker« wurde vorgeworfen, er habe in der Emigration (!) »bewußt jedes Wort

über das [künftige!] Verhältnis Deutschlands zur Sowjetunion«
unterlassen und Positionen vertreten »wie Tito, der faschisti-
sche Henker des jugoslawischen Volkes«[165]. 1955/56, im Um-
feld des XX. KPdSU-Parteitages, wurde die Mehrheit der so
beschuldigten Parteimitglieder, sofern sie inhaftiert gewesen
waren, weithin stillschweigend entlassen und juristisch oder politisch rehabilitiert. Lex Ende, bis 1949 Chefredakteur des
›Neuen Deutschland‹, und Willy Kreikemeier, bis 1949 Gene-
raldirektor der Reichsbahn, wurden öffentlich nicht mehr erwähnt. Kreikemeier gilt als verschollen, Ende starb in der Zeit
seiner »Bewährungsarbeit«.

Auch wenn wesentliche Motive für die Säuberung der Partei
und ihrer Führung im Dunkeln bleiben, der Vorgang bewirkte
die Disziplinierung, besser: die Verschüchterung vieler der
SED-Mitglieder. So gesehen hatte sich die Partei bis 1952 tatsächlich zu einer Partei neuen Typus entwickelt: Sie war zumindest in ihrem Funktionärs-Korps mehrheitlich bereit, die
Beschlüsse der Führung zu akzeptieren und durchzusetzen,
und sie war quantitativ gestrafft worden. Zwischen 1948 und
1952 sank die Zahl der Mitglieder und Kandidaten durch härte-
re Aufnahmeprozeduren, Parteiaustritte und Mitgliederüber-
prüfung von zwei auf 1,2 Millionen, und ihr Sozialprofil war
durch stetiges Wachstum des Angestellten-Anteils bestimmt,
was – nach Matern, damals Kaderchef der SED – darauf zurückzuführen war, daß viele Parteimitglieder, »die beim Eintritt
in die Partei Arbeiter waren, ... durch die Partei entwickelt
wurden und jetzt Angestellte sind«[166]. Tatsächlich wuchs der
Anteil dieser Gruppe von 1947 (18 Prozent) über 1950 (20,4
Prozent) bis Mitte 1951 auf 30,9 Prozent an, während der Indu-
striearbeiter-Anteil zwischen 1947 und 1954 von 47,9 beständig
auf 39,1 Prozent fiel.

Die Gründung der DDR
Den Schlußpunkt aller Bemühungen der ehemaligen Partner
der Anti-Hitler-Koalition um eine gemeinsame Deutschlandpolitik markierte die Londoner Außenminister-Konferenz vom
November/Dezember 1947. Deutlicher als die vorangegange-

[165] Vgl. dazu. Lehren aus dem Prozeß gegen das Verschwörer-Zentrum Slansky. Beschluß des ZK vom 20. 12. 1952. In: Dokumente der SED, Bd. 4, Berlin
(DDR) 1954, S. 204 und den ZK-Beschluß vom 14. 5. 1953. Ebd., S. 404 ff.
[166] Hermann Matern, Die Ergebnisse der Überprüfung der Parteimitglieder
und Kandidaten. Bericht an die 7. Tagung des ZK. Berlin 1951, S. 31.

nen Treffen stand diese Begegnung im Schatten des sowjetisch-amerikanischen Gegensatzes. Die Konsensfähigkeit schien verbraucht; Kompromisse über gesamtdeutsche Verwaltungen, Reparationen oder die Ruhrkontrolle wurden nicht mehr ernsthaft gesucht.

Formal stritten die Siegermächte um die Modalitäten eines Friedensvertrages mit Deutschland, inhaltlich um die künftige sozialökonomische Struktur des besiegten Landes und seine künftige Rolle im Ost-West-Konflikt. In London nutzte der US-Außenminister George Marshall am 15. Dezember 1947 die tatsächliche Unvereinbarkeit der Standpunkte in der Reparations-Frage zu einer Vertagung der Konferenz auf unbestimmte Zeit: Die UdSSR hatte auf weiteren Entnahmen aus der laufenden Produktion beharrt, die USA und Großbritannien sich geweigert, dieser Forderung zu entsprechen. Damit waren – wie sich zeigen sollte – die Versuche der Siegermächte, im Rahmen regelmäßiger Begegnungen der Außenminister vielleicht doch noch zu einem Modus vivendi in der deutschen Frage zu gelangen, endgültig gescheitert. Versuche, ein neues Treffen mit einer für alle Seiten akzeptablen Tagesordnung zu arrangieren, blieben erfolglos. Die Bemühungen beider Seiten, in ihrem Einflußbereich politisch-administrative Strukturen zu entwickeln, die einerseits eine einheitliche Verwaltung, andererseits aber auch die Einbeziehung der Besatzungsgebiete in das jeweilige Bündnissystem erleichtern sollten, konnten nun forciert werden – ohne politische Rücksicht auf die Gegenseite, doch noch immer mit dem in der Agitation betonten Anspruch, auf diese Weise der Einheit Deutschlands zu dienen.

Als schließlich am 26. Februar 1948 in London eine Konferenz der Außenminister der drei Westmächte und der Benelux-Länder zusammentrat, um ohne die Sowjetunion und gegen deren Protest über Deutschland zu verhandeln, wurde der Gang der Entwicklung nur noch beschleunigt. Im März 1948 zogen sich die sowjetischen Vertreter unter Hinweis auf die Londoner Tagung aus dem seit 1945 (niemals konfliktfrei) arbeitenden Alliierten Kontrollrat zurück und begannen nach der Währungsreform in den Westzonen, durch eine Unterbrechung der Zufahrtswege nach Westberlin mit einer Blockade der Stadt, die erst im Mai 1949 nach einem Abkommen zwischen den USA und der UdSSR aufgehoben wurde.

Die Westmächte hatten die Viermächte-Verantwortung für Deutschland, die UdSSR deren institutionelle Reste gesprengt.

Mitte 1948 standen sich die ehemaligen Partner der Anti-Hitler-Koalition in Deutschland als Gegner gegenüber. Die sowjetische Reaktion galt vor allem den Beschlüssen der Westmächte, die Westzonen zu einem Staatsgebilde zusammenzufassen, Westdeutschland in den Marshall-Plan einzubeziehen, und die Sowjetunion endgültig von einer internationalen Kontrolle des Ruhrgebiets auszuschließen.

Nachdem die Entscheidung für die Bildung eines westdeutschen Staates und dessen Einbeziehung in die westeuropäische Gemeinschaft gefallen war, beschlossen die sechs Staaten Anfang Juni 1948 den formellen Vollzug. Sie bevollmächtigten die Ministerpräsidenten der Westzonen-Länder, mit der Bildung des Parlamentarischen Rates zu beginnen.

Den Londoner »Empfehlungen« folgte nur wenige Tage später die Währungsreform für die Westzonen, Anfang Juli traten gemäß den Weisungen der Sechsmächte-Konferenz die Ministerpräsidenten der westdeutschen Länder zusammen, und am 1. September konstituierte sich der Parlamentarische Rat und begann mit der Ausarbeitung eines »Grundgesetzes«: Das Wort Verfassung wurde von den Ministerpräsidenten abgelehnt, um das Provisorische der Staatsgründung zu betonen. Am 23. Mai 1949 schließlich wurde, nach Erlaß des »Besatzungsstatuts«, das Grundgesetz verkündet, und am 7. September trat der erste Deutsche Bundestag zusammen.

Daß in der SED-Führung damals erwogen wurde, in der SBZ den gleichen Weg zur Staatsgründung zu gehen, der im Westen gewählt wurde, ist wenig wahrscheinlich. Zwar gab es nach den Landtagswahlen von 1946 demokratisch legitimierte Volksvertreter, doch angesichts der Mehrheitsverhältnisse in den Länderparlamenten war keineswegs sicher, daß sich in einer verfassunggebenden Versammlung eine deutliche Mehrheit für eine separatstaatliche Entwicklung der SBZ finden würde. Zudem hätte ein dem bundesdeutschen analoges Verfahren die SED der Möglichkeit beraubt, die andere Seite für die Spaltung des Landes schuldig zu sprechen. Gleichwohl bedurfte auch die DDR-Gründung einer zumindest formalen demokratischen Zustimmung. Diese Aufgabe übernahm die Volkskongreßbewegung. Anders als dem Parlamentarischen Rat fehlte ihr aber jede demokratische Legitimation. Schon die Teilnehmer des 1. Volkskongresses waren teils von Betriebs- oder anderen öffentlichen Versammlungen, teils von Parteien und Massenorganisationen delegiert worden. Von den 2215 Mitgliedern stammten 1551 aus der SBZ, die übrigen – auf ähnlich zufällig inszenierte Weise nominiert – aus den Westzonen. 893 gehörten der SED bzw. KPD an, 373 waren parteilos, und nur 572 waren Mitglieder der CDU oder LDP. Der Rest, bis auf 91 Sozialdemokraten, kam aus den SED-loyalen Massenorganisationen der SBZ. Ähnlich bestellt wurden auch die Teilnehmer am 2. Volkskongreß, der im März 1948 zusammentrat. Auch seine Mitglieder von denen nur noch 24,4 Prozent der SED, aber ca. 33 Prozent deren Massenorganisationen angehörten, wurden in öffentlichen Versammlungen auf Kreis- und Landesvolkskongressen bestimmt. Da die Volkskongreßbewegung in den Westzonen verboten worden war, blieb die Legitimation der westdeutschen Teilnehmer noch unklarer. Dieser Kongreß (1989 Delegierte) wählte aus seiner Mitte den »Deutschen Volksrat« (400 Mitglieder, darunter 100 Westdeutsche), der zwischen den Tagungen des Kongresses weiterarbeiten sollte, und beauftragte ihn, ein »Volksbegehren« darüber zu veranstalten, »ob das deutsche Volk die Durchführung einer Volksabstimmung über die Einheit Deutschlands verlangt«. Ferner beschloß man eine Resolution, in der die Bildung deutscher Zentralverwaltungen mit Sitz in Berlin, die Übergabe der deutschen Wirtschaft an die »demokratischen Organe des deutschen Volkes«, die Enteignung der Konzernherren und Kriegsverbrecher und die Auflösung des Wirtschaftsrates der Bizone gefordert wurden. (Dem Volksbegehren im Mai/Juni 1948 stimmten nach SED-Angaben 12 Millionen Ostdeutsche und etwa eine Million Westdeutsche zu).

Hatte die SED so, an den Einheitswillen der Deutschen appellierend, die Politik der Sowjetunion zu unterstützen versucht, initiierte sie im Volksrat zugleich den Beginn der Arbeit an der Verfassung für eine »Deutsche Demokratische Republik«. Der Volkskongreß wählte einen Verfassungsausschuß, und dieser legte am 22. Oktober 1948 einen Verfassungsentwurf vor, der auf einem Text der SED aus dem Jahre 1946 basierte. Nach einer öffentlichen Diskussion erhielt er am 19. März 1949 schließlich die Zustimmung der Sprecher aller übrigen Volksrat-Ausschüsse.

Auf diese Art und Weise hatte sich ein unter gesamtdeutschem Vorzeichen gegründetes Gremium zum Vorparlament für einen Teilstaat entwickelt. Es war – so scheint es – auch bewußt für diese Doppelfunktion gebildet worden. Es sollte sowohl die nationale Agitation unterstützen als auch, im Falle des Scheiterns seines gesamtdeutschen Auftrages, die institutionellen und legitimatorischen Voraussetzungen für die Bildung des ostdeutschen Separatstaates schaffen. Diese Intention wurde auch dadurch verdeutlicht, daß der 3. Volkskongreß, der Ende Mai 1949 im Zeichen des zuvor vom Volksrat wegen der Annahme des Grundgesetzes ausgerufenen »nationalen Notstandes« zusammentrat, aus Wahlen hervorging, in denen erstmals das seither übliche Prinzip der Einheitsliste angewendet wurde. Auf dieser gemeinsamen Liste wurden der SED 25 Prozent, der CDU und LDPD je 15 Prozent, NDPD und DBD je 7,5 Prozent, dem FDGB 10 Prozent und anderen Organisationen sowie Einzelkandidaten die restlichen 20 Prozent der Listenplätze zugesprochen. Bei den Wahlen am 15. und 16. Mai 1949 hatten dieser Liste 66,1 Prozent der Bürger zugestimmt. Auf dem Stimmzettel hatte der Suggestivsatz gestanden: »Ich bin für die Einheit Deutschlands und für einen gerechten Friedensvertrag.« Gleichwohl mußten etliche ungültige, aber auch Nein-Stimmen in positive umgedeutet werden, damit das Ergebnis zustandekam.

Die 2016 Delegierten, unter ihnen wiederum 616 Abgesandte aus Westdeutschland, wählten erneut einen Deutschen Volksrat, von dessen 330 (ausschließlich ostdeutschen) Mitgliedern nun CDU, LDPD, NDPD und DBD zusammen 120 stellten, die übrigen Sitze entfielen auf die SED und ihre Massenorganisationen. Dieser Volksrat bestätigte – gegen eine Stimme – am 30. Mai 1949, sieben Tage nach der Verkündung des Grundgesetzes, den »Entwurf einer Verfassung für die Deutsche Demokratische Republik«.

Als schließlich am 7. September der Bonner Bundestag zusammentrat, am 15. September den ersten Bundeskanzler wählte (drei Tage zuvor hatte die Bundesversammlung das Staatsoberhaupt gewählt), setzte die SED »in der Stunde der das ganze Volk bedrohenden Gefahr der nationalen Vernichtung« diesen Bonner Entscheidungen die Proklamation der »Nationalen Front des demokratischen Deutschland« entgegen[167]. Sie appellierte an alle deutsche »Patrioten«, sich der überzonalen Front anzuschließen, um so die »Wiederherstellung der Einheit Deutschlands als demokratischem und friedlichem Staat« zu erreichen.

[167] Zit. nach: Die Nationale Front des demokratischen Deutschland und die Sozialistische Einheitspartei Deutschlands. In: Dokumente der SED, Bd. 2, S. 351 ff.

Als friedliebend und demokratisch aber galten in der nationalen Agitation die bisherigen Entwicklungen in der SBZ. Was die SED anzielte, war mithin nicht ein nationaler Kompromiß, sondern die Vereinigung der Deutschen im Zeichen der volksdemokratischen Entwicklung in der SBZ. Wahrscheinlich aber hätte im Westen in dieser Zeit auch ein Kompromißangebot kaum ein positives Echo gefunden. Die Integrationspläne waren hier soweit gediehen, daß ein dritter Weg, der weder zur Westintegration noch in die Volksdemokratie führte, sowohl politisch wie emotional abgelehnt worden wäre.

Immerhin aber bot diese Haltung des Westens der Sowjetunion und mit ihr der SED-Führung die Möglichkeit, die Schritte ihrer Integrationspolitik immer erst nach denen im Westen zu gehen, und dabei auf die Sorge um die Einheit der Nation zu verweisen. So argumentierte die SED auch gegenüber ihren Bündnispartnern. Pieck am 17. Juni 1949 im Zentralen Block: »Ich glaube . . ., wir sollten zu der Frage: Bildung eines Parlaments und einer Regierung im Osten nicht Stellung nehmen, bevor nicht dieser Weg im Westen ganz zu Ende gegangen ist. Solange das nicht der Fall ist, soll man den Kampf für die Erhaltung der Einheit Deutschlands führen. Wir würden unserem Kampf einen sehr großen Abbruch tun, wenn wir uns dazu verleiten ließen, jetzt die gleichen Schritte zu tun, wie sie im Westen unternommen werden.«[168]

In diesem Sinne war es nur folgerichtig, die Bildung der Bundesrepublik abzuwarten, dann die DDR auszurufen und gleichzeitig an der nationalen Agitation festzuhalten. Dieser Ratio folgte auch die Umwandlung des Volksrates in die »Provisorische Volkskammer«. Sie stand ganz im Zeichen der doppelschichtigen Argumentation. »Zur Wahrung der nationalen Interessen« forderte der Parteienblock am 5. Oktober den Volksrat auf, sich »im Wege der nationalen Selbsthilfe« als Provisorische Volkskammer zu konstituieren und gemäß der beschlossenen Verfassung eine Provisorische Regierung zu bilden[169]. Volkskongreß und Volksrat entsprachen der Anregung. Der Volkskongreß beschloß am 7. Oktober die Gründung der

[168] Zit. nach: Siegfried Suckut (Hrsg.), Blockpolitik in der SBZ/DDR 1945–1949. Die Sitzungsprotokolle des zentralen Einheitsfront-Ausschusses. Quellenedition, Köln 1986, S. 435.
[169] Neues Deutschland v. 6. 10. 1949.

»Deutschen Demokratischen Republik« und interpretierte sie als »mächtiges Bollwerk im Kampf um die Verwirklichung des Programms der Nationalen Front des demokratischen Deutschland«. Der Volksrat konstituierte sich als provisorische Volkskammer, und diese beauftragte Grotewohl mit der Regierungsbildung.

In sein Kabinett mit vierzehn Ressorts nahm Grotewohl drei Repräsentanten der CDU, zwei der LDPD, einen der NDPD und einen der DBD auf. Sechs Ministerien, darunter Inneres, Planung und Volksbildung übernahm die SED, ein Minister (Verkehrswesen) war parteilos. Vier Ministern, die nicht der SED angehörten, wurden SED-Staatssekretäre zugeordnet. Ulbricht übernahm das Amt eines (von drei) Stellvertretenden Ministerpräsidenten. Am 10. Oktober bestätigte der Oberste Chef der Sowjetischen Militäradministration in Deutschland, Armeegeneral Tschuikow, die Beschlüsse des Volksrates und der provisorischen Volkskammer. Die SMAD konstatierte, die »Bildung der Separatregierung in Bonn« stelle eine grobe Verletzung der Potsdamer Beschlüsse dar, sie verstoße gegen die Vereinbarung, Deutschland als einheitliches Ganzes zu betrachten und zu seiner Umwandlung in einen demokratischen und friedliebenden Staat beizutragen. Die Militäradministration übertrug die Verwaltungsfunktionen, die bisher ihr zugestanden hatten, der DDR-Regierung; sie selbst wurde zur »Sowjetischen Kontrollkommission«, wiederum unter General Tschuikow.

Aus Moskau hatte Stalin telegraphische Glückwünsche geschickt. Er nannte die Gründung der DDR einen »Wendepunkt in der Geschichte Europas«.

Der Ausbau des Staatsapparats und der Wirtschaftsplanung
Nach der Gründung der DDR forcierte die Parteiführung die Zentralisierung des Staats- und Wirtschaftsapparats. Bereits mit der Bildung der provisorischen Regierung wurden die Hauptverwaltungen der Deutschen Wirtschaftskommission (DWK) in Ministerien umgewandelt, im Oktober 1950 die Verkehrs- und Justizministerien der Länder aufgelöst, und schon im Februar 1950 war aus der bislang dem Innenminister unterstehenden »Hauptverwaltung zum Schutze des Volkseigentums« das Ministerium für Staatssicherheit entstanden.

Den wesentlichen Schub in Richtung Zentralisierung brachte der III. SED-Parteitag im Juli 1950. Von ihm ließ die Parteiführung den 1. Fünfjahrplan (für die Jahre 1951 bis 1955) beschließen. Damit hatte die SED wiederum Anschluß an die Entwicklung in den Volksdemokratien gehalten, die entweder bereits 1949 (Bulgarien und CSR), 1950 (Ungarn) oder 1951 (Albanien, Rumänien) mit der Formulierung derart langfristiger Pläne begonnen hatten. Der gemeinsame Übergang zur langfristigen Wirtschaftsplanung war eine Konsequenz der Bildung des Rates für Gegenseitige Wirtschaftshilfe (RGW) im Jahre 1949 (DDR-Beitritt: September 1950), der den ersten Schritt zur multilateralen ökonomischen Kooperation der Volksdemokratien darstellte und in der Folge zur Entwicklung analoger Pläne und Planmethoden sowie zu ihrer zeitlichen wie materiellen Abstimmung führte.

Die Entscheidung folgte freilich nicht nur außenpolitischen Erfordernissen. Sie wurde auch deshalb als notwendig empfunden, weil sich seit 1948 der Anteil der volkseigenen Wirtschaft am gesellschaftlichen Gesamtprodukt erheblich erhöht hatte. Nach DDR-Angaben betrug der Produktions-Anteil von VEB und SAG (i. v. H. der industriellen Bruttoproduktion) 1948 = 61; 1949 = 68,6; 1950 = 76,1; 1951 = 79,6; 1952 = 81. Diese Steigerung erklärt sich vor allem aus den Wachstumsraten der volkseigenen Industrie. Sie war aber auch Folge weiterer Enteignungen, die speziell seit 1948 mit Hilfe des verschärften Wirtschaftsrechts – etwa auf Grund tatsächlicher oder behaupteter Steuerhinterziehung – vorgenommen wurden. Wesentliche Ziele des 1. Fünfjahresplanes waren die Verdoppelung der Industrieproduktion des Jahres 1936, die Beseitigung der Disproportionen durch den Aufbau einer eigenen Schwerindustrie, ihrer metallurgischen Basis und die Entwicklung des Schwermaschinenbaus.

Wie in den anderen Volksdemokratien war der Übergang zur langfristigen Wirtschaftsplanung auch in der DDR durch die Übernahme der Grundzüge des sowjetischen Planungsmodells gekennzeichnet. Und das bedeutete eine weitere Verstärkung der zentralistischen Momente der Wirtschaftsplanung. Ende 1950 trat an die Stelle des Ministeriums für Planung, das die Funktion der alten DWK wahrgenommen hatte, die Staatliche Plankommission, kurz darauf beschloß die Regierung, alle größeren volkseigenen Industriebetriebe den Hauptverwaltungen der zuständigen Fachministerien »unmittelbar« zu unterstellen. In diesem Zusammenhang wurde die Mehrzahl der zentralen Vereinigungen Volkseigener Betriebe (VVB) aufgelöst, verschiedene Betriebe aus den Landes-VVB ausgegliedert und zugleich beschlossen, auch in den weiterbestehenden VVB keine Verwaltungsräte mehr zu bilden.

Von nun an blieben Arbeitern, Angestellten und Gewerkschaften allein Mitspracherechte im Betrieb. Und auch hier wurden die Teilhabechancen in dem Maße schmaler, in dem sich die Prinzipien der detaillistischen Mengenplanung durchsetzten, Prinzipien eines Leitungs- und Planungssystems, das nachgerade jede Entscheidung über Umfang, Sortiment und Verteilung der Produktion unter quantitativen Gesichtspunkten erfaßte, jede Disposition (etwa über die Finanzierung) der Planungs-Zentrale oder vorgeschalteten Instanzen zuwies und den Betrieben letztlich nur noch die technisch-organisatorische Realisierung des Planes überließ. In diesem Sinne wurden die VEB bereits im März 1950 verpflichtet, Betriebspläne aufzustellen, in denen alle Maßnahmen aufzulisten waren, »die zu einer Erfüllung und Übererfüllung der Planauflagen führen«. Zwar hatte die DDR-Regierung die »Aufstellung und Durchführung der Betriebspläne« zur »Angelegenheit aller Belegschaftsmitglieder erklärt«, zugleich aber den Volkswirtschaftsplan als »Grundlage für die Ausarbeitung des VEB-Planes« vorgegeben[170].

Diese VEB-Pläne wiederum bildeten ab 1950 die Grundlage von Betriebsverträgen (später: Betriebskollektivverträge, BKV), in denen, nach sowjetischem Vorbild, Betriebsgewerkschaftsleitungen und Werkleitungen ihre Vereinbarungen über Löhne, Lohndifferenzierungen und Zuschläge, Urlaub und Sozialleistungen, aber auch ihre Absprachen über kulturelle und soziale Vorhaben sowie deren Finanzierung und nicht zuletzt ihre Verpflichtungen zur Erfüllung und Übererfüllung des Planes fixieren sollten.

Auch den Gewerkschaften brachte der Übergang zur langfristigen Planung wesentliche Einschränkungen ihrer Spielräume. Mit dem 1. Fünfjahresplan wurde die Summe aller in der DDR gezahlten Löhne und Gehälter (»Gesamtlohnsumme«) Bestandteil des langfristigen Planes und der aus ihm entwickelten Jahrespläne. In den seit 1951 zwischen den Industrieministerien und den Industriegewerkschaften für die Industriezweige abgeschlossenen »Rahmenkollektiv-Verträgen«

[170] Verordnung über die Einführung von Betriebsplänen für die volkseigene Industrie (VEB-Pläne) v. 16. März 1950. In: GBl DDR 1950, Nr. 30, S. 200.

konnte daher nur noch die Differenzierung der für die einzelnen Zweige bereits feststehenden Lohnanteile nach Lohngruppen, Zuschlägen etc. geregelt werden. Das bedeutete inhaltlich, daß der Staat bzw. die ihn inspirierende und kontrollierende Parteiführung den Lohn gemäß einer Planung zuteilte, an deren Zustandekommen die unmittelbaren Produzenten keinen und ihre gewerkschaftlichen Vertreter nur indirekt, d. h. über Konsultationen mit der Parteispitze, Anteil hatten.

In den seit 1951 abzuschließenden Betriebskollektivverträgen standen mithin nicht mehr lohn- und arbeitsrechtliche Fragen im Mittelpunkt. Den Hauptteil bildeten die wechselseitigen Verpflichtungen der Betriebsleitung und der Belegschaft zur Erfüllung des VEB-Planes sowie Maßnahmen, die der Verbesserung der Arbeits- und Lebensbedingungen der Mitarbeiter dienten. Da jedoch die SED zur gleichen Zeit darauf drängte, den Leistungslohn durch »technisch-begründete Arbeitsnormen« (TAN), d. h. durch genau berechnete und möglichst verallgemeinerungsfähige Vorgabezeiten (Akkordsätze) zu fundieren, und diese neuen Normen Bestandteile des BKV werden sollten, waren diese Verträge in den Betrieben zum Teil heftig umstritten.

Tatsächlich waren die Löhne auch zwischen 1948 und 1949/50 infolge neuer Lohnformen (progressiver Leistungslohn) auf der Basis der alten Normen rascher gestiegen als die Arbeitsproduktivität. Für die Lohnempfänger bedeuteten deshalb neue Normen die Gefahr von Lohnkürzungen. Da in die BKV überdies Regelungen über Lohneinbußen bei der Produktion von Ausschuß und Kürzungen der Sonntags- und Schichtzuschläge aufzunehmen waren, wurden die Kollektiv-Verträge in vielen Betrieben als ernsthafte Bedrohungen des in der Nachkriegszeit erreichten, ohnehin schmalen sozialen Besitzstandes gewertet. Statt eines Versuchs, die Interessen ihrer Mitglieder in diesem Konflikt zumindest ausgleichend wahrzunehmen, vertraten die Gewerkschaften und viele BGL die vermeintlichen Notwendigkeiten des Planes. Sie schlossen die Verträge häufig ohne Konsultation mit den Belegschaften ab, wurden dann allerdings mit dem Protest ihrer Kollegen konfrontiert. Die weigerten sich in zahlreichen Betrieben, dem Vertrag die notwendige Zustimmung zu geben. Selbst regelmäßige Konsultationen hätten freilich die Chancen einer Teilnahme der Arbeiter und Angestellten kaum erhöht, denn die Mehrzahl der zu vereinbarenden Regelungen waren durch den Plan bereits vorgegeben.

Das Verhalten vieler BGL und ihre Anleitung durch den FDGB wurde von der SED kritisiert, und die Gewerkschaftsführung wiederum gestand selbstkritisch Mängel in der innergewerkschaftlichen Demokratie ein. Diese Reaktionen blieben jedoch vordergründig. Denn was sich in den Diskussionen über die Betriebskollektivverträge gezeigt hatte, war nur die Folge der Funktionalisierung gewerkschaftlicher Arbeit, die Konsequenz der Umwandlung der Gewerkschaften aus Vertretungs- in Transmissionsorgane; und dieser Prozeß war 1950 weitgehend abgeschlossen worden. Bei den Wahlen für den 3. FDGB-Bundeskongreß (August 1950) hatte der Kampf gegen das »Nurgewerkschaftertum« im Mittelpunkt gestanden, eine Kampagne gegen die Vertreter traditioneller gewerkschaftlicher Arbeit.

Nun hatten sich seit der Zerschlagung der privaten Verfügungsgewalt die Bedingungen der gewerkschaftlichen Arbeit tatsächlich erheblich verändert. Die Gewerkschaften standen in ihrer betrieblichen Arbeit nicht mehr privaten Unternehmern und deren Verbänden gegenüber. Insofern war ein Festhalten an allen herkömmlichen Aktions- und Kampfformen sicher nicht zeitgemäß. Andererseits aber bedeutete der Wandel der Eigentumsverhältnisse keineswegs notwendig den Verzicht auf alle traditionellen gewerkschaftlichen Aufgaben. Auch jetzt waren die kurz- und langfristigen Interessen ihrer Mitglieder zu vertreten, gerade angesichts der neuen Ordnung, die doch ein Mehr an Demokratie, insbesondere in der Produktion, verhieß. Erwägungen wie diese wurden freilich nicht laut. Hinter der Kritik am »Nurgewerkschaftertum« stand vielmehr die Absicht, die Gewerkschaften zu Ordnungsfaktoren bei der Wirtschaftsplanung umzugestalten, und dazu mußte das »nurgewerkschaftliche« Gegenmachtverständnis zurückgedrängt werden.

Was die SED 1950 auf dem 3. FDGB-Kongreß beschließen ließ, diente vor allem diesem Zweck. Der Kongreß behauptete die Identität von Staats-, Partei- und Gewerkschaftsinteressen und legte damit den Grundstein für die in den folgenden Jahren entwickelte und noch immer gültige These über die Identität von Volkseigentum und Volksherrschaft. In der neuen Satzung wurde diese Sicht konkretisiert. Dort hieß es u. a.: »Das Neue in der Deutschen Demokratischen Republik ist, daß der Staat die Rechte der Werktätigen schützt und verteidigt und dem Fortschritt dient«[171]. Zum Verhältnis FDGB-SED stellten die Delegierten einerseits traditionell fest: »Die Freien Deutschen Gewerkschaften sind eine gesellschaftliche Massenorganisation, die parteipolitisch nicht gebunden ist.«[172] Sie beschlossen aber andererseits auch: »Der Freie Deutsche Gewerkschaftsbund (FDGB) erblickt in der Sozialistischen Einheitspartei die Partei der Arbeiterklasse, sie ist ihr bewußter organisierter Vortrupp. Sie ist die Schöpferin der ... Volkswirtschaftspläne.« Und zu ihren wesentlichen Aufgaben rechneten sie die Mobilisierung der »Werktätigen für die Erfüllung des Fünfjahresplanes, des großen Planes des Kampfes um die Gestaltung eines friedlichen fortschrittlichen Deutschland ...« Im Hinblick auf die organisatorische Entwicklung des FDGB beschloß der Kongreß »einen entschiedenen Kampf gegen alle Erscheinungsformen des Opportunismus, gegen das Nurgewerkschaftlertum ...«[173] und die Anwendung der Prinzipien des Demokratischen Zentralismus in der Organisationsarbeit, d. h. im wesentlichen die Wahl der Leitungen von unten nach oben, die Rechenschaftspflicht aller Leitungen von oben nach unten, und – Kernstück des demokratischen Zentralismus – die Verbindlichkeit der Beschlüsse von FDGB-Kongressen »und des Bundesvorstandes für alle Vorstände und Mitglieder«[174]. Die Führungen der DDR-Gewerkschaften verstanden ihre Verbände also von 1950 an im Sinne Lenins als »Schulen der Demokratie und des Sozialismus«, die durch die massenpolitische Unterstützung der staatlichen Wirtschaftspolitik zur Erfüllung der Wirtschaftspläne beitragen und die führende Rolle der SED anerkennen.

Das Jahr 1950: Kurs auf ganz Deutschland?

Mit der Funktionalisierung der Gewerkschaften war die volksdemokratische Transformation der DDR faktisch abgeschlossen worden. Die SED hatte sich zu einer weithin disziplinierten, straff gegliederten Kaderpartei entwickelt, in der die Führungs- und Entscheidungskompetenz des Zentralkomitees bzw.

---

[171] Protokoll des 3. Kongresses des Freien Deutschen Gewerkschaftsbundes vom 30. August bis 3. September, Berlin (DDR) 1950, S. 575.
[172] Ebd., S. 576.
[173] Ebd.
[174] Ebd., S. 582. Der FDGB zählte 1950: 4,7, 1952: 5,8 Millionen Mitglieder; vgl. Geschäftsbericht des Bundesvorstandes des FDGB zum 4. FDGB-Kongreß. 1950–1954, Berlin (DDR) 1955, S. 226.

seines Politbüros kaum noch bestritten wurde und durch die Willensbildung gemäß den Prinzipien des demokratischen Zentralismus auch nicht mehr zur Disposition der Mitglieder stand.

Mit der Gründung der DDR war ein zentralistisches Staatswesen entstanden, über dessen Apparat die SED-Führung innenpolitisch fast uneingeschränkt verfügen konnte, und dessen Stabilität auch in Krisensituationen durch die Anwesenheit der Roten Armee garantiert schien. Mit dem Übergang zur langfristigen, multilateral verbundenen Wirtschaftsplanung hatten Partei- und Staatsführung ihre Dominanz auf allen Planungs- und Leitungsebenen gesichert, die es ihr – gestützt auf ihren Avantgardeanspruch – gestattete, stellvertretend für die Arbeiterklasse deren vermeintliche Interessen zu formulieren und durchzusetzen.

So gesehen gab es für die SED schon 1950 innenpolitisch keinen Grund mehr, die Proklamation der Volksdemokratie und damit den Übergang zum Sozialismus zu verzögern. Gleichwohl hatte 1950 der III. SED-Parteitag ebenso wie zuvor die 1. Parteikonferenz (1949) auf diesen Beschluß verzichtet. Der Parteikongreß verstärkte vielmehr die nationale Agitation. Pieck forderte (wiederum gegen anonyme Genossen gerichtet): »Es muß Schluß gemacht werden damit, daß sich gewisse Kreise unserer Partei in ihrer Politik und Arbeit nur auf das Gebiet unserer Republik beschränken und die gesamtdeutschen Aufgaben vernachlässigen.«[175]

Grotewohl erinnerte an die internationale Verpflichtung der SED zu einer nationalen Politik, d.h. an ihre Rolle im Kontext der sowjetischen Außenpolitik, und verlangte den Kampf für ein *einheitliches*, demokratisches und friedliebendes Deutschland[176]. Und Walter Ulbricht versuchte, die Sinn- und Sieghaftigkeit dieses Kampfes nachzuweisen: »In Westdeutschland entwickelt sich eine Lage, in der alle Schichten der Bevölkerung in Gegensatz kommen zu den Kolonisierungsmaßnahmen des USA-Imperialismus . . .« Er sah gute Chancen »für den Sieg der Nationalen Front des demokratischen Deutschland in ganz Deutschland«[177].

Daß diese Rhetorik 1950 noch illusionärer war als 1949, wird

---

[175] Protokoll der Verhandlungen des III. Parteitages der Sozialistischen Einheitspartei Deutschlands, 20. bis 24. Juni 1950, 1.–3. Verhandlungstag. Bd. 1, Berlin (DDR) 1951, S. 49.

[176] Ebd., S. 234f.

[177] Ebd., S. 412f.

auch der SED-Führung bewußt gewesen sein. Dennoch forcierte sie ihre nationale Agitation, die nun – wie die Politik aller kommunistischen Parteien – angesichts der Konfrontation der Weltmächte dem Ziel dienen sollte, die weitere Integration des Westens unter der Führung der USA zu verhindern oder zumindest zu erschweren. Obwohl der nationalen Politik nur taktische Bedeutung zukam, das verbale gesamtdeutsche Engagement der realen strategischen Orientierung (Vollendung der sozialen und politischen Integration in den Ostblock) widersprach, gab die SED-Führung ihre Deutschlandpolitik als strategische Orientierung aus. Damit aber geriet sie schließlich in die gleiche Situation wie die ebenfalls mit nationalen Argumenten operierende CDU, die die Westintegration zur unumgänglichen Voraussetzung für die Einheit bzw. Wiedervereinigung Deutschlands erklärte, obwohl auch sie damit rechnen mußte, daß so eine politische Realität geschaffen werde, die eine Lösung der nationalen Frage erschweren, wenn nicht verhindern würde. Die CDU-Bundesregierungen unter Konrad Adenauer lösten dieses Dilemma verbal mit ihrem Verweis auf die nationalen Vorteile einer westlichen »Politik der Stärke« und die aus ihr irgendwann zwangsläufig resultierende »Befreiung der Ostzone« (Adenauer). Das SED-Politbüro setzte propagandistisch auf die vermeintlich unauflösbare Einheit der deutschen Nation und die Einheitsfront »aller deutschen Patrioten im Kampf um die Wiedererlangung der Einheit Deutschlands ...«. Sie schien jedoch gleichzeitig, um den seit 1950 auch öffentlich diskutierten Wehrbeitrag der Bundesrepublik im Kontext der Nato zu verhindern, zu Konzessionen bereit und wurde initiativ.

Den Ausgangspunkt der DDR-Offerten bildete eine Tagung der Ostblock-Außenminister, die am 22. Oktober 1950 – erstmals mit offizieller DDR-Teilnahme – in Prag zusammentrat. Diese Konferenz protestierte gegen die Remilitarisierung Westdeutschlands und schlug vor, unverzüglich mit Deutschland »unter Wiederherstellung der Einheit des deutschen Staates in Übereinstimmung mit dem Potsdamer Abkommen« einen Friedensvertrag abzuschließen und binnen Jahresfrist alle Besatzungstruppen abzuziehen. Bis dahin sollte ein »aus Vertretern Ost- und Westdeutschlands paritätisch zusammengesetzter Gesamtdeutscher Konstituierender Rat« gebildet werden, der die Schaffung einer »provisorischen demokratischen, friedliebenden, gesamtdeutschen souveränen Regierung« vorbereiten, Pläne hierfür den Siegermächten »zwecks gemeinsamer Bestätigung unterbreiten« und schließlich von ihnen »zur Konsultation bei der Ausarbeitung des Friedensvertrages« herangezogen werden sollte[178].

Diese »Prager Deklaration« wurde den Westmächten von der Sowjetunion übermittelt, doch die reagierten zunächst nicht. Nach erneuten sowjetischen Vorstößen gegenüber Frankreich und Großbritannien am Vorabend der Brüsseler Konferenzen des Atlantikrates und der drei westlichen Außenminister über die endgültige Form des Bündnissystems (Dezember 1950) wurde eine westliche Antwort veröffentlicht. Sie forderte Wahlen in Deutschland und regte statt der von der Sowjetunion vorgeschlagenen Außenminister-Konferenz ein Treffen ihrer Stellvertreter zur Vorbereitung einer Tagesordnung an. Hierauf ging die Sowjet-Regierung ein. Doch die im März 1951 in Paris begonnene Konferenz endete ergebnislos. Die Westmächte weigerten sich, Nato- und EVG-Planungen zu diskutieren, die Sowjetunion schien zu resignieren. Am 21. Juni, nach 74 Sitzungen, wurde die Tagung ohne Resultat abgebrochen.

Begleitet war die sowjetische Initiative von Vorstößen der DDR. Am 30. Januar 1951 »appellierte« die Volkskammer an den Bundestag. Der Gesamtdeutsche Rat sollte nun die Bedingungen für die Durchführung freier, allgemeiner, gleicher und direkter Wahlen in ganz Deutschland beraten, und am 15. September, in einer neuen Erklärung der Volkskammer, verzichtete die DDR auch auf die paritätische Zusammensetzung dieses Gremiums.

Da die Bundesregierung zunächst ein paritätisch besetztes Gremium abgelehnt und zudem darauf bestanden hatte, mögliche Wahlen durch eine UN-Kommission überprüfen zu lassen, was die DDR wiederum als »Einmischung in diese innere friedliche Angelegenheit der Deutschen« ablehnte, bot die gescheiterte Offerte beiden Staaten erneut Gelegenheit, die Schuld an der Spaltung der anderen Seite anzulasten – obwohl doch beide Seiten mit ihren Aktionen und Reaktionen nur verdeutlicht hatten, wie eng ihr Spielraum nach der Gründung der Staaten und ihrer sich abzeichnenden Einbindung in die Blöcke geworden war. Weder die DDR- noch die Bundesregierung waren bereit, im Interesse eines in seinen soziopolitischen Strukturen unge-

[178] Vgl. Dokumente zur Deutschlandpolitik der Sowjetunion. Bd. 1, Berlin (DDR) 1957, S. 244 ff.

wissen einheitlichen Deutschlands den Status quo in ihrem Bereich ernsthaft aufs Spiel zu setzen.

Auch nach dem Scheitern dieses Vorstoßes hielt die SED an ihrer nationalen Argumentation fest und baute sie ideologisch aus. Sie stützte sich dabei auf Stalin[179], der schon 1913 die Nation als »historisch entstandene stabile Gemeinschaft von Menschen, entstanden auf der Grundlage der Gemeinschaft der Sprache, des Territoriums, des Wirtschaftslebens und der sich in der Gemeinschaft der Kultur offenbarenden psychischen Wesensart« definiert hatte. 1951 konstatierte Fred Oelßner, damals Mitglied des SED-Politbüros, daß sich – wie es seit dem Beginn der 70er Jahre auch die Bundesregierungen zu bekunden begannen – weder an der Gemeinschaft der Sprache noch an der des Territoriums trotz der »künstlichen Grenzen« oder an der psychischen Wesensart etwas geändert habe. »Etwas komplizierter« sah er die Gemeinschaft des Wirtschaftslebens infolge der »Behinderung und Unterbrechung des innerdeutschen Handels [durch] die amerikanischen Okkupanten«, die zu ökonomischen Problemen im Osten und Westen geführt hätten[180]. Doch gerade diese »Schwierigkeiten« wertete Oelßner als »Ausdruck der Tatsache, daß die heute getrennten Gebiete Deutschlands die Teile eines zusammengehörenden Wirtschaftskörpers darstellen«. Und er resümierte: »... wenn wir sagen, daß die deutsche Nation nicht mehr existiert, nehmen wir der nationalen Front ... den Boden, aus dem sie erwachsen ist« und: »Man soll doch nicht glauben, daß eine Nation in fünf oder zehn Jahren einfach von der Erde verschwinden könne! Die Geschichte hat bewiesen, daß eine Nation so rasch nicht verschwinden kann.«

Das Jahr 1952: Die Verkündung der Volksdemokratie. Sozialismus in einem halben Lande

An dieser nationalen Argumentation hielt das Politbüro mit einigen Modifikationen bis gegen Ende der sechziger Jahre fest. 1952 aber löste die SED den Widerspruch zwischen der realen volksdemokratischen Entwicklung und seiner ideologisch-theoretischen Begründung. Auf der 2. SED-Parteikonferenz am 9.–12. Juli bekannte sich die Parteiführung zu ihrer seit 1945

---

[179] Marxismus und nationale Frage. In: Josef W. Stalin, Werke. Bd. 2, 2. Aufl. Berlin 1950, S. 272.
[180] Zit. nach: Fred Oelßner, Die heutige Bedeutung der nationalen Frage. 6. Aufl. Berlin (DDR) 1954, passim.

verfolgten Transformationsstrategie. Die Delegierten der Konferenz beschlossen einstimmig, »daß der Aufbau des Sozialismus zur grundlegenden Aufgabe in der Deutschen Demokratischen Republik geworden ist«[181]. Anlaß dieser Entscheidung war der Versuch der Sowjetunion, durch ein neues Angebot für Viermächte-Verhandlungen über einen Friedensvertrag mit ganz Deutschland die kurz vor ihrem Abschluß stehenden Verhandlungen über die Bildung der (West)Europäischen Verteidigungsgemeinschaft (EVG) und vor allem die Teilnahme der Bundesrepublik an der Gemeinschaft zu verhindern sowie die Gegner des zur gleichen Zeit zur Debatte stehenden »Generalvertrages«, der die Ablösung des 1949 erlassenen Besatzungs-Statuts für Westdeutschland bewirken sollte, zu unterstützen. Diesmal handelte die Sowjetunion formaliter auf Anregung der DDR. Die Regierung Grotewohl hatte am 13. Februar die Siegermächte um die »Beschleunigung« des »Abschlusses eines Friedensvertrages mit Deutschland« gebeten. Antwort erhielt sie nur von der Sowjetunion. Die ließ schon am 20. Februar wissen, sie teile die DDR-Sicht, daß der »Abschluß eines Friedensvertrages mit Deutschland in Übereinstimmung mit den Potsdamer Beschlüssen und unter Teilnahme Deutschlands notwendig« sei[182]. Die sowjetische Antwort war eben eingetroffen, da trat in Ostberlin das ZK zusammen. Das Gremium ließ sich von Ulbricht über die internationale Situation informieren, insbesondere über die »gegenwärtige Lage in Westdeutschland« und über den »Kampf um einen Friedensvertrag mit Deutschland« und berief die 2. Parteikonferenz ein. Zu welchem konkreten Zwecke, das blieb vorerst offen. Der Zusammenhang von DDR-Initiative und positiver Sowjet-Antwort aber mochte andeuten, daß im Mittelpunkt eine Entscheidung von nationaler Tragweite stehen würde. Am 10. März 1952 löste die Sowjetunion ihr Versprechen ein. Sie überreichte den Westmächten in einer Note Vorschläge für die Grundzüge eines Friedensvertrages mit Deutschland[183]. Sie schlug vor, die »schleunigste Bildung einer gesamtdeutschen, den Willen des deutschen Volkes ausdrückenden Regierung« zu fördern.

[181] Protokoll der Verhandlungen der 2. Parteikonferenz der Sozialistischen Einheitspartei Deutschlands. Berlin (DDR) 1952, S. 492.

[182] Neues Deutschland v. 21. 2. 1952.

[183] Nach Heinrich von Siegler, Wiedervereinigung und Sicherheit Deutschlands. Eine dokumentarische Diskussionsgrundlage, 4. erw. Aufl., Bonn, Wien, Zürich 1960, S. 32 f.

Um die Entwicklung Deutschlands zu einem »einheitlichen, unabhängigen, demokratischen und friedliebenden Staat« in Übereinstimmung mit den »Potsdamer Beschlüssen« zu sichern, präsentierte die Sowjetunion Leitsätze für einen Friedensvertrag, die u. a. vorsahen, Deutschland in den Grenzen von 1945 als einheitlichen Staat wiederherzustellen, das Land zu verpflichten, sich »keinerlei Koalition anzuschließen« oder »Militärbündnisse einzugehen, die sich gegen irgendeinen Staat richten, der mit seinen Streitkräften am Krieg gegen Deutschland teilgenommen hat«, den Deutschen jedoch »keinerlei Beschränkungen« für »die Entwicklung einer Friedenswirtschaft« aufzuerlegen.

Es sollte Deutschland gestattet werden, »eigene nationale Streitkräfte . . . zu besitzen, die für die Verteidigung des Landes notwendig sind«, und dazu auch die notwendige Produktion von »Kriegsmaterial und -ausrüstung«. Schließlich wurde angeregt, das Land bei einem Aufnahmeantrag in die Vereinigten Nationen zu unterstützen.

Grundsätzlich neue Momente enthielt die Offerte nicht. Sie entsprach inhaltlich weithin der »Prager Deklaration« von 1950. Dennoch erregte der neue sowjetische Vorstoß wegen seiner Geschlossenheit und des Termins größere Aufmerksamkeit als die vorangegangenen Sowjet-Initiativen. Zudem präzisierten die »Leitsätze« die früheren Vorschläge. Deutlicher als bisher wurde aber auch das Junktim von Wiedervereinigung und Neutralisierung erkennbar, das den sowjetischen Erwägungen zugrundelag. Dunkel allerdings blieb nach wie vor, welche sozialen, politischen und wirtschaftlichen Merkmale ein »einheitlicher, unabhängiger, demokratischer und friedliebender« Staat aufweisen mußte, der »in Übereinstimmung« mit den »Potsdamer Beschlüssen« existieren wollte. Immerhin hatte sich kaum einer der Potsdamer Leitsätze als unstrittig erwiesen.

Freilich, auch die SED hatte zu bedenken: War die Offerte ernst gemeint und nicht nur ein Manöver, um die EVG-Verhandlungen durch eine Deutschland-Konferenz zu blockieren, und vor allem, gingen die Westmächte auf sie ein, dann waren die Teilstaaten aufzulösen, eine gesamtdeutsche Republik zu bilden und im Kalten Krieg zu neutralisieren. Wie dieses Land sich politisch und sozial entwickeln würde, schien nur in einem Punkte ungewiß: entweder unter einer eher sozialkonservativen Regierung, etwa vom Zuschnitt der damaligen Bonner Koalition, oder aber, und das war in Anbetracht der Weimarer Wahlergebnisse in Mitteldeutschland nicht unwahrscheinlich, unter einer sozialreformerischen Mehrheit nach dem Charakter der damaligen Bonner Opposition, der SPD. Auszuschließen war auf jeden Fall ein nennenswerter Einfluß der SED, zu erwarten vielmehr der Zerfall dieser Partei in ihre ursprünglichen Teile: in Kommunisten und Sozialdemokraten. Doch derlei heutige Erwägungen lassen sich bislang für die SED-Führung nicht nachweisen. Und das vielleicht auch deshalb nicht, weil sie gut wußte, wie tief der Graben war und wie schmal die Basis für einen Kompromiß zwischen den Weltmächten. Der im Meinungsaustausch zwischen ihnen anfänglich noch geschäftsmäßig kooperative Ton war zunehmend der bloßen agitatorischen Wiederholung längst bekannter Positionen gewichen.

Am 25. März 1952 erwiderten die Westmächte, eine detaillierte Diskussion der sowjetischen Vorschläge könne erst beginnen, wenn zuvor von einer UN-Kommission festgestellt sei, daß in Deutschland die Voraussetzungen für freie Wahlen existieren. Sie griffen damit eine Forderung auf, die sie bereits 1951 erhoben hatten. Zugleich kritisierten sie die von der Sowjetunion verlangte Bündnisfreiheit für Deutschland. In ihrer Reaktion vom 9. April ging diese auf den westlichen Wahlwunsch positiv ein, schlug jedoch statt einer Kommission der Vereinten Nationen einen Viermächte-Ausschuß vor und beharrte auf ihrem Verlangen nach Bündnisfreiheit: Sie liege auch im Interesse der Westmächte und der übrigen europäischen Nachbarn Deutschlands. Am 13. Mai antworteten die Westmächte, Deutschland müsse das Recht haben, Verteidigungsabkommen zu schließen. Generell sei an Gespräche über einen Friedensvertrag erst zu denken, wenn eine gesamtdeutsche Regierung existiere, die aber könne erst gebildet werden, wenn zuvor freie Wahlen abgehalten worden seien, und diese wiederum seien erst möglich, wenn eine UN-Kommission deren Voraussetzungen geprüft habe. Trotz dieser Meinungsverschiedenheiten forderte die Sowjetunion am 24. Mai dazu auf, unverzüglich mit direkten Viermächte-Verhandlungen über einen Friedensvertrag zu beginnen. Für den 10. Juli wurde in Moskau die Übergabe der westlichen Antwort erwartet. Ihr Inhalt war, wie der der vorangegangenen westlichen Äußerungen, mit der Bundesregierung abgesprochen, und niemand in Bonn, aber auch niemand in Ostberlin erwartete – so scheint es – eine sensationelle Wendung.

Die Westmächte hatten sich von der Sowjet-Note ebensowenig daran hindern lassen, ihr Integrationskonzept schnell durchzusetzen, wie die Bundesregierung unter Adenauer bereit war, ihre Mitwirkung an diesem Prozeß zu überprüfen oder zu verzögern: Der Vertragsabschluß wurde eher beschleunigt. Die Außenminister der USA, Frankreichs, Englands und der Bundesrepublik unterzeichneten am 26. Mai 1952 in Bonn den Deutschlandvertrag, und einen Tag später wurde in Paris der EVG-Vertrag paraphiert. Damit war die Entscheidung der Bundesrepublik für einen Wehrbeitrag und für die militärische Westintegration grundsätzlich gefallen.

Daß es der SED-Führung in dieser Zeit vor allem darum ging, den Fortgang dieser Entwicklung abzuwarten, zeigen Vorbereitung und Verlauf der Parteikonferenz recht deutlich: Weder in der ZK-Direktive über die Themen der Delegierten-Konferenzen, noch in der Parteipresse war der bevorstehende Beschluß auch nur erwähnt worden. Vielmehr hieß es in der Direktive über das Thema des Referats in den Versammlungen der Grundorganisationen: »Das Referat soll ausgehen von den Hauptaufgaben der Partei im Kampf um den Frieden, die Herstellung eines einheitlichen, unabhängigen friedliebenden Deutschlands, die Erfüllung des Fünfjahresplanes ... und um die Entwicklung unserer Partei zu einer Partei neuen Typus«[184]. Das ›Neue Deutschland‹ hatte in den Wochen vor der Tagung unter der Fragestellung »Was erwarten die Werktätigen von der 2. Parteikonferenz?« eine Rubrik eingerichtet, und Redakteure und Leser gaben Antworten wie: »Fördert die arbeitenden Frauen« oder »Bessere Ausnutzung des Zements«[185]. Und auch die ›Einheit‹, und der ›Neue Weg‹, das Funktionärs-Organ, verzichteten auf Ankündigung oder Diskussion des eigentlichen politischen Inhalts der Parteikonferenz. Diese diskrete Vorbereitung des Parteibeschlusses, das so offenbare Verständnis innerparteilicher Demokratie spiegelte sich dann auch in den Reden und disziplinierten Diskussionsbeiträgen auf der Parteikonferenz selbst wider.

Daß die Delegierten so reagierten, verdeutlicht freilich auch, daß sich die SED tatsächlich zu einer Partei neuen Typus gewandelt hatte: In der Mitgliederschaft bildeten sowohl die alten KPD-wie die ehemaligen SPD-Genossen nur noch Minderheiten; die

[184] Direktive für die Wahlen zur 2. Parteikonferenz und die Neuwahlen der leitenden Parteiorgane von den Grundorganisationen bis zu den Landesleitungen v. 22. Februar 1952. In: Dokumente der SED, Bd. 3, S. 723ff.
[185] Neues Deutschland v. 8. 7. 1952; vgl. auch Neues Deutschland v. 29. 6. 1952.

jungen SED-Anhänger hatten sich, häufig karrierebewußt, rasch an die Regeln der Kaderpartei gewöhnt, und beide Gruppen hatten die vorangegangenen Säuberungen Disziplin gelehrt.

Doch nicht nur dieses Vertrauen in die Disziplin der Delegierten mag das Politbüro veranlaßt haben, seinen Sozialismus-Beschluß gleichsam als Verschlußsache zu behandeln und erst auf der Parteikonferenz bekanntzugeben. Wahrscheinlich ist, daß die Parteiführung mit ihrer Entscheidung so lange zurückhielt, bis kaum noch »Gefahr« bestand, die Westmächte könnten auf das sowjetische Verhandlungsangebot positiv eingehen. Zu vermuten ist auch, daß auf die KPdSU Rücksicht zu nehmen, also eine Desavouierung ihrer deutschlandpolitischen Initiative zu vermeiden war. Diese Annahme erklärt vielleicht auch, weshalb die KPdSU – anders als zu den SED-Parteitagen und -Konferenzen seit 1947 – zur 2. Parteikonferenz statt einer Delegation nur ein Telegramm sandte, in dem sie das neue Ziel mit keinem Wort erwähnte. Zwar hieß es am 22. Juli 1952 in einem Leitartikel der von der SMAD begründeten und von sowjetischen Redakteuren redigierten Berliner ›Täglichen Rundschau‹: »J.W. Stalin hatte die Gründung der friedliebenden Deutschen Demokratischen Republik einen ›Wendepunkt in der Geschichte Europas‹ genannt. Sein Wort gilt angesichts des planmäßigen Aufbaus des Sozialismus in der DDR noch viel mehr«. Doch die Sowjet-Presse ging auf die Beschlüsse der 2. Parteikonferenz nicht ein. Noch am 6. Oktober 1952, bei einem Staatsakt in Berlin anläßlich des dritten Jahrestages der DDR, wiederholte Nikolai Schwernik, damals Vorsitzender des Präsidiums des Obersten Sowjets, die Formel Stalins vom einheitlichen, unabhängigen, friedlichen, demokratischen Deutschland gleich neun Mal. Den Aufbau des Sozialismus aber ließ er unerwähnt und sprach statt dessen von den »gewaltigen Vorzügen der demokratischen Ordnung«, womit er offenbar den Status quo der DDR beschreiben wollte[186]. Er sagte damit genau das, was Stalin am gleichen Tag Grotewohl telegraphiert hatte: »Ich bitte Sie, meine Wünsche für weitere Erfolge bei dem großen Werk der Schaffung eines einheitlichen, unabhängigen, demokratischen, friedliebenden Deutschland entgegenzunehmen.«[187] Erst Mitte Oktober nahmen die sowjetischen Kommunisten den Aufbau des Sozialismus in der DDR mit offiziellem Applaus zur Kenntnis. Der XIX. KPdSU-Parteitag

[186] Tägliche Rundschau v. 7. 10. 1952.
[187] Ebd.

reagierte auf Piecks Hinweis: »Wir haben ... auf unserer 2. Parteikonferenz beschlossen, daß die Schaffung der Grundlagen des Sozialismus in der Deutschen Demokratischen Republik zur grundlegenden Aufgabe geworden ist«, mit »stürmischem Beifall«[188].

Daß angesichts des außenpolitischen Anlasses des Konferenz-beschlusses, aber auch angesichts der bis 1952 weithin abgeschlossenen Übernahme des sowjetischen Sozialismus-Modells die Entscheidung der Parteikonferenz keine Wende der SED-Politik bedeuten konnte, sondern vor allem dem Zwecke diente, die Unumkehrbarkeit der volksdemokratischen Entwicklung zu unterstreichen, zeigten die inhaltlichen Beschlüsse der 2. Parteikonferenz. Sollte das Zentralkomitee tatsächlich, wie Ulbricht behauptete, den Aufbau des Sozialismus »in Über-einstimmung mit den Vorschlägen aus der Arbeiterklasse, der werktätigen Bauernschaft und aus anderen Kreisen der Werktä-tigen« beschlossen haben[189], dann wurden jene, die sich von dieser Entscheidung womöglich eine neue Qualität der innen-politischen Entwicklung versprochen hatten, enttäuscht. Denn was die Parteikonferenz verabschiedete, war nicht mehr als die längst fällige Kennzeichnung der DDR als Volksdemokratie im Sinne Dimitroffs und die Absicht, die weitere sozialistische Umgestaltung rasch zu vollenden.

So hieß es – durchaus in Analogie zur bisherigen Praxis und ihrer ideologisch-theoretischen Interpretation: »Das Hauptin-strument bei der Schaffung der Grundlagen des Sozialismus ist die Staatsmacht. Deshalb gilt es, die volksdemokratischen Grundlagen der Staatsmacht ständig zu festigen. Die führende Rolle hat die Arbeiterklasse ... Es ist zu beachten, daß die Verschärfung des Klassenkampfes unvermeidlich ist und die Werktätigen den Widerstand der feindlichen Kräfte brechen müssen.« Als »Hauptaufgabe auf wirtschaftlichem Gebiet« de-finierte die Parteikonferenz »die weitere Erfüllung des Fünfjah-resplans zur Entwicklung der Volkswirtschaft«[190].

Die wenigen neuen, zumeist aber nur strukturergänzenden Aufgaben, die die Parteikonferenz formulierte, waren die »Stär-kung der demokratischen Volksmacht« (inhaltlich: die kurz darauf folgende Auflösung der fünf Länder zugunsten der Bil-

[188] Tägliche Rundschau vom 14. 10. 1952.
[189] Protokoll der Verhandlungen der 2. Parteikonferenz der sozialistischen Einheitspartei Deutschlands. Berlin (DDR) 1952, S. 58.
[190] Ebd., S. 489 ff.

dung von 15 zentral angeleiteten Verwaltungsbezirken), die »Organisierung bewaffneter Streitkräfte, die ... imstande sind, die Errungenschaften der Werktätigen vor einem imperialistischen Angriff zu schützen« (inhaltlich: Stärkung und Legitimierung der seit 1948 bestehenden »Kasernierten Volkspolizei«) und der Zusammenschluß von Landarbeitern und werktätigen Bauern zu »Produktionsgenossenschaften ... auf freiwilliger Grundlage« (inhaltlich: die Kollektivierung der Landwirtschaft).

Auch für die nationale Argumentation der Partei brachte die II. Parteikonferenz keine Wende, wohl aber eine Verschärfung der Agitation. Wie seit 1949 setzte die Partei rhetorisch auf die Attraktivität der DDR-Ordnung für die vermeintlich starke nationale Bewegung in der Bundesrepublik. Ulbricht: »Die Schaffung der Grundlagen des Sozialismus ... wird helfen, den Bonner Blutsbrüdern des amerikanischen Monopolkapitals ... eine entscheidende Niederlage beizubringen.«[191] Und im Beschluß hieß es: »Der Sturz des Bonner Vasallen-Regimes ist die Voraussetzung für die Wiederherstellung der Einheit Deutschlands.«[192]

Analog zu dieser Formel beschloß der westdeutsche KPD-Parteivorstand Anfang November die Parole »Nur der unversöhnliche und revolutionäre Kampf aller deutschen Patrioten kann und wird zum Sturz des Adenauer-Regimes ... führen« und prognostizierte, daß »auf den Trümmern dieses Regimes ein freies, einheitliches, demokratisches und friedliebendes Deutschland geschaffen werden« könne[193]. Die SED akzeptierte diese Zielsetzung und rief neun Tage später gleichfalls zum »unversöhnlichen und revolutionären Sturz des Adenauer-Regimes« und zur »Errichtung einer Regierung der nationalen Wiedervereinigung« auf[194].

Ging diese Agitation auch über die politische Realität der Bundesrepublik hinweg, so trug sie doch dazu bei, die Trennungslinie zwischen den beiden deutschen Staaten noch schärfer zu markieren. Der Bundesregierung und später (1956) dem Bundesverfassungsgericht lieferte sie zusätzliche Gründe für den Verbotsantrag und das Verbot der KPD, die sich mit diesem

[191] Ebd., S. 61f.
[192] Ebd., S. 490.
[193] Programm der nationalen Wiedervereinigung Deutschlands vom 2. November 1952. Hrsg. v. Parteivorstand der KPD. o. O. (Stuttgart) o. J. (1952), S. 11.
[194] Dokumente der SED. Bd. 4, Berlin (DDR) 1954, S. 190.

Programm erstmals seit 1945 zu revolutionären Zielen bekannt hatte.

Für die innerparteiliche Argumentation schien diese kämpferische nationale Stoßrichtung durchaus funktional. Mit Hinweisen auf die bundesrepublikanische »Politik der Stärke«, auf die Tätigkeit des SPD-Ostbüros, die »Kampfgruppe gegen Unmenschlichkeit« oder die Organisation Gehlen, ließ sich die auf der Konferenz formulierte These von der Verschärfung des Klassenkampfes begründen und mit ihr ein ideologisches Kernstück der Stalinschen Politik des sozialistischen Aufbaus.

Einige Elemente dieser Konzeption hatte die KPD bereits im Prozeß ihrer Bolschewisierung übernommen, andere nach 1945 in der SBZ/DDR akzeptiert und durchgesetzt:

- das in der Stalinischen KPdSU herrschende (ursprünglich leninistische) Selbstverständnis der Partei als hierarchisch gegliederte, straff zentralistisch geführte Avantgarde, die die Arbeiterklasse als partiell unbewußte, deshalb beständig zu politisierende, gleichwohl formal herrschende Klasse repräsentiert, und alle gesellschaftlichen Klassen und Schichten über »Transmissionen« (Massenorganisationen) inspiriert und mobilisiert;
- die aus der Theorie des sozialistischen Aufbaus »in einem Lande« resultierende Nutzung des von der Partei gelenkten Staates als wesentlichstes Transformations-Instrument, das die Gesellschaft gegen äußere Feinde schützt, die entmachteten Klassen unterdrückt und die sozioökonomische Entwicklung zentralistisch plant und leitet;
- die angesichts der isolierten Revolution in Rußland entstandene, dann aber vor allem den Machtzuwachs und die Repressionsfunktion des Staates begründende Behauptung, beim fortschreitenden sozialistischen Aufbau verschärfe sich der Klassenkampf auch im Inneren, ein Lehrsatz, der zwar nur bis 1956 für die SED formell verbindlich war, der unausgesprochen aber noch heute dazu dient, das Absterben des Staates in die Utopie einer kommunistischen Weltgesellschaft zu vertagen;
- die starke Tendenz, den ursprünglich emanzipatorischen Gehalt des Sozialismus auf rasches ökonomisches Wachstum und formales Volkseigentum zu reduzieren, über das der Staat als ideeller, mehr ideologisch als demokratisch legitimierter Repräsentant verfügt, gemäß den von der Avantgarde formulierten gesellschaftlichen Gesamtinteressen.

Was die SED als ihr Programm des sozialistischen Aufbaus verabschiedete, war mithin in seinem Kern die Fortsetzung der »Revolution von oben«, d. h. ein Konzept, in dem Arbeiter, Bauern und Mittelschichten eher als Adressaten denn als politische Akteure fungieren, die ihren politischen Beitrag vor allem in Form hoher Produktivität und politischer Loyalität leisten sollen, und denen die Avantgarde gemäß ihren Leistungskriterien Einkommen zuteilt bzw. gemäß ihrer Interpretation des jeweiligen Entwicklungsniveaus demokratische Teilhabe eröffnet oder verwehrt. —

Für eine flexible Deutschlandpolitik bot die Zielsetzung kaum Platz. Der Kampf um die Einheit des Landes blieb Aufgabe vor allem der Agitatoren. Sie mochten hoffen, im Westen Deutschlands die immer wieder vorhergesagte Massenbewegung tatsächlich auszulösen. Doch diese Hoffnung erwies sich als ebenso illusionär wie die der Bundesregierung, durch eine Politik der Stärke und der Westintegration die Sowjetunion zur Hergabe der DDR zu bewegen. Auch wenn es ein knappes Jahr später, unmittelbar nach Stalins Tod, so schien, als sei die Sowjetunion doch zu einem Arrangement mit dem Westen auf Kosten der DDR bereit, so wurden diese sowjetischen Andeutungen im Westen doch kaum beachtet. Das gleiche gilt für die deutschlandpolitische Initiative der Sowjet-Führung unmittelbar vor dem Nato-Beitritt der Bundesrepublik im Jahre 1955. Zwar bewirkte sie neue Ost-West-Gespräche, aber wiederum war der Westen nicht bereit, sich in seinen Integrationsplänen beirren zu lassen. Und ungewiß blieb deshalb auch diesmal, ob bzw. zu welchen Konditionen die Einheit zu erlangen gewesen wäre. In der Bundesrepublik brauchte es seit 1952 nahezu zwanzig Jahre, ehe sich die Politik von den alten Einheitskonzepten abzuwenden begann und einen Modus vivendi suchte. Zu dieser Zeit aber hatte die SED bereits zu behaupten begonnen, die Einheit der Deutschen sei eine politische Fiktion, in Deutschland hätten sich zwei Nationen herausgebildet: eine kapitalistische und eine sozialistische, und zusammenkommen könnten sie nur, wenn »der Sozialismus in der Bundesrepublik an die Tür klopft«, wie es Erich Honecker 1981 formulierte und damit – eher beiläufig – wiederholte, was Walter Ulbricht 1952 noch kämpferisch gefordert hatte. Daß dies demnächst geschehen könnte, glaubt in der DDR-Führung wohl niemand; und so wird es denn auch künftig beim Sozialismus im halben Lande bleiben.

Dokumente

1. Richtlinien für die Arbeit der deutschen Antifaschisten in den von der Roten Armee besetzten deutschen Gebieten vom 5. April 1945

Seit Anfang 1945 bereitete sich die KPD-Führung auf ihre Rückkehr nach Deutschland vor. Neben allgemeinen Programmen entwarf sie Arbeitsrichtlinien für die verschiedensten Bereiche ihrer künftigen Tätigkeit. Formuliert wurden u. a. Konzepte für die Agrarpolitik, die »ideologische Aufklärung«, die Industrie und für Film und Theater.

In den ersten Apriltagen diskutierte das Politbüro, die engere Parteiführung, Sofortmaßnahmen. Zu diesem Zeitpunkt war bekannt, daß die Abreise eines Teils der Emigranten unmittelbar bevorstehe. Damit die Rückkehrer (»Initiativgruppen« und »NKFD«-Mitarbeiter), aber auch die reaktivierten Parteimitglieder im Lande einheitlich agierten, wurden Arbeitsrichtlinien ausgearbeitet und am 5. April 1945 verabschiedet.

Deutlich wird auch aus diesem Text die Führungsrolle der »Gruppe Ulbricht«. Sie ist gemeint, wenn im Abschnitt VI, Absatz a) von den »leitenden Genossen« gesprochen wird, die »ihre Aufgaben« von »der Basis beim Stab der 1. weißrussischen Front« aus durchführen.

Quelle: Horst Laschitza, Kämpferische Demokratie gegen Faschismus. Die programmatische Vorbereitung auf die antifaschistisch-demokratische Umwälzung in Deutschland durch die Parteiführung der KPD. Berlin 1969, S. 247 ff.

Die Richtlinien dienen der Anleitung für die antifaschistische Arbeit in den ersten Wochen. Die auf dem besetzten deutschen Gebiet tätigen Antifaschisten arbeiten im vollen Einvernehmen mit der Besatzungsbehörde und sorgen durch ihre Arbeit unter der Bevölkerung dafür, daß die Befehle und Anweisungen der Besatzungsbehörde als im Interesse des deutschen Volkes liegend unbedingt durchgeführt werden. Die Hauptaufgaben sind: Herstellung der Ordnung, Schaffung der Bedingungen des täglichen Lebens der Bevölkerung, Unterstützung der Roten Armee bei der Liquidierung der nazistischen Terror- und Provokationsnester und Organisierung des Kampfes für die politisch-moralische Ausrottung des Nazismus, Militarismus aus dem Leben des deutschen Volkes ...

II. Aufgaben für das gesamte von der Roten Armee besetzte Gebiet:

a) Herausgabe einer antifaschistischen deutschen Zeitung unter dem Namen ›Deutsche Volkszeitung‹. Die Zeitung ist das Publikationsorgan der Stadt- und Ortsverwaltungen des besetzten Gebietes. Die Zeitung wird zunächst in einer der größeren Städte, wie Dresden oder Cottbus, hergestellt. Die Zeitung erscheint zunächst dreimal wöchentlich, später täglich mit 4–6 Seiten. Inhalt der Zeitung: Solange die Kriegshandlungen andauern, muß der Inhalt der Zeitung vorwiegend auf die Beeinflussung der Hitlerarmeen und der Bevölkerung im Hitlergebiet orientiert sein. Die Schilderung des Lebens in den besetzten Städten wird die Kapitulationsstimmung in der Hitlerarmee fördern. Die Zeitung soll die Bevölkerung des besetzten deutschen Gebietes zur Initiative für die Überwindung der Not mobilisieren im Sinne der Herstellung der Ordnung, Sicherung einer notdürftigen Ernährung, Unterbringung der Wohnungslosen, Ingangsetzung der städtischen Versorgungsbetriebe und eines Notverkehrs. Die Bevölkerung überzeugen, daß die Maßnahmen des Ortskommandanten der Roten Armee und der Gemeindeverwaltungen den Interessen der Bevölkerung entsprechen. Der Bevölkerung ist die Ursache der Katastrophe, der Kriegsschuld Deutschlands, die Verbrechen des Nazisystems und die Mitverantwortung des deutschen Volkes zu erklären . . .

Die antifaschistischen fortschrittlichen Kräfte sollen in der Zeitung zu Wort kommen, um die Einheit der fortschrittlichen Kräfte aus allen werktätigen Schichten, der Kommunisten, Sozialdemokraten, bürgerlichen Demokraten und Christen auf neuer antifaschistischer Grundlage zu schaffen . . .

Die Zeitung soll die Bevölkerung überzeugen, daß ehrliche Erfüllung der Wiedergutmachungsbedingungen, gründliche Liquidierung des Nazismus, Abkehr von der Naziideologie und von Revancheplänen, konsequente Demokratisierung des gesamten Denkens und Handelns sowie freundschaftliches Verhalten zur Sowjetunion und zu den anderen demokratischen Völkern die Voraussetzung ist für eine würdige Existenz des deutschen Volkes und für die spätere Rückkehr in die Gemeinschaft der Völker.

b) Im besetzten Gebiet wird eine deutsche antifaschistische Rundfunksendung organisiert. Sie arbeitet auf Grund der gleichen, für die Zeitung angeführten politischen Richtlinien. Der

Sender spricht im Namen der Stadt, wo Zeitung und Sendestation ihre Basis haben ...

c) Herausgabe von antifaschistischer und fortschrittlicher Literatur für Bibliotheken, Volkslesehallen, Lehrmaterial für Kurse und Schulen sowie Massenliteratur für den Vertrieb unter der Bevölkerung.

Für die Herausgabe dieser Literatur sind verantwortlich:

1. Für marxistisch-leninistische Literatur: Verlag für ausländische Literatur in Moskau.

2. Für deutsche antifaschistische Literatur, die von den Interessen des deutschen Volkes ausgeht, ist verantwortlich die Gruppe führender Genossen, die im deutschen Gebiet arbeitet ...

3. Für Material für antifaschistische Schulungskurse und Schulen, das als Manuskript gedruckt wird, ist ebenfalls die Gruppe führender Genossen verantwortlich. Dieses Material wird herausgegeben von der Volksbildungskommission bei der Stadtverwaltung einer großen Stadt.

III. Schaffung von Verwaltungsorganen in den Städten und Dörfern des besetzten Gebietes.

Nach Ernennung eines Bürgermeisters durch den Ortskommandanten der Roten Armee wird eine Gemeindeverwaltung aus fünf bis sieben Antifaschisten geschaffen. Je nach der Größe der Stadt werden Abteilungen gebildet: Ernährung, Wohnung, städt. Betriebe (Gas, Wasser, Elektrizität, Transport), Gewerbe, Handwerk, Handel, Gesundheitswesen und Fürsorge für Kinder, Invaliden und Schwerkriegsbeschädigte, Volksbildung (Kurse, Bibliotheken, Schulen, Film), Finanzen.

Die Gemeindeverwaltung stützt sich in den Betrieben auf Betriebsvertrauensleute (später Betriebsräte) und in den Wohngebieten auf Block- oder Straßenvertrauensleute. Die Gemeindeverwaltung kann im Einvernehmen mit der Besatzungsbehörde die Vertrauensleute zu Sitzungen zusammenrufen und auch zur Durchführung ihrer Aufgaben Einwohnerversammlungen einberufen.

Für die Auswahl und Registrierung der Funktionäre ist das »Personalamt« verantwortlich. Die Leitung dieses Amtes soll in der Regel ein Genosse in den Händen haben, der in den letzten Jahren außerhalb Deutschlands als antifaschistischer Funktionär gearbeitet hat. Für die Funktionen in der Gemeindeverwaltung werden Antifaschisten herangezogen, die schon vor 1933 antifaschistischen Organisationen angehört haben und während der Hitlerherrschaft standhaft geblieben sind ...

Es ist besonders zu prüfen, wer von den Intellektuellen, Ingenieuren, Ärzten und Lehrern herangezogen werden kann, die zwar in den letzten Jahren der Nazipartei beigetreten waren, aber keine aktive Tätigkeit ausgeübt haben. Frauen, deren Männer Mitglied der Nazipartei waren, können nicht zu Funktionen herangezogen werden.

IV. Direktiven für die nächsten Aufgaben der Stadtverwaltung.
a) Die Stadt- und Gemeindeverwaltungen haben in erster Linie die Bevölkerung zu überzeugen, daß die Durchführung der Befehle und Maßnahmen der Militärverwaltung in ihrem eigenen Interesse liegt.

Vor allem sind die Behörden zu unterstützen bei der Aufdekkung und Vernichtung der Naziverbrecher, Saboteure und ihrer Helfer und Hintermänner. Aktive Unterstützung bei der Registrierung aller Mitglieder der Naziorganisationen sowie der Angehörigen der Wehrmacht und des »Volkssturms«. Unterstützung der von den Militärbehörden angeordneten Arbeitsleistungen und sonstigen Dienste sowie strikte Durchführung aller Wiedergutmachungsverpflichtungen.

Für die Arbeit der wichtigsten Abteilungen der Gemeindeverwaltungen werden folgende Hinweise gegeben: a) Ernährung: (Aufgaben der Abteilung für Ernährung). Zur Sicherstellung einer notdürftigen Ernährung erfolgt die Feststellung und Aufbringung der für die Zivilbevölkerung zur Verfügung stehenden Lebensmittelvorräte. Ausgabe von Lebensmitteln erfolgt in erster Reihe für die Arbeitenden, vor allem an die Küchen für Betriebe und Arbeitskommandos sowie für Kindergärten ... c) Städtische Betriebe: Reinigung der Verwaltung und Belegschaft der städtischen Versorgungsbetriebe von Nazielementen und Besetzung der verantwortlichen Posten in Verwaltung und Betrieb mit zuverlässigen Antifaschisten. d) Gewerbe, Handwerk, Handel: Die Abteilung für Gewerbe, Handwerk, Handel hat für die planmäßige Ingangsetzung der Gewerbe-, Handels- und Handwerksbetriebe zu sorgen. Sie regelt die Fragen der Rohstoffbeschaffung, der Preise, des Verkaufs sowie der Lohn- und Arbeitsbedingungen in den Betrieben, im Einvernehmen mit der Besatzungsbehörde.

Für Betriebe ohne Unternehmer beauftragt die Abteilung einen zuverlässigen qualifizierten Arbeiter oder Angestellten oder den Betriebsausschuß mit der vorläufigen Leitung.

Die Abteilung ist zuständig für die Aufklärungsarbeit unter

den Unternehmern und Arbeitern über die Notwendigkeit der Erhöhung der Produktion und Steigerung der Arbeitsproduktivität im allgemeinen Volksinteresse. Der Abteilung unterstehen auch die Betriebsausschüsse der Arbeiter und Angestellten. Ihre Aufgabe ist die Steigerung der Produktion und Sicherung der Arbeitsdisziplin, antifaschistische Umerziehung der Belegschaft, Vereinbarung der Arbeitsbedingungen im Rahmen der allgemeinen Anweisungen der Stadtverwaltung, soziale Fürsorge.

Nachdem sich im Betrieb antifaschistische Kräfte herausgebildet haben, werden betriebliche Gewerkschaftsgruppen organisiert. e) Volksbildung (Abteilung für Volksbildung): Säuberung der Schulen, Bibliotheken und Institutionen von nazistischer, militaristischer und anderer reaktionärer Literatur. Organisierung von Kursen für die Funktionäre der städtischen Verwaltung, der Betriebsausschüsse und für Intellektuelle (Lehrer, Ingenieure usw.). Schaffung von Bibliotheken und Lesehallen, vor allem von Bibliotheken in den Betrieben.

Einsetzung eines Schulrates aus zuverlässigen Antifaschisten. Prüfung von Lehrern durch das Personalamt. Es sind solche frühere Lehrer auszuwählen, die von den Nazis gemaßregelt worden waren oder keine aktiven Nazis gewesen sind. Außerdem sind qualifizierte antifaschistische Werktätige, die pädagogische Fähigkeiten haben, als Hilfslehrer für bestimmte Lehrfächer zu schulen. (Vor allem für Geschichtsunterricht, Staatskunde und Geographie.)

Bevor die Schulen eröffnet werden, sind für die Lehrerkandidaten dreimonatliche Kurse durchzuführen (Entwurf zum Lehrprogramm liegt vor) . . .

V. Die Aufgaben in den Landgemeinden.

In jeder Gemeinde ist ein Gemeindevorsteher und Stellvertreter zu bestimmen und eine der Größe des Dorfes entsprechende Gemeindeverwaltung zu schaffen. In der Grundlinie gelten für die Landgemeindeverwaltungen die gleichen Richtlinien wie für die Städte bei entsprechender Begrenzung der Aufgaben.

Die besondere Sorge der Gemeindeverwaltungen ist die Sicherung des Anbaus und die Ablieferung der für die Volksernährung notwendigen Produkte. Die gesamte urbar gemachte Bodenfläche ist anzubauen.

Herrenloser Boden ist je nach den örtlichen Verhältnissen den anbauwilligen Werktätigen zur individuellen Nutzung zuzuteilen. Große Güter sind durch die Gutsarbeiter und Angestellten gemeinsam zu bewirtschaften, nachdem die individuellen Bodenwünsche der Landarbeiter, kleinbäuerlichen Anlieger und sonstigen Dorfproletarier befriedigt wurden ...

Jeder Bearbeiter des Bodens hat das uneingeschränkte Recht, nach Erfüllung der Ablieferungsnorm seine Produkte frei zu verwerten.

VI. Methode des Einsatzes der in das besetzte deutsche Gebiet entsandten Genossen und antifaschistischen Kriegsgefangenen.

a) Die leitenden Genossen führen ihre Aufgaben von der Basis beim Stab der 1. weißrussischen Front durch. Von dort aus wird auch Zeitung, Rundfunk und Herausgabe von Broschüren organisiert. Die leitenden Genossen fahren in die wichtigsten, von der Roten Armee besetzten Städte, um die Durchführung der Richtlinien anzuleiten. Von der Roten Armee wird der führenden Gruppe der Genossen ein Oberst der Roten Armee für die Mitarbeit und Verbindung beigegeben.

b) Dem Frontstab der Roten Armee für die Gebiete Berlin-Brandenburg, für Mecklenburg-Pommern, für Sachsen-Halle-Merseburg werden je eine Arbeitsgruppe von drei Genossen beigegeben, die als Instrukteure bei der Organisierung der Stadtverwaltungen helfen.

c) Die für die Arbeit im besetzten deutschen Gebiet bestimmten Kommunisten und antifaschistischen Kriegsgefangenen werden bestimmten Bezirks- und Kreisstädten zur Arbeit zugeteilt. Ein Teil von ihnen übernimmt Funktionen in der Stadt für längere Zeit, während andere beauftragt werden, in den kleineren Städten und Gemeinden des betreffenden Kreises bei der Schaffung der Gemeindeverwaltungen zu helfen bzw. zu kontrollieren, ob die geschaffenen Gemeindeverwaltungen aus zuverlässigen Antifaschisten bestehen und wirklich im Sinne der Richtlinien arbeiten.

(Die Einteilung der Genossen und antifaschistischen Kriegsgefangenen für die Städte und Kreise erfolgt, sobald die Listen bestätigt sind.)
5. April 1945

2. Erich W. Gniffke, Jahre mit Ulbricht

Gniffke gehörte in den ersten Nachkriegsmonaten zu den führenden Berliner Sozialdemokraten, die für die rasche Bildung einer Einheitspartei eingetreten waren. Er hielt an dieser Entscheidung auch fest, als sich ein Teil seiner Freunde von diesem Gedanken abzuwenden begann. Er trug den Vereinigungsprozeß mit und war bis zu seiner Flucht in den Westen im Herbst 1948 Mitglied des Zentralsekretariats, des engeren Parteivorstandes der SED. Dort leitete er u. a. die Abteilung Parteibetriebe und -verlage. Gniffke schilderte in seinen Erinnerungen, denen dieserAuszug entnommen ist, seinen Weggang als Folge des Vormachtstrebens der ehemaligen KPD-Funktionäre in der Enheitspartei und als Resultat seiner Einsicht in die Unvereinbarkeit von sozialdemokratischem und kommunistischem Politikverständnis. Seiner zweiten Aussage stimmen SED-Biographen zu. Sie attestieren ihm Skepsis gegenüber der »Partei neuen Typus« und gegenüber der Sowjetunion und sagen ihm nach, er habe an einem »besonderen deutschen Weg zum Sozialismus« festhalten wollen. Die von Gniffke erwähnten Heinrich Hoffmann (Thüringen), Otto Buchwitz (Sachsen), Carl Moltmann (Mecklenburg-Vorpommern) und Bruno Böttge (Sachsen-Anhalt) waren Vorsitzende der dortigen SPD-Landesverbände. Wie der Vertreter der Parteiorganisation des Landes Brandenburg, Friedrich Ebert (ein Sohn des Reichspräsidenten) im ersten Wahlgang stimmte, ist nicht belegt. Im zweiten war er auf der Seite der übrigen Landesvorsitzenden. Mit ihnen stimmte auch Hermann Harnisch, der Berliner SPD-Chef. Die übrigen von Gniffke genannten SPD-Funktionäre waren (bis auf Gustav Klingelhöfer) Mitglieder des Zentralausschusses.

Quelle: Erich W. Gniffke, Jahre mit Ulbricht. Köln 1966, S. 139 ff.

Die folgenschwere Sitzung vom 10. und 11. Februar 1946

Auf der Sitzung des Zentralausschusses und der Landesvorsitzenden, die wir für den 10. und 11. Februar 1946 einberufen hatten, mußte eine Entscheidung getroffen werden. Das war uns allen klar. Vor allem, da das Zentralkomitee den 1. Mai für einen Vereinigungsparteitag festgelegt hatte. Daß hinter dieser Forderung die sowjetische Besatzungsmacht stand, war uns ebenso klar.

In Hessen hatten am 20. Januar kommunale Teilwahlen stattgefunden, bei denen die KPD nur 4,6 Prozent der Stimmen erhielt, während die SPD 41,4 Prozent erringen konnte – ein Ergebnis, das Schumacher vorausgesehen hatte. In ihm, der außerhalb der sowjetischen Besatzungszone operieren konnte, mußte die KPD und mit ihr die SMAD, schließlich die Sowjetunion selbst, nicht nur einen Gegner, sondern geradezu einen

Feind sehen. Daher mußten sie alles daransetzen, die Vereinigung unter Dach und Fach zu bekommen, bevor dieser Einfluß wachsen und sich auf die SPD in der Sowjetzone auswirken konnte.

Diese Überlegungen bildeten den Inhalt der Gespräche vor der Sitzung, ehe die Vorsitzenden der Landesorganisationen eingetroffen waren. Sie kamen einer nach dem anderen, und sie kamen alle mit der gleichen Marschroute, ohne daß sie sich vorher untereinander verabredet hätten. Im Zimmer von August Karsten, den die auswärtigen Besucher stets zuerst aufzusuchen pflegten, weil er in der Regel Alkohol vorrätig hatte, kam es zu einer improvisierten Vorbesprechung. Ich bat meinen alten Freund Carl Moltmann aus Schwerin in mein Zimmer. Kurz darauf erschienen auch Grotewohl und Fechner, die Otto Buchwitz, Dresden, mitbrachten. Ich fragte Moltmann, ob ihm, unabhängig von unserer Einladung, vielleicht schon vorher die Forderung der KPD nach Vereinigung am 1. Mai bekanntgeworden sei.

Moltmann wich aus: Eine direkte Forderung sei ihm nicht bekanntgeworden.

»Laßt uns nicht um den Brei herumreden«, fuhr Grotewohl dazwischen, »wofür wollt ihr heute eintreten – für die Behandlung der Frage auf einem Reichsparteitag oder für eine Vereinigung in unserer Zone?«

Otto Buchwitz erwiderte: »Ich trete für eine sofortige Vereinigung ein.«

Moltmann: »Ich ebenfalls.«

Als ich wissen wollte, ob es bei ihnen schon einen Vorstandsbeschluß gäbe, verneinten beide. Die Frage, ob sie selber sich festgelegt hätten, blieb vor der Sitzung unbeantwortet.

Die Sitzung im Parteihaus der SPD wurde von Max Fechner geleitet. Otto Grotewohl hatte die Berichterstattung zur Lage übernommen. Objektiv schilderte er die Entwicklung, die zur heutigen Situation geführt hatte. Ebenso objektiv schilderte er seine und Dahrendorfs Unterredung mit Kurt Schumacher. Schumacher, so sagte er, habe nichts anderes vorschlagen können als die Auflösung der SPD.

Wörtlich fuhr er fort: »Ich frage euch, Genossen, wollt ihr das? Waren wir im Mai und Juni 1945 nicht bereit, in eine einheitliche Arbeiterpartei zu gehen, auch wenn es sich dabei um keine andere Partei gehandelt hätte als die jetzt neben uns bestehende Kommunistische Partei? Was soll sich nun eigentlich an dieser grundsätzlichen Einstellung geändert haben? Geändert hat sich nichts, nur Zeit haben wir verloren. Hätten wir vor einem Dreivierteljahr die Vereinigung durchgeführt oder hätte die Besatzungsmacht nur eine Arbeiterpartei zugelassen, so hätten wir nicht nur keine Zeit verloren, sondern uns auch viel Ärger erspart. Das sieht heute auch das Zentralkomitee der KPD ein und auch die sowjetische Besatzungsmacht. Jetzt soll nun die Vereinigung plötzlich sehr schnell vor sich gehen. Wir, der Genosse Dahrendorf und ich, haben dem Genossen Schumacher die Frage vorgelegt: Wollt ihr mit uns zusammen einen Reichsparteitag einberufen und dort die Frage der Vereinigung zur Entscheidung stellen? Unsere Frage wurde jedoch verneint.

Was sollen wir nun tun, nachdem nunmehr der Antrag der KPD vorliegt, die Verschmelzung der beiden Parteien Ostern oder am 1. Mai vorzunehmen? Nach meinem Dafürhalten müssen wir dem Antrag zustimmen und die Vereinigung an einem dieser genannten Termine vollziehen. Ich glaube, die heutige Konferenz wird mit mir die gleiche Ansicht vertreten und entsprechend beschließen.«

Aber sogleich meldeten sich Gegenstimmen. Als erster Diskussionsredner sprach Gustav Dahrendorf und stellte zunächst richtig, daß eine einheitliche Arbeiterpartei nicht die Kommunistische Partei zu sein brauche. »Die Sozialdemokratische Partei ist bis zum Ersten Weltkrieg eine einheitliche deutsche Arbeiterpartei gewesen, in der sich viele der späteren Führer der KPD, mindestens bis zum Ausbruch des Krieges, sehr wohl gefühlt haben. In dieser Partei sind alle Sozialisten zu Wort gekommen, unabhängig von ihrer Grundhaltung, ob sie nun marxistisch-dogmatisch war oder nicht. Es fühlte sich niemand bevorzugt oder unter Druck gesetzt, es bestand nicht nur freie Meinungsäußerung, sondern auch Gewissensfreiheit.

Wenn es der Führung der KPD darauf ankommt, eine solche einheitliche Partei mit uns gemeinsam zurückzugewinnen, so hätte es keines Druckes bedurft, um eine solche Partei wiedererstehen zu lassen. Die KPD ist jedoch der Auffassung gewesen, daß vor einer Verschmelzung eine ideologische Klärung erfolgen müsse. Diese Klärung ist bisher nur teilweise erfolgt. Aus dem Druck auf Hunderttausende Sozialdemokraten in der Ostzone läßt sich schließen, daß sie in die Schablone der KPD gepreßt werden sollen.«

Die Versammelten hatten Grotewohl und Dahrendorf in aller

Ruhe angehört. Mehrere Mitglieder des Zentralausschusses, darunter Karl Germer, Fritz Neubecker, August Karsten und Otto Meier, sprachen sich ebenfalls *gegen* den Vereinigungstermin aus.

Karl Germer sagte: »In eine KPD werden wir uns in keinem Falle pressen lassen.«

Als erster der Landesvorsitzenden ergriff nun Bruno Böttge aus Halle das Wort: »Wenn wir die Besatzungszeit – und sie kann ja nicht ewig dauern – überstehen wollen, müssen wir das Angebot der KPD annehmen.«

Diese Bemerkung veranlaßte Heinrich Hoffmann aus Weimar zu dem Zwischenruf: »Willst du eine Vereinigung unter Vorbehalt?«

»Nein, ich will eine Vereinigung in ganz Deutschland«, erwiderte Böttge. »Weil die nicht zu erreichen ist, müssen wir in unserer Zone beginnen, in der Hoffnung, daß sie sich hier bewährt.«

Jetzt ergriff ich das Wort. Nachdem ich ebenfalls auf die bisherige Entwicklung eingegangen war, stellte ich die Frage, ob bei dieser Situation eine zukünftige Einheitspartei eine selbständige Politik, vor allem eine selbständige Außenpolitik, treiben könne. »Kann sie selbständig handeln, wenn es die Klassenlage der deutschen Arbeiterschaft erfordert? Oder geht man grundsätzlich von der Hypothese aus, daß die Klassenlage der deutschen Arbeiter eine Gleichschaltung mit der Staatspolizei der Sowjetunion erfordert?«

Zum Schluß hob ich hervor, daß es jetzt vor allem darauf ankomme, die volle Handlungsfreiheit des Zentralausschusses wieder zurückzugewinnen; dazu gehört eine zwischen dem Zentralkomitee der KPD und dem Zentralausschuß der SPD zu vereinbarende Entschließung, daß der 1. Mai *keinesfalls* der Stichtag für die Verschmelzung sein kann. Dazu gehört weiter, daß die zu treffende Vereinbarung von den Sowjetbehörden respektiert werden muß, damit sich der Zentralausschuß draußen wieder verständlich machen kann.

Von den Landesvorsitzenden sprachen sich nur Otto Buchwitz und Heinrich Hoffmann für die sofortige Vereinigung aus.

Alle Reden – kühl und sachlich vorgetragen – wurden von den Anwesenden nachdenklich, ohne Pro- oder Kontra-Bezeugungen aufgenommen. Erst zuletzt, bei der Rede Moltmanns, wurden Zwischenrufe laut. Dabei wurde offenbar, daß man in den Landesvorständen schon sehr viel weiter war, als wir angenommen hatten. Während wir im Zentralausschuß ständig über das Für und Wider diskutiert hatten, war man sich im Lande auch in der Terminfrage bereits einig geworden. Max Fechner beendete die Diskussion ohne eigene Stellungnahme* mit der Aufforderung: »Genossen, wer dafür ist, dem Antrag der KPD zuzustimmen, einen Vereinigungsparteitag zu Ostern oder zum 1. Mai einzuberufen, den bitte ich um das Handzeichen.« Fechner zählte laut, ließ die Gegenprobe machen, und nachdem er die Stimmenthaltungen festgestellt hatte, erklärte er: »Die zweiten Stimmen waren mehr, der Antrag ist damit abgelehnt.« Da brach ein unbeschreiblicher Tumult aus, es wurde geschrien und wild gestikuliert. Hoffmann, Moltmann und Buchwitz sprangen auf, auch einige Zentralausschuß-Mitglieder hatten sich erhoben. Hoffmann schrie irgend etwas, was keiner verstehen konnte, weil alle auf einmal sprachen. Unmöglich herauszufinden, wer auf wen einredete. Alle sprachen in höchster Lautstärke, oft über die Köpfe anderer hinweg, die miteinander stritten, um sich wieder anderen verständlich zu machen.

Die Sitzung drohte aufzufliegen. Laute Rufe wie: »Wir sagen uns los vom Zentralausschuß!« – »Wir machen die Vereinigung auf Landesebene!« wurden vernehmbar. Nach einem halbstündigen Durcheinander gelang es Fechner, die Ruhe wenigstens einigermaßen wiederherzustellen. Er kündigte an, daß die Genossen Harnisch und Weimann eine Erklärung abgeben wollten. Harnisch und Weimann erklärten kurz, daß sie sich bei der Abstimmung geirrt hätten. Sie wollten *für* den Vereinigungstermin stimmen und nicht gegen ihn. Daraufhin stellte Fechner fest, daß die Abstimmung unentschieden verlaufen sei, und vertagte die Sitzung auf den folgenden Tag, 9 Uhr vormittags ...

Ich hatte die Nacht nicht geschlafen, sondern eine Rede ausgearbeitet, in der ich auch die mutmaßliche Entwicklung in einer Einheitspartei aufzeigte. Übernächtigt betrat ich eine Viertelstunde vor Sitzungsbeginn das Zimmer Grotewohls. Ich sah ihm an, auch er hatte diese Nacht mit sich gerungen. Ich übergab ihm das Konzept meiner Rede. Nachdem er es überflogen hatte, sagte er, er habe sich nunmehr definitiv entschieden. Wir könnten uns nicht ausschalten und die Mitglieder allein in

---

* Fechner, und nicht nur ihm, war klargeworden, daß in der Zone nicht mehr viel zu retten war. Die Landesverbände waren nicht mehr auf die abwartende Haltung, die der Zentralausschuß bisher eingenommen hatte, zurückzuführen. Fechner wollte durch eine Stellungnahme nicht noch Öl ins Feuer gießen.

die Vereinigung schlittern lassen, die doch nicht mehr aufzuhalten sei ...

»Wir können politisch nicht da anfangen, wo wir 1933 aufgehört haben. Wollten wir das tun, so wird sich zeigen, daß das Bürgertum gegen die politisch organisierte Arbeiterschaft die gleiche Frontstellung beziehen wird wie nach 1918. Wir müssen deshalb, soweit uns dazu die Gelegenheit geboten wird, wenigstens erreichen, daß die politische Einheit aller Werktätigen in Parteien und Gewerkschaften hergestellt werden kann.«

Ohne zu einer Übereinstimmung gekommen zu sein, gingen wir in die Sitzung.

Noch einmal wurde das Für und Wider diskutiert, doch ohne die Leidenschaft des Vortages. Grotewohl beteiligte sich überhaupt nicht an der Diskussion, sondern erklärte nur kurz: »Ich bleibe, komme, was mag, bei meinen Genossen in der Ostzone.«

Fechner ließ nun erneut abstimmen. Dieses Mal entschied sich die Mehrheit für die Vereinigung im April. Darauf erklärte Gustav Dahrendorf seinen Rücktritt, zog ihn aber auf meine Bitte wieder zurück.

Fritz Neubecker stieg mit mir die Treppe zu meinem Zimmer hinunter. »Was soll nun werden?« fragte er.

»Ich weiß es nicht«, antwortete ich niedergeschlagen.

3. Anton Ackermanns Rede auf der Ersten Zentralen Kulturtagung der KPD in Berlin am 4. Februar 1946: »Unsere Kulturpolitische Sendung«

Die Bündnispolitik der KPD zielte immer auch auf die Intelligenz. Die von ihr so genannte »technische« und »wissenschaftliche« Intelligenz sollte mit materiellen und sozialen Privilegien gewonnen werden, die Intellektuellen und Künstler mit der Betonung des gemeinsamen, von der Partei nachhaltig reklamierten »kulturellen Erbes«. Das galt vor allem für jene »Kulturschaffenden«, die sich während der NS-Zeit in Deutschland weniger engagiert hatten. Die von der KPD initiierte Kulturpolitik war bündnispolitisch zunächst durchaus erfolgreich. Es gelang ihr und später auch der SED, Wissenschaftler (zumindest zeitweilig) im Lande zu halten und zahlreiche Künstler für die Zusammenarbeit zu motivieren. Diese Bereitschaft der Intellektuellen dauerte freilich nur so lange, wie die Partei die sich rasch entfaltende Pluralität der

Aussagen und Formen tolerierte. Das änderte sich seit 1948 (vgl. Dokumente 9 und 10).

Quelle: Um die Erneuerung der deutschen Kultur. Dokumente zur Kulturpolitik 1935–1949. Zusammengestellt und eingeleitet von Gerd Dietrich. Berlin (DDR) 1983, S. 122 ff.

Wir haben uns mit der Veranstaltung der Ersten Kulturtagung der Kommunistischen Partei Deutschlands eine große Aufgabe gestellt. In ernster und gründlicher Beratung sollen die Mittel und Wege zur Erneuerung der Kultur im demokratischen Deutschland gesucht werden. Das ist eine Aufgabe von so weitreichender Bedeutung und einer solchen Kompliziertheit, daß wir alle Kräfte anspannen müssen, um sie Schritt für Schritt zu verwirklichen ...

Die kulturpolitischen Vorschläge, die wir Kommunisten zu unterbreiten haben, sind deshalb nicht Vorschläge, die eine antifaschistisch-demokratische Partei im Kampfe gegen eine andere Partei erhebt. Nein, wir unterbreiten Vorschläge, die das schaffende Volk in allen seinen Schichten, alle wahrhaft nationalen Kräfte im gemeinsamen Werk vereinen sollen. Das unmittelbare Ziel, das uns allen gemeinsam sein muß, ist eine kulturelle Erneuerung Deutschlands im Geiste des Humanismus, der Freiheit und Demokratie, des Friedens und der Kulturgemeinschaft der Nationen, wie es Genosse Pieck gestern dargelegt hat.

Auf dieser Tagung hier sind Arbeiter und Bauern, Künstler und Wissenschaftler, Studenten und Angestellte anwesend, die aktive Mitstreiter der Kommunistischen Partei Deutschlands sind. Aber in einer Reihe mit ihnen sitzen auch Vertreter aller dieser Schichten, darunter Pastoren, die einer anderen antifaschistisch-demokratischen Partei oder auch gar keiner politischen Organisation angehören.

Ich habe nun an Sie alle die Frage zu richten, ob Sie, meine Damen und Herren, der Auffassung sind wie wir, daß der Geist des Humanismus, der Freiheit und Demokratie, des friedlichen Zusammenlebens der Völker die grundlegende Orientierung unserer gesamten Kulturpolitik sein kann oder nicht. Wenn die ungehinderte freie Aussprache auf unserer Tagung den Beweis erbringen sollte, daß wir in diesen Grundfragen einig sind, dann kann ich auch keine wesentlichen Hindernisse mehr sehen, die unserer engsten Zusammenarbeit auf kulturpolitischem Gebiet entgegenstehen könnten, selbst wenn im einzelnen noch mancher Unterschied der Auffassungen und Forderungen bestehen sollte. Wer aber könnte daran zweifeln, daß nur die vereinten Anstrengungen der Arbeiter und Angestellten, des Mittelstandes und der Bauern, der Techniker, Ärzte, Wissenschaftler und Künstler, ob alt oder jung, Mann oder Frau, zu dem erstrebten Ziel führen können!

Die sozialistische Arbeiterbewegung ... hat sich als die konsequenteste antiimperialistische Kraft und damit auch als die beste Vertreterin der nationalen Interessen unseres Volkes, als die wahrhaft patriotische Bewegung Deutschlands erwiesen. Sie bildet die Hauptkraft der demokratischen Erneuerung Deutschlands, der Erneuerung auch der deutschen Kultur, und je rascher die Einheitspartei der sozialistischen Bewegung verwirklicht wird, desto rascher und machtvoller wird die Arbeiterklasse als Hauptträger der nationalen demokratischen und kulturellen Neugeburt Deutschlands ihre Aufgabe zu erfüllen vermögen.

Allein wir erheben in diesem Kampfe keinesfalls einen Totalitätsanspruch. Wir reichen allen antifaschistischen und demokratischen Kräften die Hand zu aufrichtiger Zusammenarbeit. *Träger der politischen wie der kulturellen Erneuerung Deutschlands soll die Arbeiterschaft im Bunde mit allen Schichten des schaffenden Volkes sein, die antifaschistisch-demokratische Einheitsfront, deren festes Rückgrat die Einheit der Arbeiterbewegung bildet ...*

Die Einheit Deutschlands ... ist nicht nur in wirtschaftlicher und politischer, sondern auch in kultureller Hinsicht eine Lebensnotwendigkeit für unser ganzes Volk. Wenn unsere Kultur eine nationale deutsche Kultur darstellt, dann kann der Aufbau und die Erneuerung derselben auch nur im gesamtdeutschen Rahmen möglich sein ...

Seit ihren Anfängen gibt es in Deutschland nur eine deutsche und keine speziell preußische oder badische oder bayrische Literatur, es sei denn, man verengt diesen Begriff der Literatur auf die wenigen, wenn auch zum Teil glänzenden Werke der Dialektgestaltung, die aber nur Teile und Splitter eines Ganzen, aber niemals ein Ganzes selbst darstellen können. *Vor allem aber war und bleibt unsere klassische Literatur das Gemeingut des deutschen Volkes in seiner Gesamtheit.* Lessing, Fichte, Herder, Goethe und Schiller, die Brüder Grimm, Kleist, Herwegh, Freiligrath und Heine, sie alle waren Deutsche und müssen es bleiben, und es könnte ja auch gar nicht anders sein: denn ihre gemeinsame Mutter- und Dichtersprache war das Deutsch, ihr Vaterland keine Provinz und kein deutscher Einzelstaat, sondern Deutschland.

Ob wir nun neben der Literatur etwa die Philosophie oder die Musik, die Oper und das Schauspiel betrachten, die bildenden Künste – was an ihnen wirklich groß und beständig war, das war wesentlich deutsch bedingt, der Ausdruck eines gesamtnationalen Erlebens und Gestaltens selbst dort, wo die Stoffe und die Thematik landsmannschaftlich oder lokal in der Form waren.

Wenn nun aber unsere Kultur eine nationale, eine deutsche Kultur ist, dann dürfen wir um keinen Preis an der kulturellen Einheit rütteln lassen!...

Die Erneuerung der deutschen Kultur darf man sich auf keinen Fall so vorstellen, daß nun alles Überlieferte weggeworfen und etwas völlig Neues geschaffen werden soll ...

Wir fordern ..., daß in den Vordergrund gerückt wird, was in der deutschen Geschichte wirklich groß war und dem Fortschritt des Volkes diente. Es wirkt geradezu beschämend, wenn die heranwachsende Jugend eine achtjährige Volksschule verläßt, den Kopf vollgestopft mit Daten von Schlachten und Geburtstagen von Herrschern, aber ohne die elementarsten Kenntnisse der klassischen deutschen Literatur und der Werke unserer größten Humanisten. Wenn die Historiker und Lehrer unserem Volke wirklich Nutzen bringen und der Jugend neuen Lebensinhalt, neue Ideale geben wollen, dann müssen sie eine ihrer Hauptaufgaben darin sehen, *die größten Geister unseres Volkes von Leibnitz und Lessing über Goethe und Schiller bis Freiligrath und Heine wieder wachzurufen und die lebendigsten Erinnerungen an unsere großen Maler, Bildhauer, Architekten und Tonkünstler zu pflegen ...*

Die Erneuerung des deutschen Kultur- und Geisteslebens nach zwölfjähriger Nazibarbarei und Knechtschaft gebietet stärker denn je die restlose Verwirklichung einer der grundlegendsten humanistischen Forderungen, nämlich der Forderung nach Freiheit der wissenschaftlichen Forschung und der künstlerischen Gestaltung, wie sie Genosse Wilhelm Pieck gestern erneut in den Vordergrund des öffentlichen Interesses gerückt hat.

Nach den bitteren Erfahrungen der Jahre vor 1933 mußte Genosse Pieck auch allgemeine Zustimmung finden, wenn er die Gewährung dieser Freiheit an eine einzige Vorbedingung knüpfte, nämlich dieses Recht nicht wieder mißbrauchen zu lassen, um die Freiheit selbst abzudrosseln.

Freiheit für Wissenschaft und Kunst bedeutet, daß dem Gelehrten und Künstler kein Amt, keine Partei und keine Presse dreinzureden hat, solange es um die wissenschaftlichen und künstlerischen Belange geht. Über dieses Recht soll der Gelehrte und Künstler uneingeschränkt verfügen. Die Freiheit für den Wissenschaftler, die Wege der Forschung einzuschlagen, die er selbst für richtig hält, die Freiheit für den Künstler, die Gestaltung der Form zu wählen, die er selbst für die einzig künstlerische hält, soll unangetastet bleiben. Was dabei richtig oder falsch ist, darüber soll man nicht voreilig oder laienhaft urteilen. Nein, entscheidend sind die Resultate der Forschung und die fertigen Schöpfungen der Künstler im freien Wettstreit der Leistungen. So möchten wir die Freiheit der Kunst und Wissenschaft aufgefaßt und angewandt wissen ...

An dieser Stelle sei mir gestattet, noch einige Bemerkungen über unsere Stellung zu den einzelnen Richtungen der Kunst einzuflechten. Wir sehen unsere Aufgabe heute keineswegs darin, Partei ausschließlich für die eine oder die andere Kunstrichtung zu ergreifen. Unser Ideal sehen wir in einer Kunst, die ihrem Inhalt nach sozialistisch, ihrer Form nach realistisch ist. Wir wissen aber auch, daß diese Kunst erst in einer sozialistischen Gesellschaft zur Geltung kommen kann und selbst dann noch lange Zeit zu ihrer Entwicklung braucht. In der Sowjetunion macht diese neue Kunstrichtung eine äußerst verheißungsvolle Entwicklung durch, und wir wünschten, daß unsere deutschen Künstler recht bald die Möglichkeit haben, sich mit ihr näher bekanntzumachen. In Deutschland ist gegenwärtig alles noch zu sehr im Um- und Aufbruch, auf der Suche nach neuen Wegen, um nun etwa ein Urteil zugunsten der einen oder der anderen Richtung fällen zu können. Es ist in einer solchen Zeit sogar unvermeidlich, daß auch falsche Wege eingeschlagen werden, ehe das gefunden wird, was am vollendetsten die Gegenwart und Zukunft gestaltend auszudrücken vermag. Die Freiheit der Kunst ist auch in diesem Sinne unabdingbare Notwendigkeit. Aber es genügt, einmal gewisse Gemäldeausstellungen zu besuchen, um die bedauerliche Feststellung treffen zu müssen, daß mitunter Ismen gewählt werden, die schon nach dem ersten Weltkrieg versucht worden sind und heute offensichtlich nichts Besseres hervorzubringen vermögen als damals. Solche Pseudokunst kann nicht erwarten, daß sie von unserem verarmten Volke eine besondere materielle Förderung erfährt. Denn das hieße, die kargen Mittel am falschen Objekt verschwenden, und so etwas können wir uns heute am allerwenigsten leisten.

4. Gespräch Wilhelm Piecks mit Boris A. Kagan über die Zukunft Deutschlands vom 3. September 1946

Die DDR-Geschichtsschreibung hält bis in die Gegenwart daran fest, daß die SED bis in die sechziger Jahre hinein Möglichkeiten für eine Vereinigung bzw. Wiedervereinigung Deutschlands gesehen und auf diese hingearbeitet habe. Diese Sicht stimmt mit den öffentlichen Bekundungen ihrer Funktionäre aus diesen Jahren überein.

Interessant ist deshalb, daß an gleichsam abgelegener Stelle eine andere Sicht publiziert wird. Zwar ist zu fragen, ob sich der ehemalige sowjetische Gardehauptmann Boris A. Kagan nicht zu stark im Lichte des Gewordenen erinnert. Möglich ist aber durchaus, daß er tatsächlich eine, im übrigen ja nicht unrealistische, Einsicht Wilhelm Piecks richtig wiedergibt.

Kagan war im September 1946 als »Oberinstrukteur für Propaganda« bei der Kreiskommandantur Ballenstedt (heute im Kreise Quedlinburg) tätig. Seine Arbeit bestand – wie er schreibt – »in der Kontrolle der Tätigkeit der Parteien, Organisationen und Gesellschaften und in der Unterstützung all der antifaschistischen Kräfte«.

Pieck war zu einer Wahlkundgebung nach Ballenstedt gekommen. Er sprach dort am 3. September.

Die SED widmet sich seit einigen Jahren intensiv der »Geschichte der örtlichen Arbeiterbewegung« und gibt über ihre Kreisleitungen bzw. spezielle Geschichts-Kommissionen Broschüren heraus.

Quelle: Zwei Begegnungen mit Wilhelm Pieck. Eine Dokumentation zum 35. Jahrestag der Gründung der Gesellschaft für Deutsch-Sowjetische Freundschaft am 30. Juni 1982. Hrsg.: SED-Kreisleitung Quedlinburg, Abt. Agitation und Propaganda, in Zusammenarbeit mit dem DSF-Kreisvorstand Quedlinburg (1982), S. 16f.

Wilhelm Pieck verbrachte den 4. September als Tag der Erholung in Ballenstedt und nutzte ihn u. a. zu einem Spaziergang gemeinsam mit seinem Gastgeber, Genossen Kagan, zur Rosenburg. In diesen Stunden führten beide viele Gespräche, und das Hauptthema war die Zukunft Deutschlands und die damit eng im Zusammenhang stehenden deutsch-sowjetischen Beziehungen. Dabei erklärte Genosse Wilhelm Pieck, wie Genosse Kagan in seinen Erinnerungen berichtet, sinngemäß:

Ich glaube, daß eine Teilung Deutschlands nicht vermeidbar ist. Praktisch ist das Land schon jetzt in zwei Teile gespalten. Die Westmächte fühlen schon heute, daß der östliche Teil Deutschlands für die Welt des Kapitalismus verloren ist. Deshalb werden sie alles versuchen, um wenigstens den westlichen Teil für ihre Gesellschaftsordnung zu retten. Besonders England und die USA erinnern sich sehr gut daran, daß nach dem 1. Weltkrieg der erste sozialistische Staat geboren wurde, und sie fürchten den wachsenden Einfluß dieses Staates, der sich gegen alle Angriffe behaupten konnte und sogar dem faschistischen Deutschland widerstand. Sie rechnen auch stark damit, daß die Sowjetunion den befreiten osteuropäischen Staaten helfen wird, den Weg des Sozialismus einzuschlagen. Allein die Existenz der UdSSR und die Anwesenheit sowjetischer Truppen in diesen Ländern ist den Volksmassen eine solch große Hilfe, daß sie die Möglichkeit haben, wahre Volksstaaten zu errichten. Das wissen auch die Westmächte, und sie werden deshalb aus ihren westdeutschen Besatzungszonen wieder einen bürgerlichen, einen kapitalistischen Staat zimmern. Uns in der sowjetischen Besatzungszone wird nur die Alternative bleiben, darauf mit der Bildung eines eigenen deutschen Staates, eines Staates der Arbeiter und Bauern zu antworten.

Euer Sieg, erklärte Wilhelm Pieck an mich als Offizier der Sowjetarmee gewandt weiter, brachte eine Art Umstrukturierung der Bevölkerung Deutschlands mit sich. Die Masse der reaktionären Kräfte Deutschlands, die Kriegsverbrecher, die aktiven Nazis, ihre Helfershelfer, die Großagrarier und die großen Kapitalisten, fürchten die Sowjetmacht. Sie haben sich deshalb vor ihr in Sicherheit gebracht, sind nach dem Westen zu ihresgleichen, zu ihren Klassenbrüdern, geflohen. Dadurch sind diese reaktionärsten Kräfte nicht hier in der sowjetischen Besatzungszone. Hier ist aber die Mehrheit der Bevölkerung in ihrer klassenmäßigen Zusammensetzung. Werktätige, Arbeiter, Angestellte, Klein- und Mittelbauern, Handwerker und Gewerbetreibende. Das sind sehr günstige Bedingungen für die Entwicklung eines Staates der Arbeiter und Bauern, eines späteren sozialistischen Staates. Dazu kommt die günstige Bedingung, daß hier die Spaltung der Arbeiterklasse überwunden wurde, und das ist die größte Errungenschaft. War und ist es doch paradox genug, daß im Geburtsland von Marx und Engels, die die Losung »Proletarier aller Länder, vereinigt euch!« schufen, die Arbeiterklasse selbst nicht einig war oder heute im Westen sogar noch immer ist. Diese Spaltung kostete der deutschen Arbeiterklasse ihre besten Söhne und dem deutschen Volk unermeßliche Opfer. Auch die Millionen Toten Ihres Landes kommen auf das Konto dieser Spaltung, denn mit der Einigkeit der deutschen Arbeiterklasse wäre der Faschismus verhindert worden.

Jetzt haben wir andere Bedingungen, fuhr Wilhelm Pieck fort. Jetzt ist die einheitliche marxistisch-leninistische Partei, die SED, die politische Hauptkraft in der sowjetischen Besatzungszone, und an ihrer Seite stehen die Klassenbrüder im Rock der Sowjetarmee. Und das ist der Kern meiner Zuversicht in eine sozialistische Zukunft unseres Volkes. Mit solch einem Verbündeten wird unsere Partei unbedingt siegen. Manchmal, so glaube ich, seid Ihr Sowjetsoldaten Euch des Ausmaßes Eurer Hilfe für unsere Bevölkerung gar nicht recht bewußt. Das Stück Brot, das die deutsche Mutter für ihr Kind von einem Sowjetsoldaten erhielt, hat nicht nur den Hunger gestillt. Es wird dieser Mutter und ihrem Kind immer im Gedächtnis bleiben und so einen neuen Denkprozeß auslösen. Aus diesem Denken wird die Freundschaft zwischen dem sowjetischen und dem deutschen Volk erwachsen, eine Freundschaft, die auch den letzten Bürger erfassen wird.

5. Zur Verbesserung der Ernährungs- und Versorgungslage

Vor welchen Problemen speziell Arbeiterfamilien standen, die auf ihre knappen Rationen angewiesen waren, weil sie ihren zusätzlichen Kalorienbedarf auf dem Schwarzen Markt nicht decken konnten, ist häufig berichtet worden. Es soll hier gleichwohl nicht unerwähnt bleiben.

Die ›Tribüne‹ war das Nachfolgeblatt der vom FDGB seit dem 19. Oktober 1945 herausgegebenen Tageszeitung ›Die freie Gewerkschaft‹. Sie erschien seit dem 1. Januar 1947 mit einer Auflage von ca. 200 000 Exemplaren. Das »Schulungs- und Referentenmaterial« sollte zur Verbreitung gewerkschaftsrelevanter Fragen in der Zirkelarbeit des FDGB beitragen.

Quellen: ›Die Tribüne‹ vom 3. März 1947; Autor dieses Aufrufes ist der Gewerkschafter Ernst Grimm. – ›Schulungs- und Referentenmaterial‹. Hrsg. v. Bundesvorstand des FDGB, Haft 25 (1947), S. 3 f.

Rettet die Berliner Jugend!

In der ›Tribüne‹ sind in der letzten Zeit einige Beiträge erschienen, die sich mit der *Jugendkriminalität* befassen. Die darin vertretene Ansicht stimmt mit der des Jugendsekretariats des FDGB überein, daß diese Kriminalität ganz reale Wurzeln hat. Es gilt für uns, diese Wurzeln bloßzulegen, um das Übel erfolgreich bekämpfen zu können. Nach unseren Erfahrungen sind wir zu dem Ergebnis gekommen, daß nicht allein der Krieg, nicht allein die Demoralisierung und Zersetzung der deutschen Jugend durch die Erziehung der faschistischen Machthaber die Schuld am heutigen Zustand eines Teiles unserer Jugend tragen. Vielmehr mußten wir bei unseren Erhebungen in den Betrieben feststellen, daß auch noch andere sehr reale Gründe für diese schwierige Lage der Jugend vorliegen. Wir hatten an die Betriebe die Aufforderung gerichtet, ärztliche Untersuchungen der beschäftigten Jugendlichen durchzuführen. Dabei kamen wir zu dem Ergebnis, daß die Betriebsjugend gewichtsmäßig nicht zu-, sondern abnimmt und daß der überwiegende Teil der Jugendlichen ein ganz beträchtliches Untergewicht aufweist. Einer der krassesten Fälle der letzten Zeit ist der der 16½jährigen Lieselotte W., die in Tempelhof beschäftigt ist. Sie ist 1,50m groß und wiegt 26 kg. Ein anderer Jugendlicher aus demselben Bezirk ist 1,69 m groß und wiegt 40 kg. Ein 15jähriger Jugendlicher ist 1,38 m groß und wiegt 32 kg. Hier liegen die Wurzeln eines sehr großen Teiles des Übels und *hier muß man auch versuchen, eine Änderung herbeizuführen.* Wir haben feststellen können, daß in fast allen Betrieben bei den Jugendlichen schwere, durch Unterernährung hervorgerufene Krankheiten auftreten. Erfreulicherweise ist die Zahl der Geschlechtskranken unter der Betriebsjugend nur gering. Das beweist, daß die Jugend, soweit sie in den Betrieben steht, moralisch nicht von dem weitgreifenden sittlichen Verfall ergriffen ist.

Selbstverständlich hat sich das Jugendsekretariat des FDGB auch mit den Maßnahmen beschäftigt, die eine Besserung des Gesundheitszustandes der Jugend herbeiführen können.

Wir haben uns an den Magistrat, Hauptamt für Ernährung, mit der Bitte gewandt, für die Sonderzuteilungen, die für die Jugendlichen bis zum 14. Lebensjahr gewährt werden und für die Sonderzuteilungen der Jugendlichen vom 21. Lebensjahr ab (Schnaps und Zigaretten), einen Ausgleich dadurch zu schaffen, daß hochwertige Nahrungsmittel, wie Eipulver usw., den bisher immer benachteiligten Jugendlichen zwischen 14 und 21 Jahren gegeben werden. Wir haben weiterhin das Hauternährungsamt gebeten, bei den Verhandlungen, die mit der Alliierten Kommandantur geführt werden, uns hinzuzuziehen und haben dem Hauptamt für Ernährung einen Teil unserer Unterlagen übermittelt, die bei den Verhandlungen Verwendung finden können. Bis jetzt ist von seiten dieser Stelle noch keine Antwort erfolgt, und man hat uns auch in keiner Weise darüber benachrichtigt, ob überhaupt schon an die Alliierte Kommandantur, die sich berechtigten Wünschen nicht verschließen wird, herangetreten worden ist. Darüber hinaus müssen wir aber fordern, daß den Jugendlichen, deren Körper im Aufbau ist und die durch ihre Betriebsarbeit beweisen, daß sie am Wiederaufbau der zerstörten Heimat mitwirken wollen, eine bessere Ernährung gesichert wird. Wir sind uns darüber im klaren, daß eine Besserstellung der Jugendlichen dieses Alters nicht überall mit dem nötigen Verständnis aufgenommen werden wird, müssen aber trotzdem unseren Standpunkt in dieser Frage konsequent vertreten. Es geht hier nicht um irgendwelche Sonderinteressen, sondern um die *vitalsten Lebensinteressen des deutschen Volkes*. Es geht darum, daß das kostbarste Gut, das wir über Krieg und Zusammenbruch gerettet haben, unsere Jugend, nicht noch durch Hunger und Entbehrungen so geschädigt wird, daß man mit dieser Generation späterhin überhaupt nicht mehr rechnen kann. Der Antrag bezüglich der Sonderzuteilungen wurde auch im Stadtparlament gestellt und angenommen. Jedoch auch von seiten des Magistrats hat man dann nichts mehr über die Verwirklichung dieser Forderung gehört.

Wir wissen, daß es schwer ist, den Jugendlichen im Rahmen der gegebenen Möglichkeiten eine Hilfe zu gewähren. Wir sind aber der Meinung, daß man alle Mittel und Wege versuchen muß, um wirklich eine Hilfe zu schaffen und um zu erreichen, daß nicht alle unsere Hoffnungen für die Zukunft in Schmutz und Elend versinken. Ernst Grimm

Die Geldersparnisse sind dahin. Es gilt wie immer, den Lebensunterhalt vom Wochenlohn oder Monatsgehalt zu bestreiten. Aber nicht nur den Lebensunterhalt normaler Zeiten, sondern es gilt darüber hinaus, die verarmten Haushaltungen mit dem Notwendigsten zu ergänzen ... Zum Fehlen der dringendsten Konsumgüter, wie Kleidung, Wäsche, Schuhzeug, Möbel, Hausrat ... Ist nun auch die Sorge um das Geld getreten, und zwar deswegen, weil die neuhergestellten Konsumgüter zu Preisen gehandelt werden, die ausgerechnet diejenigen als Käufer ausschließen, die diese Dinge täglich erzeugen, nämlich die Arbeiter, Arbeiterinnen und Angestellten. Das, was jede Arbeiterfamilie wöchentlich im Geldbeutel verspürt, spiegelt sich auch wider in einigen alarmierenden Feststellungen. Das Institut für Wirtschaftsforschung hat für Berlin ermittelt, daß sich die Lebenshaltungskosten gegenüber 1944 [dem Jahr, auf dessen Lohn-Niveau die Löhne bis 1948 eingefroren worden waren] um nahezu 30 Prozent erhöht haben. Das heißt, daß einer Familie, deren Ernährer einen Bruttostundenlohn von 1 RM hat, pro Monat 60 RM für den Lebensunterhalt fehlen. Das bedeutet aber auch, daß die [illegalen] Preiserhöhungen einen Stand erreicht haben, bei dem Arbeiter und Angestellte nicht in den Genuß der neuangelaufenen Friedensproduktion kommen ...

6. Der Chef der Verwaltung der SMA Thüringen, über die Arbeit der munizipalisierten Betriebe, 6. Juni 1947

Das Verhalten der sowjetischen Militärbehörden gegenüber den Leitungsmethoden, die sich in der enteigneten Industrie der SBZ seit 1945 durchgesetzt hatten, war doppelt bestimmt. Zunächst waren die Offiziere an der Erfüllung ihrer Reparationsforderungen durch die deutschen Betriebe interessiert. Darüber hinaus aber fiel es ihnen auch schwer, sich mit der Selbstverwaltungspraxis in manchen Unternehmen anzufreunden. Sie widersprach den Leitungsmethoden, die in der Sowjetunion seit Ende der zwanziger Jahre durchgesetzt worden waren. Dort herrschte seither das Prinzip der Einzelleitung, und Gewerkschaften fungierten als »Schulen des Sozialismus«, d. h. sie hatten vor allem die Aufgabe, an der Erfüllung der Pläne mitzuwirken und nur in diesem Rahmen die Chance, herkömmliche Interessenvertretung zu praktizieren. – Dr. Georg Appell war Mitglied der SED.
  Quelle: Akten der US-Amerikanischen Militärregierung in Deutschland (OMGUS). Bestand Bayern, Dokumenten-Nr. 13/142, 3/8. Sammlung des Zentralinstituts für sozialwissenschaftliche Forschung (ZI 6) der Freien Universität Berlin.

Befehl des Chefs der Verwaltung der SMA des Bundeslandes Thüringen
  6. Juni 1947 – Nr. 128, Weimar
  Betrifft: Arbeit der landeseigenen munizipalisierten Betriebe.
  Ungeachtet einiger an Dr. Appell – Ministerium für Wirtschaft, Arbeit und Verkehr – gerichteter schriftlicher und mündlicher Befehle und Erläuterungen ist die Arbeit (Tätigkeit) der landeseigenen Betriebe und ihrer Hauptverwaltung bis heute ersichtlich unbefriedigend.
  Der Befehl Nr. 10/145 vom 1. März 1947 ist nicht ausgeführt.

Die Hauptverwaltung der landeseigenen Betriebe wurde nicht – wie vorgeschrieben – reorganisiert; sie ist – wie früher – nicht der Industrie-Verwaltung des Ministeriums für Wirtschaft unterstellt. In der Hauptverwaltung wurde die »Doppelmacht« in Form zweier gleichberechtigter Direktoren beibehalten, was nur zu unfruchtbaren Diskussionen in der Verwaltung führt, und die Bedeutung (Rolle) der Verwaltung mindert.

In den Unternehmen ist die Rolle der Direktoren auf unverantwortliche technische Funktionen herabgedrückt. Sie ist begrenzt durch das Recht, nur über die Werte bis zu 20 Mark ihres Preises zu verfügen. Alle Geschäfte leitet der Betriebsrat, der dabei nicht die geringste Verantwortung für den Zustand des Unternehmens trägt. Die Arbeitsdisziplin auf den Werken ist noch gering.

Auf einigen Werken wird der planmäßige Ausstoß der Produktion vereitelt, einzelne Werke erleiden Verluste, und die Hauptverwaltung ist mit alledem einverstanden.

Ein solcher Zustand der Arbeit gibt Grund zu der Annahme, daß das nichts weiter ist als das Ergebnis der Wünsche einzelner Personen, im Ministerium die landeseigenen Betriebe zu kompromittieren und zum Zusammenbruch zu bringen und die geschaffene ökonomische Basis zur Demokratisierung Deutschlands zu untergraben.

Ich befehle:

a) Den Wirtschaftsminister Appell auf die Unzulässigkeit seines Verhaltens zur Industrie, die Eigentum des Landes ist, hinzuweisen, da im Resultat die Festigung der Unternehmen gehemmt wird.

b) Die Hauptverwaltung landeseigener Betriebe der Industrieverwaltung im Wirtschaftsministerium zu unterstellen und der Industrie-Verwaltung die volle Verantwortung gegenüber dem Minister für den Zustand der landeseigenen Industrie des B/L. Thüringen aufzuerlegen.

c) Die Hauptverwaltung der landeseigenen Betriebe zu reorganisieren. In ihrem Bestande betriebstechnische Zweigabteilungen zu bilden:

1. Metallbearbeitende Industrie
2. Glas und Keramik
3. Textil-Trikotagen
4. Holzbearbeitende Industrie
5. Baumaterialien
6. Übrige Industrie

Auf die Spitze der gesamten Verwaltung sind ein Direktor und seine erforderlichen Stellvertreter zu ernennen, wodurch der herrschenden »Doppelherrschaft« ein Ende zu machen ist.

Die Hauptverwaltung, besonders die Produktions-technischen Abteilungen, ist durch bessere Fachleute, erfahrene Organisatoren der Produktion und ihrer Verwaltung zu verstärken. Das Ministerium für Wirtschaft ist zu verpflichten, eine grundsätzliche Verordnung über die Arbeit der Verwaltung landeseigener Betriebe auszuarbeiten und sie der Industrie-Abteilung der SMA des B/L. Thüringen zum 25. Juni 1947 zur Bestätigung vorzulegen.

d) Eine Instruktion über die Rechte und Pflichten des Direktors eines landeseigenen Betriebes des B/L. Thüringen ist auszuarbeiten und dieselbe der Industrie-Abteilung der SMA des B/L. Thüringen zum 25. Juni 1947 zur Bestätigung vorzulegen.

In der Instruktion sind vorzusehen:

1. Das Recht des Direktors auf Einzelleitung (Alleinherrschaft) in der Fabrik.

2. Die Befreiung des Direktors von einer kleinlichen Bevormundung und Einmischungen in die produktions-technischen Angelegenheiten von Seiten der Betriebsräte.

3. Die volle Verantwortung für die Arbeit des Werkes, seine Rentabilität die Erfüllung des Planes aufgrund einer weitgehenden Initiative und Unternehmungslust.

4. Die Rechnungslegung des Direktors vor der Hauptverwaltung landeseigener Betriebe.

5. Die gegenseitigen Beziehungen zwischen dem Direktor und dem Betriebsrat und den Gewerkschaften.

e) Die Übernahme der in Eigentum des B/L. Thüringen übergebenen Werke ist abzuschließen und juristisch rechtsgültig zu machen. Die Direktoren und Oberingenieure sind zu überprüfen, alle ungeeigneten sind zu ersetzen, fehlende auszuwählen und in diesen Ämtern zu bestätigen.

Zum 20. Juni 1947 ist mir von der Durchführung dieses Punktes des Befehles Meldung zu erstatten.

f) Die von den Sowjet-Aktien-Gesellschaften der Regierung zur Verfügung gestellten Unternehmen sind als Eigentum des B/L. Thüringen rechtskräftig zu machen.

g) Bis zum 1. Juli 1947 sind alle in Eigentum übergebenen Werke in staatliche umzubenennen, unter entsprechender Abänderung der Siegel, Stempel, Schilder und dergl., wobei die alte Benennung und die Produktionsmarke in Klammern zu belassen sind, mit dem Hinweis »ehemalig« als zeitweilige Erscheinung, zwecks Popularisierung des neuen Eigentümers.

h) Die Ausführung des Befehls ist mir am 30. Juni 1947 durch den Chef der Industrie-Abteilung der SMA des B/L. Thüringen zu melden.

i. A. Chef der Verwaltung der SMA des B/L. Thüringen Garde-General-Major (Kolesnitschenko)	i. A. Stabschef der Verwaltung der SMAD General-Major (Smirnow)

Richtig: Für den Kanzleichef des Stabes
der Verwaltung der SMAD
Garde-Kapitän des adm. D.
(Fedun)

7. Entschließung der 1. Parteikonferenz der SED vom 25. bis 28. Januar 1949 über die zukünftigen Aufgaben der Partei

Bereits im Vereinigungsprozeß war das Bestreben der KPD deutlich geworden, der neuen Partei die Züge des kommunistischen Organisationsverständnisses aufzuprägen. Gleichwohl blieb die SED, auch wenn sich in ihrem beständig wachsenden »Apparat« hauptamtlicher Mitarbeiter ehemalige Kommunisten zielbewußt durchzusetzen begannen, bis zum Beginn des Jahres 1948 eine Partei mit besonderer Struktur. Das rührte vor allem aus der doppelten Besetzung der Führungspositionen mit ehemaligen SPD- und KPD-Mitgliedern. Spitzenfunktionäre sprachen damals von ihrer »Parität«, d. h. von einem Funktionsträger ehemals anderer Parteizugehörigkeit im gleichen Rang. So war die »Parität« Walter Ulbrichts im Amte eines stellvertretenden Parteivorsitzenden Max Fechner, und Erich Gniffke hatte mit dem einstigen KPD-Politbüro-Mitglied Franz Dahlem gemeinsame Geschäftsbereiche, u. a. die Auslands- und Westdeutschland-Arbeit. Aufgrund der Mitgliederentwicklung der Einheitspartei war es sicherlich problematisch, auf Dauer am Paritätsprinzip festzuhalten. Seine Aufkündigung im Jahre 1949 entsprach dieser Erwägung aber kaum. Sie schloß vielmehr den Prozeß der Zurückdrängung sozialdemokratischen Einflusses auf allen Ebenen der SED formell ab. Die 1948 begonnenen Parteisäuberungen hatten vor allem ehemaligen Sozialdemokraten gegolten, die in der Einheitspartei versucht hatten, ihr Politikverständnis zumindest zu bewahren.

Mit der Mitte 1948 einsetzenden Umwandlung der SED in eine Kaderpartei bolschewistischen Verständnisses übernahm die SED alle wesentlichen Organisationsmerkmale kommunistischer Parteien. Der

Umwandlungsprozeß selbst wiederum bot Anlaß, die ideologische Vereinheitlichung zu fordern und – zumindest formal – auch durchzusetzen. Einige der ehemals führenden Sozialdemokraten haben an der Dauer- und Ernsthaftigkeit ihres Wandels keinen Zweifel gelassen. Zu ihnen gehörten Otto Grotewohl und Friedrich Ebert.

Quelle: Dokumente der Sozialistischen Einheitspartei Deutschlands. Bd. 2, 3. Aufl. Berlin (DDR) 1952, S. 183 ff.

IV. Die Entwicklung der SED zu einer Partei neuen Typus

1. Die großen Aufgaben, die vor dem werktätigen Volke Deutschlands stehen, machen es erforderlich, das große historische Versäumnis der deutschen Arbeiterbewegung nachzuholen und die SED zu einer Partei neuen Typus zu entwickeln.

Die Verschmelzung der KPD und SPD zur Sozialistischen Einheitspartei Deutschlands war das bedeutendste Ereignis in der jüngsten Geschichte der deutschen Arbeiterbewegung. Die Einheit hat sich bewährt – das beweisen die Erfolge im demokratischen Aufbau der Ostzone. Das beweist auch die ideologische Einheit und Festigkeit der Partei, die in den fast drei Jahren seit der Vereinigung erzielt wurden.

Es muß selbstkritisch festgestellt werden, daß der Kampf um die ideologische Klarheit in der Partei nach der Vereinigung nicht mit genügender Aktivität geführt wurde. Insbesondere wurde der bedeutende Schritt, den der II. Parteitag zur ideologischen Klärung vorwärts tat, nicht genügend in der ganzen Partei ausgewertet. Auch gab es ernste Schwächen im ideologischen Kampf, die gewisse Elemente ermutigten, Versuche zu unternehmen, die SED zu einer opportunistischen Partei westlicher Prägung zu machen. Diese Versuche wurden dadurch gefördert, daß der Klassenfeind durch seine Schumacher-Agentur Spione und Agenten in die Reihen unserer Partei entsandte mit der Aufgabe, innerhalb der SED antisowjetische und nationalistische Tendenzen und Stimmungen zu erzeugen.

Die damit heraufbeschworene Gefahr wurde dadurch abgewendet, daß der Parteivorstand auf seiner 11. Tagung im Juni eine entschiedene Wendung vollzog und mit der Annahme des Zweijahrplans die Aufgabe verband, die SED zu einer Partei neuen Typus zu entwickeln. Diese Arbeit wurde auf der 12. und 13. Tagung des Parteivorstandes fortgesetzt und besonders die Frage des ideologischen Kampfes in den Vordergrund der Parteiarbeit gerückt. Die der 13. Tagung folgende Parteidiskussion, in der eine Reihe grundsätzlicher Fragen geklärt wurde (unser Verhältnis zur Sowjetunion, zum Marxismus-Leninismus, der Weg zum Sozialismus, die falsche Theorie des besonderen deutschen Weges, die Entartung der jugoslawischen Parteiführer, das Bündnis mit der Bauernschaft, die Rolle der Partei, die Bedeutung und Aufgaben der Betriebsgruppenarbeit u. a.), hat gezeigt, daß die Partei bereits ein beachtliches theoretisches Niveau und eine weitgehende ideologische Einheit erreicht hat. Die Meinungsverschiedenheiten, die zum Austrag gebracht wurden, zeigten, daß der frühere ideologische Unterschied zwischen Kommunisten und Sozialdemokraten weitgehend verschwunden ist und daß in der Partei zahlreiche neue Kräfte herangewachsen sind, die keiner der alten Parteien angehört haben. Die Parteidiskussion hat ebenso wie die praktische Parteiarbeit bewiesen, daß das bisherige Prinzip der paritätischen Besetzung aller führenden Funktionen sich überlebt hat und zu einem Hemmschuh für die zweckmäßige Einsetzung der Kräfte geworden ist.

Die Parteidiskussion hat zugleich Klarheit darüber geschaffen, daß wir auf dem Wege zu einer Partei neuen Typus, das heißt einer Kampfpartei des Marxismus-Leninismus sind.

2. Die Kennzeichen einer Partei neuen Typus sind:

Die marxistisch-leninistische Partei ist die bewußte Vorhut der Arbeiterklasse. Das heißt, sie muß eine Arbeiterpartei sein, die in erster Linie die besten Elemente der Arbeiterklasse in ihren Reihen zählt, die ständig ihr Klassenbewußtsein erhöhen. Die Partei kann ihre führende Rolle als Vorhut des Proletariats nur erfüllen, wenn sie die marxistisch-leninistische Theorie beherrscht, die ihr die Einsicht in die gesellschaftlichen Entwicklungsgesetze vermittelt. Daher ist die erste Aufgabe zur Entwicklung der SED zu einer Partei neuen Typus die ideologisch-politische Erziehung der Parteimitglieder und besonders der Funktionäre im Geiste des Marxismus-Leninismus.

Die Rolle der Partei als Vorhut der Arbeiterklasse wird in der täglichen operativen Leitung der Parteiarbeit verwirklicht. Sie ermöglicht es, die gesamte Parteiarbeit auf den Gebieten des Staates, der Wirtschaft und des Kulturlebens allseitig zu leiten. Um dies zu erreichen, ist die Schaffung einer kollektiven operativen Führung der Partei durch die Wahl eines Politischen Büros (Politbüro) notwendig.

Die marxistisch-leninistische Partei ist die organisierte Vorhut der Arbeiterklasse. Alle Mitglieder müssen unbedingt Mitglied einer der Grundeinheiten der Partei sein. Die Partei stellt ein Organisationssystem dar, in dem sich alle Glieder den Beschlüssen unterordnen. Nur so kann die Partei die Einheit des Willens und die Einheit der Aktion der Arbeiterklasse sichern.

Die marxistisch-leninistische Partei ist die höchste Form der Klassenorganisation des Proletariats. Die Partei, in der die besten Menschen der Klasse zusammengefaßt sind, die mit der Theorie des Marxismus-Leninismus, mit der Kenntnis der Gesetze des Klassenkampfes und mit der Erfahrung der revolutionären Bewegung gewappnet sind – hat die Möglichkeit und ist berufen und verpflichtet, alle anderen Organisationen der Werktätigen dadurch zu leiten, daß die Parteimitglieder vorbildliche Arbeit in diesen Massenorganisationen leisten.

Die Partei verkörpert die Verbindung des Vortrupps der Arbeiterklasse mit den Millionenmassen der Arbeiter und der übrigen Werktätigen. Darum darf sie sich nicht von den Massen abkapseln und isolieren, sondern muß ihre Verbindungen mit ihnen festigen und das Vertrauen und die Unterstützung der breiten Massen verstärken.

Um die führende Rolle der Partei sicherzustellen und die Partei vor Schwankungen zu bewahren, ist die Einführung einer Kandidatenzeit für die Aufnahme in die Partei erforderlich. Diese Kandidatenzeit soll es dem Kandidaten ermöglichen, sich mit dem Programm und den Statuten, der Politik und Taktik der Partei vertraut zu machen und sich in der Parteiarbeit und in der Arbeit in den Massenorganisationen im Sinne der Partei zu bewähren.

Die marxistisch-leninistische Partei beruht auf dem Grundsatz des demokratischen Zentralismus. Dies bedeutet die strengste Einhaltung des Prinzips der Wählbarkeit der Leitungen und Funktionäre und der Rechnungslegung der Gewählten vor den Mitgliedern. Auf dieser innerparteilichen Demokratie beruht die straffe Parteidisziplin, die dem sozialistischen Bewußtsein der Mitglieder entspringt. Die Parteibeschlüsse haben ausnahmslos für alle Parteimitglieder Gültigkeit, insbesondere auch für die in Parlamenten, Regierungen, Verwaltungsorganen und in den Leitungen der Massenorganisationen tätigen Parteimitglieder.

Demokratischer Zentralismus bedeutet die Entfaltung der Kritik und Selbstkritik in der Partei, die Kontrolle der konsequenten Durchführung der Beschlüsse durch die Leitungen und die Mitglieder.

Die Duldung von Fraktionen und Gruppierungen innerhalb

der Partei ist unvereinbar mit ihrem marxistisch-leninistischen Charakter.

Die marxistisch-leninistische Partei wird durch den Kampf gegen den Opportunismus gestärkt. Die Arbeiterklasse ist keine nach außen abgeschlossene Klasse. Der Geist des Opportunismus wird ständig durch bürgerliche Kräfte in sie hineingetragen und ruft dadurch Unsicherheit und Schwankungen in ihren Reihen hervor. Deshalb ist der schonungslose Kampf gegen alle opportunistischen Einflüsse die unerläßliche Voraussetzung für die Stärkung der Kampfkraft der Partei.

Höchste Klassenwachsamkeit ist unbedingte Pflicht eines jeden Parteimitgliedes. Durch sie muß auch das Eindringen von Spionen, Agenten der Geheimdienste und des Ostbüros Schumachers in die Partei und die demokratischen Organe verhindert werden.

Die marxistisch-leninistische Partei ist vom Geiste des Internationalismus durchdrungen. Dieser Internationalismus bestimmt ihren Platz in der weltweiten Auseinandersetzung zwischen den Kriegshetzern und den Friedenskräften, zwischen Reaktion und Fortschritt, zwischen Kapitalismus und Sozialismus. In diesem Kampfe steht die marxistisch-leninistische Partei eindeutig im Lager der Demokratie und des Friedens, an der Seite der Volksdemokratien und der revolutionären Arbeiterparteien der ganzen Welt. Sie erkennt die führende Rolle der Sowjetunion und der KPdSU (B) im Kampfe gegen den Imperialismus an und erklärt es zur Pflicht jedes Werktätigen, die sozialistische Sowjetunion mit allen Kräften zu unterstützen.

8. Erklärung des SED-Parteivorstandes vom 15. März 1950 zum Gedenkjahr für Johann Sebastian Bach

Der Wechsel kulturpolitischer Orientierungen folgte dem Wandel der SED. In dem Maße, in dem diese sich an der KPdSU ausrichtete und das sowjetische Modell betonte, übernahm sie auch die dort herrschende kulturpolitische Linie. Sie war bestimmt von der seit Mitte der dreißiger Jahre durchgesetzten Konzeption einer »sozialistischen Kulturrevolution«, in der neben einer allgemeinen (und überaus erfolgreichen) Anhebung des Bildungsniveaus aller sozialen Schichten auch der Versuch unternommen wurde, die überkommenen Normen und Werthaltungen rasch umzuwälzen. Diesem Vorhaben diente die Instrumentierung aller Bereiche des Bildungswesens, der Forschung, der künstlerischen Produktion sowie der Agitation und Propaganda. Ihr entsprach die Verkümmerung des Marxismus zu einer Rechtfertigungstheorie, zur bloßen Weltanschauung.

Künstlerische Arbeiten wurden nach ihrem Beitrag zu dieser Kulturrevolution bewertet, der Künstler selbst, insbesondere der Schriftsteller, als »Ingenieur der menschlichen Seele« definiert; fremde Einflüsse waren tunlichst auszuschalten, weil sonst – glaubte man den eigenen Intentionen – der »neue Mensch« Gefahr lief, falsch konditioniert zu werden.

Der Kalte Krieg verzerrte die Sicht zusätzlich. Nun kam es vor allem darauf an, den auch ideologisch offensiven Gegner abzuwehren, um das eigene Programm nicht zu gefährden. Seit dem Beginn der fünfziger Jahre galt die Aufmerksamkeit in den Künsten vor allem dem »Objektivismus«, gegen den »Parteilichkeit« und »Volksverbundenheit« gesetzt wurden, und dem »Formalismus« (abstrakte Malerei z. B., aber auch moderne Musik), dem mit dem »Sozialistischen Realismus« begegnet wurde. Diese Kunsttheorie, die der Figur des »negativen Helden« ebenso mißtraute wie dem Formexperiment und eine Sicht aus der Perspektive des Sieges verlangte, beherrschte in verschiedenen Modifikationen die Kunstpolitik der meisten kommunistischen Parteien bis zum Ende der sechziger Jahre. Die ersten markanten Versuche, sie auch in der DDR durch- und für die Politik einzusetzen, begannen 1949.

Quelle: Dokumente der Sozialistischen Einheitspartei Deutschlands. Bd. 2, 3. Aufl. Berlin 1952, S. 464 ff.

Bachs große nationale Bedeutung liegt darin, daß er, eng mit dem Volke verbunden, Volkslied und Volkstanz in seinen Melodienschatz verwob und durch die Verarbeitung von Volksliedern und anderen weltlichen Melodien zu Chorälen und zu anderer Kirchenmusik diese Musik »verweltlichte«. Bachs große Bedeutung liegt in seiner meisterhaften Beherrschung aller Instrumente und in seiner Verbundenheit mit dem handwerklichen Schaffen, das ihn zur Erfindung neuer Instrumente befähigte. Bachs große Bedeutung liegt schließlich darin, daß er seine Erkenntnisse auf musikalischem Gebiet zu einer neuen, höheren Form des Musikschaffens verarbeitete und dadurch die ganze weitere Entwicklung der deutschen Musik vorbereitete. Damit bereicherte er den musikalischen Schatz aller Völker.

Ein solches wahrhaft nationales und zugleich der ganzen Menschheit dienendes Werk in einer Zeit der tiefsten Zersplitterung zu schaffen, erforderte einen Menschen, der bürgerliches Selbstbewußtsein hatte und tief von der Größe seiner Aufgabe durchdrungen war. Beides besaß Bach, wenn er sich auch nicht ganz von der niederdrückenden Atmosphäre deutscher Kleinstaaterei befreien konnte, was besonders in manchen Werken, die die »Weltflucht« verherrlichen, zum Ausdruck kommt. Aber seine enge Verbundenheit mit dem Volke, seine Aufgeschlossenheit gegenüber den Errungenschaften anderer fortschrittlicher Völker und sein meisterhaftes technisches Können befähigten ihn, sein großes Werk zu schaffen ...

Erst die mit der Zerschlagung des deutschen Faschismus durch die Armeen der Sozialistischen Sowjetunion herbeigeführte Niederlage der deutschen Imperialisten hat den Weg zu einer wahrhaft objektiven Wertung und Würdigung Bachs freigemacht. Die Arbeiterklasse, als Träger des Kampfes um die Einheit unseres Volkes und damit auch um die Einheit unserer Kultur, sieht in Bach einen der bedeutendsten Repräsentanten der deutschen Kultur, dessen Werk von höchster meisterlicher Gestaltungskraft zugleich Ausdruck eines gesamtdeutschen Kulturbewußtseins ist und damit einen bedeutenden Beitrag des deutschen Volkes zur Weltkultur darstellt.

9. Entschließung des Zentralkomitees der SED vom 17. März 1951 über den »Formalismus«

Quelle: Dokumente der Sozialistischen Einheitspartei Deutschlands. Bd. 3, Berlin 1952, S. 431 ff.

Die Lösung der großen Aufgaben des Fünfjahrplans erfordert verstärkte Bemühungen zur weiteren Hebung des kulturellen Niveaus der Stadt- und Landbevölkerung und die Herstellung einer engeren Verbindung zwischen Wissenschaft, Kunst und Literatur mit dem werktätigen Volk.

Der Kampf gegen die Remilitarisierung, für die Wiederherstellung der Einheit Deutschlands auf demokratischer Grundlage und für Abschluß eines Friedensvertrages mit Deutschland im Jahre 1951 ist die wichtigste Aufgabe des gesamten deutschen Volkes. Diese Aufgabe kann nur in entschiedenem Kampf gegen den kriegslüsternen amerikanischen Imperialismus gelöst werden, der bereits den Weg offener und brutaler Kriegsprovokationen beschritten hat ...

Im Gegensatz zu den kulturellen Erfolgen in der Deutschen Demokratischen Republik hat das Kulturleben in Westdeutschland und Westberlin durch den verderblichen Einfluß des amerikanischen Monopolkapitalismus einen katastrophalen Tiefstand erreicht. Die Kulturfeindlichkeit des Amerikanismus kommt unter anderem in der Einschränkung der Freiheit des künstlerischen Schaffens, in der Verfolgung progressiver Wissenschaftler und Künstler, im Boykott und in der Pogromhetze gegen sie zum Ausdruck.

Obwohl die Mehrheit der Kulturschaffenden im Westen unserer Heimat die Remilitarisierung ablehnt, fristen viele Künstler ihr Dasein nur dadurch, daß sie ihre Kunst in den Dienst der Feinde des deutschen Volkes stellen. So beteiligten sich Maler an einem Plakatwettbewerb zur Popularisierung des Marshallplans ...

Trotz aller Erfolge hat [in der DDR] die Entwicklung auf kulturellem Gebiet nicht mit den großen Leistungen auf wirtschaftlichem und politischem Gebiet Schritt gehalten ...

Die Hauptursache für das Zurückbleiben in der Kunst hinter den Forderungen der Epoche ergibt sich aus der Herrschaft des Formalismus in der Kunst sowie aus Unklarheiten über Weg und Methoden des Kunstschaffens in der Deutschen Demokratischen Republik.

Viele der besten Vertreter der modernen deutschen Kunst stehen in ihrem Schaffen vor dem großen Widerspruch zwischen einem neuen Inhalt und den unbrauchbaren Mitteln der formalistischen Kunst. Um einen neuen Inhalt zu gestalten, muß man den Formalismus überwinden.

Der Formalismus bedeutet Zersetzung und Zerstörung der Kunst selbst. Die Formalisten leugnen, daß die entscheidende Bedeutung im Inhalt, in der Idee, im Gedanken des Werkes liegt. Nach ihrer Auffassung besteht die Bedeutung eines Kunstwerkes nicht in seinem Inhalt, sondern in seiner Form. Überall, wo die Frage der Form selbständige Bedeutung gewinnt, verliert die Kunst ihren humanistischen und demokratischen Charakter.

Eine Formgebung in der Kunst, die nicht vom Inhalt des Kunstwerkes bestimmt wird, führt in die Abstraktion. Eine Formgebung, die der objektiven Wirklichkeit widerspricht, kann die Erkenntnis der objektiven Wirklichkeit nicht vermitteln. Wenn durch die Kunst die Erkenntnis der Wirklichkeit nicht vermittelt wird, dann erfüllt auch die Kunst ihre hohe Mission nicht, da die Kunst nach Karl Marx in allen Entwicklungsetappen der Menschheit die künstlerisch praktische Methode ist, sich die Welt anzueignen, mit anderen Worten, eine Form der Erkenntnis der Wirklichkeit ist ...

Das wichtigste Merkmal des Formalismus besteht in dem Bestreben, unter dem Vorwand oder auch der irrigen Absicht, etwas »vollkommen Neues« zu entwickeln, den völligen Bruch mit dem klassischen Kulturerbe zu vollziehen. Das führt zur Entwurzelung der nationalen Kultur, zur Zerstörung des Nationalbewußtseins, fördert den Kosmopolitismus und bedeutet damit eine direkte Unterstützung der Kriegspolitik des amerikanischen Imperialismus ...

Eine entscheidende ideologische Waffe des Imperialismus zur Erreichung dieses verbrecherischen Zieles ist der Kosmopolitismus. In der Kunst erfüllt in erster Linie der Formalismus in allen seinen Spielarten die Aufgabe, das Nationalbewußtsein der Völker zu unterhöhlen und zu zerstören. Es ist daher eine der wichtigsten Aufgaben des deutschen Volkes, sein nationales Kulturerbe zu wahren. Vor unseren deutschen Künstlern und Schriftstellern entsteht die Aufgabe, anknüpfend an das kulturelle Erbe eine neue deutsche demokratische Kultur zu entwickeln ...

Beispiele des Formalismus

Ein Beispiel für den Formalismus in der Malerei war das Wandgemälde von Horst Strempel im Bahnhof Friedrichstraße in Berlin. Den dort gemalten Personen fehlten die charakteristischen Merkmale unserer besten, der Sache des Fortschritts treu ergebenen Menschen; sie waren dazu noch unförmig proportioniert und wirkten abstoßend.

Auch in den Arbeiten von Max Lingner treten Züge des Formalismus in Erscheinung, so zum Beispiel im Umschlag des Volkskalenders für das Jahr 1951.

Besonders auf dem Gebiete der bildenden Kunst gibt es viele zum Teil befähigte Künstler, deren Arbeiten formalistisch sind. Dazu gehört auch eine ganze Reihe von Dozenten an Kunsthoch- und -fachschulen, die die Studierenden formalistisch ausbilden.

In der Architektur, die im Rahmen des Fünfjahrplans vor großen Aufgaben steht, hindert uns am meisten der sogenannte »Bauhausstil« und die konstruktivistische, funktionalistische Grundeinstellung vieler Architekten an der Entwicklung einer Architektur, die die neuen gesellschaftlichen Verhältnisse in der Deutschen Demokratischen Republik zum Ausdruck bringt. An Bauwerken wie dem Wohnblock in der Stalinallee in Berlin, dem Wohnheim der Arbeiter- und Bauern-Fakultät der Technischen Hochschule in Dresden und verschiedenen Verwaltungsgebäuden zeigt sich, daß die künstlerische Idee einer mit dem Volksempfinden verbundenen Kunst verkümmert ist. Die meisten Architekten gehen abstrakt und ausschließlich von der technischen Seite des Baues aus, vernachlässigen die künstlerische Gestaltung der Bauwerke und lehnen das Anknüpfen an Vorbilder der Vergangenheit ab ...

In der Musik war die im Jahre 1950 in Dresden aufgeführte Oper ›Antigone‹ ein typisches Beispiel des Formalismus. Ihre Musik war monoton, unmelodisch, in der Hauptsache von geräuschvollen Schlaginstrumenten bestritten und arm an wirklicher musikalischer Schöpferkraft. Formalistisch ist auch die Musik der Oper ›Das Verhör des Lukullus‹ ...

Um eine realistische Kunst zu entwickeln, orientieren wir uns am Beispiel der großen sozialistischen Sowjetunion, die die fortschrittlichste Kultur der Welt geschaffen hat.

Genosse Schdanow hat 1934 wie folgt formuliert:

»Genosse Stalin hat unsere Schriftsteller die Ingenieure der menschlichen Seele genannt. Was heißt das? Welche Verpflichtung legt Ihnen dieser Name auf?

Das heißt erstens, das Leben kennen ..., es nicht scholastisch, nicht tot, nicht als ›objektive Wirklichkeit‹, sondern als die Wirklichkeit in ihrer revolutionären Entwicklung darstellen zu können.

Dabei muß die wahrheitsgetreue und historisch konkrete künstlerische Darstellung mit der Aufgabe verbunden werden, die werktätigen Menschen im Geiste des Sozialismus ideologisch umzuformen und zu erziehen. Das ist die Methode, die wir in der schönen Literatur und in der Literaturkritik als die Methode des sozialistischen Realismus bezeichnen.«

Welche Lehren haben wir daraus für das Kulturschaffen in der Deutschen Demokratischen Republik zu ziehen? Um eine realistische Kunst zu entwickeln, »die ... die neuen gesellschaftlichen Verhältnisse in der Deutschen Demokratischen Republik zum Ausdruck bringt« (Entschließung des III. Parteitages der SED), müssen unsere Kunstschaffenden das Leben richtig, das heißt in seiner Vorwärtsentwicklung darstellen. Dazu ist die Kenntnis der Entwicklung des wirklichen Lebens erforderlich. Die typischen Umstände unserer Zeit, unter denen die getreue Wiedergabe typischer Charaktere erfolgen soll, sind die neuen gesellschaftlichen Verhältnisse in der Deutschen Demokratischen Republik, das ist der Kampf um die Lösung der Lebensfragen unseres Volkes.

Entsprechend dieser Verhältnisse muß die wahrheitsgetreue, historisch konkrete künstlerische Darstellung mit der Aufgabe verbunden werden, die Menschen im Geiste des Kampfes für ein einheitliches, demokratisches, friedliebendes und unabhängiges Deutschland, für die Erfüllung des Fünfjahrplans, zum Kampf für den Frieden zu erziehen.

Die realistische Kunst vermittelt die Erkenntnisse der Wirklichkeit und erweckt in den Menschen Bestrebungen, die geeignet sind, sich in einer fortschrittlichen, schöpferischen Tätigkeit im Sinne der Lösung der Lebensfragen unseres Volkes zu verkörpern.

10. Beschluß der II. Parteikonferenz der SED zur gegenwärtigen Lage und zu den Aufgaben im Kampf für Frieden, Einheit, Demokratie und Sozialismus vom 12. Juli 1952

Bis 1952 hatte sich die SED-Führung programmatisch weder innen- noch deutschlandpolitisch eindeutig festgelegt. Betont worden war immer wieder nur, daß die Partei mit Rücksicht auf die Einheit Deutschlands nicht den Sozialismus anziele, sondern die »Festigung der antifaschistischen Ordnung« betreibe. Den qualitativen Unterschied zwischen beidem hatte sie freilich nie überzeugend verdeutlichen können. Immerhin aber hatte die SED stets die Vorläufigkeit des Bestehenden und damit auch seiner staatlichen Form, der DDR, betont.

An dieser Aussage hielt sie vordergründig auch im Juli 1952 fest. Die Delegierten der II. Parteikonferenz widmeten dem »nationalen Befreiungskampf« den ersten Teil ihres Beschlusses: knapp zweieinhalb Seiten. Zwar blieb auch hier dunkel, wie das Ziel mit dem gewählten Mittel, wie die Einheit des Landes durch den Aufbau des Sozialismus in einem Teilgebiet erreicht werden könne. Vollends ausgeschlossen aber wurde sie durch das Programm für die weitere Umgestaltung der DDR, das im zweiten, acht Seiten langen Teil präsentiert wurde. Unter dem Aspekt der Schlüssigkeit der Aussagen zählt die Resolution sicherlich zu den schwächsten Produkten der SED. Mit Blick auf ihre Wirkungen aber zu denen, die die DDR-Gesellschaft am nachhaltigsten prägten.

Quelle: Protokoll der Verhandlungen der II. Parteikonferenz der Sozialistischen Einheitspartei Deutschlands. 9. bis 12. Juli 1952 in der Werner-Seelenbinder-Halle zu Berlin. Berlin (DDR) 1952, S. 489 ff.

Die II. Parteikonferenz der SED stimmt dem Referat des Generalsekretärs des Zentralkomitees, Genossen Walter Ulbricht, über die gegenwärtige Lage und die neuen Aufgaben der SED zu und beschließt:

I. Die Welt ist in zwei Lager gespalten, in das Lager des Friedens, der Demokratie und des Sozialismus und in das Lager des Imperialismus. Dementsprechend haben sich in der Welt zwei Hauptanziehungszentren gebildet: einerseits die Sowjetunion als das Zentrum der Länder des Friedens, der Demokratie und des Sozialismus sowie aller um ihre Befreiung kämpfenden Ausgebeuteten und Unterdrückten und andererseits die USA als das Zentrum der kapitalistischen Regierungen, der Kriegshetze, der reaktionären und ausbeuterischen Elemente in der Welt. Im Lager des Imperialismus herrschen Zerfall und Fäulnis. Im Lager des Sozialismus entfalten sich Aufbau, Fortschritt und Gemeinsamkeit der Interessen im Kampf für Demokratie, Frieden und Sozialismus.

Das Lager des Friedens wird geführt von der Sozialistischen Sowjetunion mit dem Führer der Völker, dem großen Stalin, an der Spitze. Seit der Großen Sozialistischen Oktoberrevolution besitzt die Menschheit die Perspektive eines dauerhaften Friedens. Diese Perspektive wird um so eher Wirklichkeit, je eher die Völker die Sache des Friedens in ihre eigenen Hände nehmen.

In Deutschland ist die zentrale Frage der Kampf um einen Friedensvertrag und um die Wiederherstellung der Einheit Deutschlands. Durch das Wiedererstehen des deutschen Militarismus und Imperialismus mit Hilfe der amerikanischen, britischen und französischen Okkupationsmächte, durch den Abschluß des Separatpaktes ist der Frieden bedroht und die deutsche Nation in Gefahr. Die angloamerikanischen Imperialisten wollen die Material- und Menschenreserven Westdeutschlands und Westeuropas an sich reißen im Interesse der Vorbereitung und Entfesselung eines neuen Weltkrieges ...

Daraus ergibt sich:

Erstens: Der nationale Befreiungskampf gegen die amerikanischen, englischen und französischen Okkupanten in Westdeutschland und für den Sturz ihrer Vasallenregierung in Bonn ist die Aufgabe aller friedliebenden und patriotischen Kräfte in Deutschland. Es gilt, alle Maßnahmen der Kriegstreiber zu entlarven sowie jener Elemente, die die Vorbereitung eines neuen Krieges zu rechtfertigen suchen.

Zweitens: Die Schaffung der Aktionseinheit der kommunistischen, sozialdemokratischen, christlichen und parteilosen Arbeiter, das Bündnis der Arbeiterklasse mit den werktätigen Bauern und der Zusammenschluß aller deutschen Patrioten ...

Viertens: Die Sicherung des Friedens, des demokratischen Fortschritts und des sozialistischen Aufbaus in der Deutschen Demokratischen Republik und in Berlin gegenüber Aggressionsakten vom Westen erfordert die Festigung und Verteidigung der Grenzen der Deutschen Demokratischen Republik, die Stärkung der demokratischen Volksmacht, der demokratischen Ordnung und Gesetzlichkeit und die Organisierung bewaffneter Streitkräfte, die mit der neuesten Technik ausgerüstet und imstande sind, die Errungenschaften der Werktätigen vor einem imperialistischen Angriff zu schützen.

Fünftes: Es gilt, die Freundschaft mit der Sowjetunion, dem Bollwerk des Friedens, der Demokratie und des Sozialismus in der ganzen Welt, sowie die Freundschaft mit der Chinesischen Volksrepublik und mit den volksdemokratischen Ländern in Europa und Asien weiter zu festigen...

Die II. Parteikonferenz stellt fest:

Sechstens: *Die politischen und die ökonomischen Bedingungen sowie das Bewußtsein der Arbeiterklasse und der Mehrheit der Werktätigen sind so weit entwickelt, daß der Aufbau des Sozialismus zur grundlegenden Aufgabe in der Deutschen Demokratischen Republik geworden ist. Das deutsche Volk, aus dem die bedeutendsten deutschen Wissenschaftler Karl Marx und Friedrich Engels, die Begründer des wissenschaftlichen Sozialismus, hervorgegangen sind, wird unter der Führung der Arbeiterklasse die großen Ideen des Sozialismus verwirklichen.*

Siebentens: Das Hauptinstrument bei der Schaffung der Grundlagen des Sozialismus ist die Staatsmacht. Deshalb gilt es, die volksdemokratischen Grundlagen der Staatsmacht ständig zu festigen. Die führende Rolle hat die Arbeiterklasse, die das Bündnis mit den werktätigen Bauern, der Intelligenz und anderen Schichten der Werktätigen geschlossen hat. Es ist zu beachten, daß die Verschärfung des Klassenkampfes unvermeidlich ist und die Werktätigen den Widerstand der feindlichen Kräfte brechen müssen ...

Neuntens: Der Aufbau des Sozialismus in der Deutschen Demokratischen Republik ist ein Schlag gegen die reaktionären Machthaber in Westdeutschland. Der Aufbau des Sozialismus ist der Ausdruck des festen Willens der Bevölkerung der Deutschen Demokratischen Republik und Berlins, mit aller Kraft den Frieden zu erhalten. Zugleich gibt der Aufbau des Sozialismus der Bevölkerung in ganz Deutschland die Möglichkeit, sich mit eigenen Augen davon zu überzeugen, daß der Weg der Demokratie und des Sozialismus der einzige Weg ist, der den Interessen des Volkes entspricht und der deutschen Nation eine große Zukunft als gleichberechtigte Nation im Kreise der friedliebenden Völker gewährleistet.

Seit außerhalb der DDR zur DDR-Geschichte geforscht wird, herrscht Klage über die schwierige Quellenlage. Nur ganz wenigen »westlichen« Wissenschaftlern wurde es bislang gestattet, DDR-Archive zu benutzen oder dort Akteure der Zeitgeschichte zu befragen. Häufig bestehen auch Schwierigkeiten, wissenschaftliche Arbeiten aus der DDR, die auf den dort gesammelten Archivalien basieren, zu benutzen. Ein Teil dieser Studien ist weder über den Leihverkehr der Bibliotheken zu beziehen noch in der DDR einzusehen.

Die Mehrzahl der außerhalb der DDR publizierten Studien stützt sich daher auf die allgemein zugänglichen wissenschaftlichen Arbeiten (Quelleneditionen, Dissertationen, Habilitationsschriften usw.) sowie auf die veröffentlichten Dokumente (Beschlüsse von Partei und Regierung, Parteitagsprotokolle, Gesetzblätter u. ä.) und Statistiken. Diese Quellen sind in doppelter Hinsicht problematisch: Selten ist ihre Vollständigkeit zu überprüfen, häufig wurde der Versuch unternommen, etwa neu aufgelegte Sammlungen von Dokumenten, Reden, Aufsätzen etc. in das jeweils herrschende Deutungsmuster der eigenen Geschichte einzupassen, d. h. störende Lesarten zu korrigieren oder wegzulassen. Vergleichbares gilt für statistische Materialien. Gleichwohl bieten diese Publikationen zusammen mit der Presse der SED, der Blockparteien und Massenorganisationen eine hinreichende Basis sowohl für deskriptive wie für analytische Darstellungen. Alle diese Studien leiden jedoch unter einem deutlichen Mangel. Keine kann – aufgrund der Quellenlage – Entscheidungsprozesse in den Führungsgremien von Partei und Staat präzise nachzeichnen und so Handlungsalternativen verdeutlichen, vor denen die Entscheidungsträger womöglich standen. Allein für die frühen Jahre liegen differenziertere Informationen vor, die in aller Regel von Akteuren stammen, die später in die Bundesrepublik übersiedelten[1]. Ähnliche Einschränkungen gelten für das Verhältnis der SED-Führung zu den Machtzentren in der Sowjetunion bzw. – für die Frühphase der SBZ – für die Beziehungen zur Sowjetischen Militäradministration.

Eine Materiallage wie diese ist freilich auch verführerisch. Sie bietet einerseits der Zeitgeschichtsschreibung in der DDR die Möglichkeit, ihr Quellenmonopol zu nutzen, Geschichte strikt parteilich darzubieten. Sie lädt andererseits auswärtige Forscher dazu ein, dem raren Material vorwissenschaftliche Deutungsmuster überzustülpen. Der DDR-

---

[1] Johann Baptist Gradl, Anfang unter dem Sowjetstern. Die CDU 1945–1948 in der sowjetischen Besatzungszone Deutschlands. Köln 1981; Erich W. Gniffke, Jahre mit Ulbricht. Köln. 1966; Adam Wolfram, Es hat sich gelohnt. Der Lebensweg eines Gewerkschafters. Koblenz 1977; Wolfgang Leonhard, Die Revolution entläßt ihre Kinder. Köln, Berlin 1955.

Kritik an westlichen Arbeiten aber bietet sie allemal die Möglichkeit, den Vorwurf mangelnder Seriosität, wenn nicht gar die Anklage der »ideologischen Diversion« zu erheben.

Die Frühgeschichte der DDR ist erst in jüngerer Zeit wieder Gegenstand der westlichen DDR-Forschung geworden. 1982 legte Siegfried Suckut[2] eine ungemein materialreiche Untersuchung über die Betriebsrätebewegung zwischen 1945 und 1948 vor. Sie bietet zugleich einen guten Überblick über die Entwicklung wesentlicher Momente der Sozialstruktur. 1983 erschien in den USA eine Studie von Gregory Sandford[3], die gleichfalls – freilich eher summierend – der Frühgeschichte gewidmet ist und speziell die Entstehung des Herrschaftssystems untersucht. Sie schließt thematisch an die Analyse Henry Krischs[4] an, der speziell den Formierungsprozeß des politischen Systems (vor allem im Hinblick auf die Rolle und das Schicksal der SPD) behandelt. In der Bundesrepublik hatte Frank Moraw 1973 eine Untersuchung veröffentlicht, die auf breiter Quellenbasis den Verschmelzungsprozeß von KPD und SPD analysierte und die Rolle von Sozialdemokraten in der SED bis zum Jahre 1948 untersuchte. Diesem Problem war Carola Stern[5] bereits 1957 in ihrer stets wieder lesenswerten historisch-soziologischen SED-Analyse nachgegangen. Bislang fehlt eine auf einer breiteren Quellenbasis beruhende Darstellung zur Frühgeschichte der SED. Zur Entwicklung der KPD-Konzeption zwischen 1935 und 1946 hat Arnold Sywottek[6] 1971 eine noch immer gültige Darstellung publiziert. Vorbildlich für die kritische Analyse der nichtmarxistischen Parteien in den Jahren nach 1945 ist nach wie vor die 1961 erschienene Arbeit von Ekkehart Krippendorff[7] über die LDP. Zu diesem Problembereich liegen mit den Untersuchungen von Norbert Mattedi[8] und von Roderich Kuhlbach und Helmut Weber[9] nützliche Überblicksdarstellungen vor.

[2] Siegfried Suckut, Die Betriebsrätebewegung in der Sowjetisch Besetzten Zone Deutschlands (1945–1948). Zur Entwicklung und Bedeutung von Arbeiterinitiative, betrieblicher Mitbestimmung und Selbstbestimmung bis zur Revision des programmatischen Konzepts der KPD/SED vom »besonderen deutschen Weg zum Sozialismus«. Frankfurt a. M. 1982.

[3] Gregory Sandford, From Hitler to Ulbricht. The Communist Reconstruction of East Germany, 1945–1946. Princeton 1983.

[4] Henry Krisch, German Politics under Soviet Occupation. New York, London 1974.

[5] Carola Stern, Porträt einer bolschewistischen Partei. Entwicklung, Funktion und Situation der SED. Köln, Berlin 1957.

[6] Arnold Sywottek, Deutsche Volksdemokratie. Studien zur politischen Konzeption der KPD 1935–1946. Düsseldorf 1971.

[7] Ekkehart Krippendorff, Die Liberal-Demokratische Partei Deutschlands in der Sowjetischen Besatzungszone 1945/1948. Düsseldorf o. J. (1961).

[8] Norbert Mattedi, Gründung und Entwicklung der Parteien in der Sowjetischen Besatzungszone Deutschlands. Bonn, Berlin 1966.

[9] Roderich Kuhlbach und Helmut Weber, Parteien im Blocksystem der DDR. Funktion und Aufbau der LDPD und der NDPD. Köln 1969.

I a) Zur Frühgeschichte des Parteiensystems hat Hermann Weber 1982 einen reich dokumentierten Band[10] herausgegeben, und seit 1986 liegen mit den von Siegfried Suckut edierten Protokollen des Einheitsfront-Ausschusses der SBZ-Parteien[11] aus den Jahren 1945–1949 erstmals weithin lückenlose Dokumente über deren widerspruchsvolle Zusammenarbeit vor. Einen differenzierten Einblick in die sozialen und wirtschaftlichen Probleme der frühen Jahre vermittelt die 1987 erschienene Arbeit von Wolfgang Zank[12]. Sie erweitert ebenso wie die Studien von Gerhard Braas[13] oder Manfred Jäger[14] die Kenntnisse über die Entstehungsjahre der DDR beträchtlich. Diese Zeit auch unter dem Aspekt der innerdeutschen Bezüge, mit Blick auf die DDR und die Bundesrepublik aufgearbeitet zu haben, ist das Verdienst von Christoph Kleßmann[15] und Rolf Steininger[16]; und als eine kritische Zwischenbilanz der »Antifa«-Periode sei schließlich auch meine 1976 vorgelegte Arbeit[17] erwähnt, auf die der vorliegende Text im wesentlichen zurückgeht.

Interessant sind zudem die Arbeiten, die in den siebziger Jahren – im Nachklang der Studentenbewegung – mit pointiert politischem Erkenntnisinteresse geschrieben wurden. So untersuchte Uwe Wagner[18] die Entwicklung der Arbeitsorganisation in den vierziger und fünfziger Jahren, kam aber m. E. schon aufgrund seinen »Vorwissens« (»Restauration des Kapitalismus« seit Stalins Tod) zu problematischen Aussa-

[10] Ders. (Hrsg.), Parteiensystem zwischen Demokratie und Volksdemokratie. Dokumente und Materialien zum Funktionswandel der Parteien und Massenorganisationen in der SBZ/DDR 1945–1950. Köln 1982.

[11] Siegfried Suckut (Hrsg.), Blockpolitik in der SBZ/DDR 1945–1949. Die Sitzungsprotokolle des zentralen Einheitsfront-Ausschusses. Quellenedition, Köln 1986 (= Mannheimer Untersuchungen zu Politik und Geschichte der DDR, Bd. 3).

[12] Wolfang Zank, Wirtschaft und Arbeit in Ostdeutschland 1945–1949. Probleme des Wiederaufbaus in der Sowjetischen Besatzungszone Deutschlands, München 1987 (= Studien zur Zeitgeschichte, hrsg. v. Institut für Zeitgeschichte, Bd. 31).

[13] Gerhard Braas, Die Entstehung der Länderverfassungen in der Sowjetischen Besatzungszone Deutschlands 1946/47, Köln 1987 (= Mannheimer Untersuchungen zu Politik und Geschichte der DDR, Bd. 4).

[14] Manfred Jäger, Kultur und Politik in der DDR. Ein historischer Abriß, Köln 1982.

[15] Christoph Kleßmann, Die doppelte Staatsgründung. Deutsche Geschichte 1945–1955, 1. Aufl., Bonn 1982 (= Schriftenreihe der Bundeszentrale für politische Bildung, Bd. 193).

[16] Rolf Steininger, Deutsche Geschichte 1945–1961. Darstellung und Dokumente in zwei Bänden, Frankfurt/M. 1983.

[17] Dietrich Staritz, Sozialismus in einem halben Lande. Zur Programmatik und Politik der KPD/SED in der Phase der antifaschistisch-demokratischen Umwälzung in der DDR. Berlin 1976.

[18] Uwe Wagner, Vom Kollektiv zur Konkurrenz. Partei und Massenbewegung in der DDR. Berlin 1974.

gen. Das gleiche Deutungsmuster liegt der Arbeit von Phillip Neumann[19] zugrunde.

Die Mehrzahl dieser Untersuchungen galt freilich nur Ausschnitten aus den frühen Jahren der DDR-Entwicklung. Die erste umfassende Studie, die Arbeit von Horst Duhnke[20] stammt aus der Mitte der fünfziger Jahre. Sie war im übrigen auch der letzte Versuch, die Entwicklung der DDR im Kontext der kommunistischen Weltbewegung und ihrer Abhängigkeit von den Veränderungen der sowjetischen Politik nachzuzeichnen. Anders als die nüchterne Untersuchung des britischen Autors Nettl[21], der 1953 einen Überblick über Politik und Wirtschaft in der SBZ präsentiert hatte, ist Duhnkes in den USA entstandene Untersuchung allerdings wesentlich von den politischen Auseinandersetzungen ihrer Entstehungszeit, vom Kalten Krieg geprägt. Die erste bewußt von dieser Sichtweise abweichende deutsche Arbeit zur Gesamtentwicklung stammt von Ernst Richert[22], einem der Begründer der wissenschaftlichen DDR-Forschung in der Bundesrepublik. Sie wurde schon 1964 publiziert und ist durch ihren Versuch, den Zusammenhang von sozialstruktureller und politischer Entwicklung nachzuzeichnen und die Entwicklungsperspektive der DDR analytisch zu bestimmen, noch immer vorbildlich.

b) Mit Gesamtdarstellungen zur DDR-Geschichte ist vor allem Hermann Weber[23] hervorgetreten. Seine Arbeiten bieten die dichtesten Informationen speziell zur Entwicklung des politischen Systems auch der frühen Jahre. In meiner 1985 erschienenen DDR-Geschichte[24] wird dieser Zeitraum eher gestreift.

Die DDR-Historiographie hat sich der Frühgeschichte ihres Staates immer wieder und mit wechselnden Fragestellungen angenommen. Sie folgt – wie erwähnt – dabei der jeweils gültigen Parteiinterpretation des Entwicklungszieles und der Geschichte der eigenen Gesellschaft. Bis Ende der sechziger Jahre galt die Lesart von zwei revolutionären Etappen, die zwischen 1945 und 1961 (»Sieg der sozialistischen Produktionsverhältnisse«) aufeinander gefolgt seien. Strittig war nur, wann die bürgerlich-demokratische Revolution (»antifaschistisch-demokratische Umwälzung«) von der sozialistischen abgelöst wurde. In diesen Jahren

[19] Phillip Neumann, Zurück zum Profit. Berlin 1973.

[20] Horst Duhnke, Stalinismus in Deutschland. Die Geschichte der sowjetischen Besatzungszone. Köln, Berlin 1955.

[21] J. Peter Nettl, Die deutsche Sowjetzone bis heute. Politik, Wirtschaft, Gesellschaft, Frankfurt a. M. 1953.

[22] Ernst Richert, Das zweite Deutschland. Ein Staat, der nicht sein darf. Gütersloh 1964.

[23] Zunächst: Hermann Weber, Von der SBZ zur DDR 1945–1968, Hannover 1968; zuletzt: ders., Geschichte der DDR, 2. Aufl., München 1986; ders., DDR. Dokumente zur Geschichte der Deutschen Demokratischen Republik 1945–1985, 2. Aufl., München 1986.

[24] Dietrich Staritz, Geschichte der DDR 1949–1985, 2. Aufl., Frankfurt/M. 1986.

betonte die Zeitgeschichtsschreibung[25] im übrigen auch noch intensiv, daß die Politik der SED auf ein »einheitliches, demokratisches und friedliebendes« Deutschland gerichtet gewesen sei. Seit dem Beginn der siebziger Jahre wird dagegen deutlich auf die inhaltliche Identität der Entwicklung der DDR mit der der osteuropäischen Staaten hingewiesen. Statt von zwei Revolutionen spricht man nun – in Übereinstimmung mit den anderen herrschenden kommunistischen Parteien – von einem »einheitlichen revolutionären Prozeß«.

Charakteristisch für das ältere Interpretationsmuster ist die 1959 erschienene erste ausführliche, materialreiche und instruktive Darstellung der DDR-Frühgeschichte von Stefan Doernberg[26]. Ähnliche Deutungen liefern die Bände 6 und 7 der 1966 publizierten ›Geschichte der deutschen Arbeiterbewegung‹ und auch die von Schöneburg, Mand u. a. 1966 und 1967 herausgegebenen Bände ›Vom Werden unseres Staates‹[27]. Kennzeichnend für diese Publikationen ist der Versuch, die innenpolitischen Konflikte und ihre Problematik wenigstens anzudeuten.

Die neueren Darstellungen dagegen verzichten zumeist auf eine Würdigung der konkreten Widersprüchlichkeit der frühen Entwicklungsphase. Das gilt insbesondere für die seit dem Ende der siebziger Jahre erschienenen Geschichten der SED[28] der Massenorganisationen[29] und der Bündnispolitik[30]. Ausnahmen bilden das unter Leitung von Rolf Badstübner entstandene Hochschullehrbuch ›Geschichte der DDR‹[31] und die auf intensiver Quellenauswertung basierende Studie über den Staats- und Verwaltungsbau (1945–1949)[32], die an der Akademie der Wissenschaften entstand.

[25] Zur Entwicklung der Zeitgeschichtsschreibung der DDR vgl. Hans-Dieter Schütte, Zeitgeschichte und Politik. Deutschland- und blockpolitische Perspektiven der SED in den Konzeptionen marxistisch-leninistischer Zeitgeschichte, Bonn 1985.

[26] Stefan Doernberg, Die Geburt eines neuen Deutschland 1945–1949. Die antifaschistisch-demokratische Umwälzung und die Entstehung der DDR. 2. Aufl., Berlin (DDR) 1959.

[27] Karl-Heinz Schöneburg, u. a., Vom Werden unseres Staates. Eine Chronik. Bd. 1: 1945–1949. Bd. 2: 1949–1955. Berlin (DDR) 1966, 1968.

[28] Geschichte der SED. Abriß. Hrsg. v. einem Autorenkollektiv beim Institut für Marxismus-Leninismus beim ZK der SED. Berlin (DDR) 1978.

[29] Geschichte des Freien Deutschen Gewerkschaftsbundes. Hrsg. vom Bundesvorstand des FDGB. Berlin (DDR) 1982; Geschichte der Freien Deutschen Jugend. Hrsg. im Auftrag des Zentralrates von einem Autorenkollektiv u. Leitung v. Karlheinz Jahnke. Berlin (DDR) 1982; Karl-Heinz Schulmeister, Auf dem Wege zu einer neuen Kultur. Der Kulturbund in den Jahren 1945–1949. Berlin (DDR) 1977.

[30] Bündnispolitik im Sozialismus. Autorenkollektiv u. Leitung v. Heinz Hümmler. Berlin (DDR) 1981.

[31] Geschichte der Deutschen Demokratischen Republik. Autorenkollektiv u. Leitung v. Rolf Badstübner, Berlin (DDR) 1981.

[32] Die Errichtung des Arbeiter- und Bauernstaates der DDR. 1945–1949. Autorenkollektiv u. Leitung von Karl-Heinz Schöneburg. Berlin (DDR) 1983.

Um größere Nähe zur historischen Realität bemüht zeigten sich schon früh Historiker der Blockparteien. So zeichnen sich etwa die Arbeiten von Rudolf Agsten und Manfred Bogisch[33] oder die von Ulrich Dirksen[34] über die Entwicklung der LDPD bzw. die Studie von Werner Wünschmann[35] über die Deutschlandkonzeption der frühen CDUD durch differenziertere Wertungen und intensivere Nutzung eigener Archivalien aus.

Ähnliches gilt für die Wirtschaftsgeschichte, die – wie schon sehr früh Werner Krause[36] und neuerdings Jörg Roesler[37] – zu realistischen Einschätzungen der Entwicklung des Planungs- und Leitungssystems gelangt, freilich – wie die Arbeit von Horst Barthel[38] zeigt – noch immer die reale Belastung der DDR-Volkswirtschaft durch die sowjetische Reparationspolitik kaum thematisiert.

c) Seit den achtziger Jahren ist in der Zeitgeschichtsschreibung der DDR der Beginn einer Ausdifferenzierung von Fragestellungen zu beobachten. Sie entspricht dem seither breiteren »Erbe«-Verständnis. Wie für die Historiographie allgemein, gilt für die Geschichtsschreibung der neuesten Zeit grundsätzlich das Postulat, das »ganze Erbe« aufzuarbeiten –»echte Guthaben ebenso wie Schulden, Gutes wie Schlechtes, Positives wie Negatives, Progressives wie Rückständiges, ja Reaktionäres«[39], auch wenn nach wie vor die »Traditionen« (der Teil des Erbes, »mit dem wir uns identifizieren«)[40] im Mittelpunkt des Interesses stehen. Diese Erweiterung der Forschungsperspektive resultierte wohl auch aus der Erkenntnis der wachsenden Differenz zwischen dem sozial tradierten und dem durch das Bildungssystem vermittelten Geschichtsbild. Damit wurde es auch möglich, sich weniger befangen als zuvor der DDR-Geschichte zuzuwenden. Zwar liegt bisher keine um-

[33] Rudolf Agsten und Manfred Bogisch, LDPD auf dem Weg in die DDR. Zur Geschichte der LDPD in den Jahren 1946–1949. Berlin (DDR) 1974; Dies., Zur Geschichte der LDPD 1949–1952. Teile I u. II Berlin (DDR) 1982.

[34] Ulrich Dirksen, Liberaldemokraten zwischen Fortschritt und Reaktion. Die LDPD im Kampf um die Entstehung und Festigung des Volkseigentums 1946–1949. Berlin (DDR) 1977.

[35] Werner Wünschmann, Zur Deutschland-Konzeption der Führung der CDU in der sowjetischen Besatzungszone 1945–1947. o. O. (Berlin/DDR) 1966.

[36] Werner Krause, Die Entstehung des Volkseigentums in der Industrie der DDR. Berlin (DDR) 1958.

[37] Jörg Roesler, Die Herausbildung der sozialistischen Planwirtschaft in der DDR. Aufgaben, Methoden und Ergebnisse der Wirtschaftsplanung in der zentralgeleiteten volkseigenen Industrie während der Übergangsperiode vom Kapitalismus zum Sozialismus. Berlin (DDR) 1978.

[38] Horst Barthel, Die wirtschaftlichen Ausgangsbedingungen der DDR. Zur Wirtschaftsentwicklung auf dem Gebiet der DDR 1945–1949/50. Berlin (DDR) 1979.

[39] Zit. nach: Helmut Meier/Walter Schmidt, Was du ererbt von deinen Vätern hast . . ., Berlin (DDR) 1980 S. 5.

[40] Ebda, S. 7.

fassende Studie zur Frühphase vor, die diesem Konzept folgt. In einigen Arbeiten über politische[41], ökonomische[42] und kulturelle[43] Entwicklungsprobleme dieser Jahre deutet sich die neue Sicht aber an.

Grundsätzlich ist in der DDR eine stärkere Hinwendung zur Zeitgeschichte zu beobachten, die speziell in der Regionalgeschichtsschreibung neue Quellen erschließt und stärker als die um Systematisierung bemühten Gesamtdarstellungen Entwicklungswidersprüche zum Ausdruck bringt.

d) Gleiches gilt für die Forschungen über den »Alltag« nach 1945[44], die zu einer Geschichte der »Lebensweise« verdichtet werden sollen, und die dazu beitragen, den Blick stärker auf die Lebenswirklichkeit[45] als auf die Haupt- und Staatsaktionen zu richten.

Diese Tendenz mag dazu führen, daß schließlich auch in summierenden Studien die realen Entwicklungsprobleme stärker berücksichtigt werden. Diese Forderung wird übrigens in der DDR selbst formuliert. Im Interesse einer effektiveren »Geschichtspropaganda« plädieren Historiker für eine stärkere Berücksichtigung der tatsächlichen Schwierigkeiten und Konflikte.

[41] Günter Benser, Die KPD im Jahr der Befreiung. Vorbereitung und Aufbau der legalen Kommunistischen Massenpartei (Jahreswende 1944/45 bis Herbst 1945), Berlin (DDR), 1985.
[42] Jörg Roesler, Veronika Siedt, Michael Elle, Wirtschaftswachstum in der Industrie der DDR 1945–1970, Berlin (DDR), 1986.
[43] Autorenkollektiv (u. Leitg. v. Horst Haase), Die SED und das kulturelle Erbe. Orientierungen, Erfahrungen, Problem, Berlin (DDR) 1986.
[44] Hans-Jürgen Rach, Bernhard Weissel, Hainer Plaul (Hrsg.), Die werktätige Dorfbevölkerung in der Magdeburger Börde. Studien zum dörflichen Alltag vom Beginn des 20. Jahrhunderts bis zum Anfang der 60er Jahre, Berlin (DDR) 1986; vgl. auch: Evemarie Badstübner-Peters, Kultur und Lebensweise der Arbeiterklasse in der sowjetischen Besatzungszone als Gegenstand kulturhistorischer Forschung, in: Jahrbuch für Volkskunde und Kulturgeschichte, Bd. 23 (N. F. Bd. 8), Berlin 1980.
[45] Rolf Badstübner, Die Geschichte der DDR unter dem Aspekt von Erbe und Tradition, in: Zeitschrift für Geschichtswissenschaft, 33. Jg. 1985, Heft 4, S. 338 ff.

Zeittafel

1945

Ende April/ Anfang Mai	treffen die drei Initiativgruppen des ZK der KPD in Deutschland ein und nehmen im sowjetisch besetzten Gebiet ihre Tätigkeit auf.
7./8. 5.	Bedingungslose Kapitulation der Wehrmacht in Reims und Berlin-Karlshorst.
5. 6.	Bekanntgabe der Deklaration über die Niederlage Deutschlands und die Übernahme der obersten Gewalt in Deutschland durch die Regierungen der UdSSR, der USA, Großbritanniens und Frankreichs; Bildung des Alliierten Kontrollrats für Deutschland in Berlin.
9. 6.	Bildung der Sowjetischen Militäradministration in Deutschland (SMAD) in Berlin.
10. 6.	Befehl Nr. 2 der SMAD: Zulassung antifaschistisch-demokratischer Parteien und Gewerkschaften in der sowjetischen Besatzungszone.
11. 6.	Aufruf des Zentralkomitees der KPD; Neukonstituierung der KPD.
15. 6.	Bildung eines Initiativausschusses zur Gründung antifaschistisch-demokratischer Gewerkschaften in Berlin.
15./17. 6.	Neukonstituierung der SPD; Bildung des Zentralausschusses in Berlin.
19. 6.	Abkommen über Aktionsgemeinschaft zwischen KPD und SPD.
26. 6.	Gründung der CDU in Berlin.
1.–3. 7.	Abzug der amerikanischen und britischen Truppen aus den östlichen Teilen der SBZ; Einrücken der Westalliierten in ihre Besatzungssektoren in Berlin.
4.–16. 7.	Bestätigung von Landes- bzw. Provinzialverwaltungen für Mecklenburg-Vorpommern, Sachsen, Thüringen, die Mark Brandenburg und Sachsen-Anhalt durch die SMAD.
5. 7.	Gründung der LDPD in Berlin.
14. 7.	Bildung der »Einheitsfront« der antifaschistisch-demokratischen Parteien und eines gemeinsamen Ausschusses aus je fünf Vertretern von KPD, SPD, CDU und LDPD in Berlin (»Antifa-Block«).
17. 7.–7. 8.	Potsdamer Konferenz der drei Kriegsalliierten.
27. 7.	Mit Befehl Nr. 17 beschließt die SMAD die Errich-

	tung von 11 ihr zugeordneten Zentralverwaltungen in der SBZ.
3.–11. 9.	Erlaß von Verordnungen der Länder- bzw. Provinzialverwaltungen der SBZ zur Durchführung einer Bodenreform.
3. 10.	Mit Befehl Nr. 49 verfügt die SMAD die Entfernung aller NSDAP-Mitglieder aus dem Justizdienst.
22. 10.	Die SMAD räumt den Länder- bzw. Provinzialverwaltungen das Recht ein, Gesetze und Verordnungen mit Gesetzeskraft zu erlassen.
30./31. 10.	Mit den Befehlen Nr. 124 und 126 schafft die SMAD die gesetzliche Grundlage zur Sequestrierung und Konfiszierung von Eigentum des deutschen Staates, der NSDAP, der Wehrmacht sowie großer Industrie-, Bergbau- und Handelsunternehmen.
19. 12.	Die SMAD setzt das Ausscheiden von Andreas Hermes und Walther Schreiber aus dem CDU-Vorstand durch.
20./21. 12.	Gemeinsame Konferenz (Sechziger Konferenz) des ZK der KPD und des Zentralausschusses der SPD in Berlin; in einer Resolution wird die baldige Vereinigung beider Parteien beschlossen.

1946

9.–11. 2.	Gründungskongreß (1. Bundeskongreß) des Freien Deutschen Gewerkschaftsbundes (FDGB) in Berlin; Hans Jendretzky (KPD), Bernhard Göring (SPD), Ernst Lemmer (CDU) werden als Vorsitzende gewählt.
7. 3.	Gründung der Freien Deutschen Jugend (FDJ) in Berlin; Vorsitzender der Einheitsorganisation wird Erich Honecker.
31. 3.	Urabstimmung der Westberliner Kreisverbände der SPD zur Frage der Vereinigung von SPD und KPD.
21./22. 4.	Gründung der Sozialistischen Einheitspartei Deutschlands (SED) auf dem Vereinigungsparteitag in Berlin.
30. 6.	Durch Volksentscheid wird in Sachsen das »Gesetz über die Übergabe von Betrieben von Kriegs- und Naziverbrechern in das Eigentum des Volkes« rechtskräftig.
1. 8.	Wiedereröffnung der Deutschen Akademie der Wissenschaften in Berlin.
17. 8.	Der SMAD-Befehl Nr. 253 ordnet das Prinzip »gleicher Lohn für gleiche Arbeit« für alle Arbeiter und Angestellten, Männer, Frauen und Jugendliche an.

1.–15. 9.	Gemeindewahlen in der SBZ.
20. 10.	Wahlen zu den Land- und Kreistagen in der SBZ sowie zur Stadtverordnungsversammlung von Groß-Berlin.
14. 11.	Veröffentlichung eines Verfassungsentwurfs für eine deutsche demokratische Republik durch den Parteivorstand der SED.
3.–12. 12.	Bildung der Landes- und Provinzialregierungen in der SBZ; Dezember 1946 bis Februar 1947 Inkrafttreten der Länderverfassungen.

1947

25. 2.	Mit Kontrollratsgesetz Nr. 46 beschließt der Alliierte Kontrollrat die Auflösung des preußischen Staates. In der SBZ werden die Provinzen Sachsen-Anhalt und Mark Brandenburg in Länder umbenannt (Sommer 1947).
7.–9. 3.	Gründung des Demokratischen Frauenbundes Deutschlands (DFD) in Berlin.
17.–19. 4.	2. Bundeskongreß des FDGB in Berlin.
6.–9. 6.	Konferenz der Ministerpräsidenten der Länder aus allen vier Besatzungszonen Deutschlands in München.
4. 6.	Befehl Nr. 138 der SMAD über die Gründung der Deutschen Wirtschaftskommission (DWK).
30. 6.	Gründung der Gesellschaft zum Studium der Kultur der Sowjetunion; später umbenannt in Gesellschaft für Deutsch-Sowjetische Freundschaft (DSF).
4.–7. 7.	II. Parteitag der LDPD in Eisenach.
23. 7.	Ablehnende Stellungnahme des Zentralsekretariats der SED zum Marshall-Plan.
4.–8. 10.	1. Schriftstellerkongreß des Kulturbundes in Berlin.
9. 10.	SMAD-Befehl Nr. 234 schreibt Maßnahmen zur Steigerung der Arbeitsproduktivität und zur Verbesserung der Versorgung der Bevölkerung vor.
22.–23. 11.	1. Deutscher Bauerntag in Berlin; Bildung des zentralen Verbandes der Vereinigung der gegenseitigen Bauernhilfe (VdgB).
25. 11.–15. 12.	Außenministerkonferenz der vier Alliierten in London endet ohne Ergebnis in der deutschen Frage.
6./7. 12.	1. »Deutscher Volkskongreß für Einheit und gerechten Frieden« tritt in Berlin zusammen. Wahl eines Ständigen Ausschusses als leitendes Organ; Verabschiedung einer Resolution zur Wiederherstellung der deutschen Einheit an die Londoner Außenministerkonferenz und Wahl einer Delegation, die auf

235

| | Anweisung der Westmächte aber nicht empfangen wird. |
| 20. 12. | Absetzung der Vorsitzenden des CDU-Hauptvorstandes, J. Kaiser und E. Lemmer. |

1948

23. 2.–6. 3.	Konferenz der drei Westmächte und der Benelux-Staaten in London.
20. 4.–3. 6.	
26. 2.	Gemäß Befehl Nr. 35 der SMAD stellen die Entnazifizierungskommissionen in der SBZ ihre Tätigkeit ein.
9. 3.	Übernahme der zentralen Leitung und Lenkung der Wirtschaft der SBZ durch die Deutsche Wirtschaftskommission (DWK); Vorsitzender der DWK wird H. Rau (SED).
17./18. 3.	2. Deutscher Volkskongreß in Berlin; Wahl des Deutschen Volksrates mit Wilhelm Pieck (SED), Otto Nuschke (CDU) und Wilhelm Külz (LDPD) als Vorsitzende des Präsidiums.
20. 3.	Alliierter Kontrollrat für Deutschland stellt seine Tätigkeit ein.
29. 4.	Gründung der Demokratischen Bauernpartei Deutschlands (DBD).
25. 5.	Gründung der National-Demokratischen Partei Deutschlands (NDPD) in Berlin.
18.–20. 6.	Durchführung der Währungsreform in den drei Westzonen, Blockierung der Zufahrtswege nach West-Berlin durch sowjetische Truppen; 26. 6. Beginn der Luftbrücke der Westalliierten.
24.–28. 6.	Währungsreform in der SBZ.
21. 7.	Annahme des Zweijahresplanes 1949/50 aufgrund der Beschlüsse des Parteivorstandes der SED vom 29./30. 6. durch die DWK.
28./29. 7.	Auf seiner 12. Tagung leitet der Parteivorstand der SED eine Änderung seines bisherigen Kurses ein. Umformung der SED zur »Partei neuen Typus«.
15./16. 9.	13. Tagung des Parteivorstandes der SED; weitere Beschlüsse zur Umwandlung der SED zur »Partei neuen Typus«, Bildung der Zentralen Parteikontrollkommission (ZPKK).
14. 11.	Bekanntgabe des Verfassungsentwurfs für eine deutsche demokratische Republik durch den Deutschen Volksrat.
15. 11.	Eröffnung der ersten Verkaufsstellen der staatlichen Handelsorganisation (HO).
25./26. 11.	Konferenz des FDGB in Bitterfeld: Abschaffung der Betriebsräte.

| 30. 11. | Mit der Bildung eines »Provisorischen demokratischen Magistrats in Berlin« (Ost) unter Friedrich Ebert (SED) wird die Spaltung der Berliner Verwaltung abgeschlossen. |
| 13. 12. | Gründung der Kinderorganisation Junge Pioniere in Berlin (Pionierorganisation »Ernst Thälmann«). |

1949

25. 1.	Gründung des Rates für Gegenseitige Wirtschaftshilfe (RGW) in Warschau.
25.–28. 1.	1. Parteikonferenz der SED in Berlin.
18./19. 3.	6. Tagung des Deutschen Volksrates: Annahme des Verfassungsentwurfs, Ausschreibung von Wahlen zum 3. Deutschen Volkskongreß nach dem Prinzip der Einheitsliste.
12. 5.	Ende der Berliner Blockade.
15./16. 5.	Wahlen zum 3. Deutschen Volkskongreß in der SBZ.
23. 5.	Grundgesetz für die Bundesrepublik Deutschland tritt in Kraft.
29./30. 5.	3. Deutscher Volkskongreß in Berlin: Annahme des Verfassungsentwurfs für die Deutsche Demokratische Republik.
4. 10.	Die 22. Tagung des Parteivorstandes der SED beschließt die Bildung einer Provisorischen Regierung der Deutschen Demokratischen Republik.
7. 10.	Gründung der Deutschen Demokratischen Republik (DDR).
10. 10.	Auflösung der SMAD und Bildung der sowjetischen Kontrollkommission (SKK). Übertragung aller Verwaltungsfunktionen auf die Provisorische Regierung der DDR.
11. 10.	Wahl Wilhelm Piecks zum Präsidenten der DDR durch die Provisorische Volkskammer und die Provisorische Länderkammer.
12. 10.	Bestätigung der Provisorischen Regierung der DDR unter Ministerpräsident Otto Grotewohl durch die Provisorische Volkskammer.
15. 10.	Aufnahme Diplomatischer Beziehungen zwischen der UdSSR und der DDR.
17. 10.–2. 12.	Aufnahme Diplomatischer Beziehungen zwischen der DDR und Bulgarien, der Tschechoslowakei, Polen, Ungarn, Rumänien, der Volksrepublik China, der Volksrepublik Korea und Albanien.

1950

| 20. 1. | Provisorische Volkskammer verabschiedet Gesetz über den Volkswirtschaftsplan 1950. |

19. 4.	Provisorische Volkskammer verabschiedet »Gesetz der Arbeit«.
15. 5.	Reparationsabkommen zwischen der UdSSR und der DDR setzt die noch zu zahlenden Reparationen nominell um 50 v. H. herab.
4.–6. 7.	Gründung des Deutschen Schriftstellerverbandes in Berlin (Ost).
6. 7.	Unterzeichnung des Abkommens über die Oder-Neiße-Grenze zwischen Polen und der DDR in Zgorzelec (polnischer Teil von Görlitz/Neiße).
20.–24. 7.	III. Parteitag der SED in Berlin (Ost).
25. 7.	1. Tagung des ZK der SED: Walter Ulbricht wird Generalsekretär des ZK.
27. 7.	Schaffung von Ehrentiteln wie »Held der Arbeit«, »Verdienter Aktivist«, »Verdienter Erfinder« usw.
24. 8.	2. Tagung des ZK der SED: Parteiausschlüsse im Rahmen einer Säuberungsaktion in der Parteispitze.
29. 9.	Aufnahme der DDR in den Rat für Gegenseitige Wirtschaftshilfe.
15. 10.	Wahlen zur Volkskammer, zu den Landtagen, Kreistagen und Gemeindevertretungen nach Einheitslisten der Nationalen Front: Beteiligung 98, 44 v. H., Ja-Stimmen 99,7 v. H.
26./27. 10.	3. Tagung des ZK der SED: Beschluß zur Überprüfung aller Mitglieder und Kandidaten im 1. Halbjahr 1951.
15. 11.	Regierungsneubildung und Regierungserklärung durch Ministerpräsident Otto Grotewohl.
30. 11.	Brief Otto Grotewohls an Konrad Adenauer mit Vorschlag der Bildung eines Gesamtdeutschen Konstituierenden Rates zur Vorbereitung gesamtdeutscher Wahlen.

1951

1. 1.	Grundsteinlegung für den ersten Hochofen des Eisenhüttenkombinats Ost bei Fürstenberg/Oder: Inbetriebnahme am 19. 9.
30. 1.	Regierungserklärung Otto Grotewohls und Verhandlungsvorschlag der Volkskammer an den Deutschen Bundestag, gemeinsam einen Gesamtdeutschen Konstituierenden Rat einzuberufen.
21. 5.	Abschluß des ersten Betriebskollektivvertrages in der DDR im VEB Stahl- und Walzwerk Riesa.
15. 9.	Erneute Aufforderung der Volkskammer an den Deutschen Bundestag zur Aufnahme gesamtdeutscher Beratungen über die Durchführung von Wahlen für eine Nationalversammlung.

27. 9.	Abschluß eines Handelsabkommens (1952 bis 1955) und eines Abkommens über wissenschaftlich-technische Zusammenarbeit zwischen der DDR und der UdSSR; 1951/52 folgen weitere langfristige Handelsabkommen mit den osteuropäischen Volksdemokratien.
3. 10.	Prozeß gegen 19 Jugendliche wegen oppositioneller Meinungsäußerungen und Kundgebungen endet vor dem Landgericht Zwickau mit z. T. hohen Zuchthausstrafen.
1. 11.	Verabschiedung des Gesetzes über den Fünfjahrplan 1951–1955 durch die Volkskammer.

1952

9. 1.	Volkskammer beschließt Gesetzentwurf für gesamtdeutsche Wahlen zu einer Nationalversammlung.
7. 3.	Die UdSSR unterbreitet in einer Note an die Westmächte den Entwurf für einen Friedensvertrag mit Deutschland.
17. 5.	Mehrere politische Prozesse in Sachsen und Thüringen enden mit hohen Zuchthausstrafen; am 24. 5. wird in einem politischen Prozeß in Berlin (Ost) ein Todesurteil gefällt.
26./27. 5.	Ministerrat und Ministerium für Staatssicherheit beschließen Errichtung einer Sperrzone entlang der Demarkationslinie zur Bundesrepublik Deutschland. Die Bundesregierung unterzeichnet den Deutschlandvertrag in Bonn und den Vertrag über die Europäische Verteidigungsgemeinschaft (EVG) in Paris.
9.–12. 7.	2. Parteikonferenz der SED in Berlin (Ost) beschließt die planmäßige Errichtung der Grundlagen des Sozialismus in der DDR.
23. 7.	Die DDR wird in vierzehn Bezirke gegliedert; durch die neue zentralistische Struktur verlieren die fünf Länder an Bedeutung, bleiben aber vorerst noch weiter bestehen.

Stralsunde
Rügen
Rostock   Greifswalde
Hamburg   Mecklenburg   Neubranden-
Elbe   Schwerin   burg   Stettin

                                              Branden-   burg
                                              Berlin
                    Stendal
                    Sachsen-   Potsdam   Frankfurt
          Magdeburg   *Oder*
                              Wittenberg
                         Dessau
                    Anhalt   Cottbus
                         Halle   *Neiße*
                    Merseburg   Leipzig
                                              Sachsen
                         Weimar   Dresden
          Erfurt   Jena
                    Gera
               Thüringen   Karl-Marx-Stadt
          Suhl   (früher Chemnitz)
                         Zwickau   *Elbe*

          .... Ländergrenzen 1949 (Mecklenburg)
          ———— Bezirksgrenzen 1952 (Schwerin)

Karte der DDR

Abkürzungen

ADGB	Allgemeiner Deutscher Gewerkschaftsbund
BGL	Betriebsgewerkschaftsleitung
BKV	Betriebskollektivvertrag
BZG	Beiträge zur Geschichte der Arbeiterbewegung
CDUD	Christlich-Demokratische Union (Deutschlands)
CSR	Tschechoslowakische Republik
DBD	Demokratische Bauernpartei Deutschlands
DDP	Deutsche Demokratische Partei
DSF	Gesellschaft für Deutsch-Sowjetische Freundschaft
DP	Deutsche Partei
DWK	Deutsche Wirtschaftskommission
EKKI	Exekutiv-Komitee der Komintern
EVG	Europäische Verteidigungsgemeinschaft
FDGB	Freier Deutscher Gewerkschaftsbund
FDJ	Freie Deutsche Jugend
Gestapo	Geheime Staatspolizei
HO	Handelsorganisation
ISK	Internationaler Sozialistischer Kampfbund
Kominform	Kommunistisches Informationsbüro
Komintern	Kommunistische Internationale
KP	Kommunistische Partei
KPC	KP der CSR
KPD	KP Deutschlands
KPdSU	KP der Sowjetunion
KPJ	KP Jugoslawiens
KPO	KP Opposition
KPTsch	KP der Tschechoslowakei
LDPD	Liberal-Demokratische Partei Deutschlands
ND	›Neues Deutschland‹
NDPD	National-Demokratische Partei Deutschlands
NKFD	Nationalkomitee »Freies Deutschland«
NSDAP	Nationalsozialistische Deutsche Arbeiterpartei
PdW	Partei der Werktätigen
Pg	Parteigenosse
RGO	Revolutionäre Gewerkschaftsopposition
RGW	Rat für gegenseitige Wirtschaftshilfe
SAG	Sowjetische Aktiengesellschaft
SBZ	Sowjetische Besatzungszone
SED	Sozialistische Einheitspartei Deutschlands
SMAD	Sowjetische Militäradministration in Deutschland
SU	Sowjetunion
TAN	technisch-begründete Arbeitsnormen

UdSSR	Union der Sozialistischen Sowjetrepubliken
UN	Vereinte Nationen
USA	Vereinigte Staaten von Amerika
VdgB	Vereinigung der gegenseitigen Bauernhilfe
VEB	Volkseigener Betrieb
VVB	Vereinigung Volkseigener Betriebe
ZA	Zentralausschuß
ZfG	Zeitschrift für Geschichtswissenschaft
ZK	Zentralkomitee

Deutsche Geschichte der neuesten Zeit
vom 19. Jahrhundert bis zur Gegenwart
Herausgegeben von
Martin Broszat, Wolfgang Benz, Hermann Graml
in Verbindung mit dem Institut für Zeitgeschichte

Die »neueste« Geschichte setzt ein mit den nachnapoleonischen Evolu-
tionen und Umbrüchen auf dem Wege zur Entstehung des modernen
deutschen National-, Verfassungs- und Industriestaates. Sie reicht bis
zum Ende der sozial-liberalen Koalition (1982). Die großen Themen
der deutschen Geschichte des 19. und 20. Jahrhunderts werden, auf die
Gegenwart hin gestaffelt, in dreißig konzentriert geschriebenen Bänden
abgehandelt. Ihre Gestaltung folgt einer einheitlichen Konzeption, die
die verschiedenen Elemente der Geschichtsvermittlung zur Geltung
bringen soll: die erzählerische Vertiefung einzelner Ereignisse, Konflikte, Konstellationen; Gesamtdarstellung und Deutung; Dokumentation mit ausgewählten Quellentexten, Statistiken, Zeittafeln; Work-
shop-Information über die Quellenproblematik, leitende Fragestellungen und Kontroversen der historischen Literatur. Erstklassige Autoren
machen die wichtigsten Kapitel dieser deutschen Geschichte auf me-
thodisch neue Weise lebendig.

4501   Peter Burg: Der Wiener Kongreß
       Der Deutsche Bund im europäischen Staatensystem
4502   Wolfgang Hardtwig: Vormärz
       Der monarchische Staat und das Bürgertum
4503   Hagen Schulze: Der Weg zum Nationalstaat
       Die deutsche Nationalbewegung vom 18. Jahrhundert bis zur
       Reichsgründung
4504   Michael Stürmer: Die Reichsgründung
       Deutscher Nationalstaat und europäisches Gleichgewicht im
       Zeitalter Bismarcks
4505   Hans-Jürgen Puhle: Das Kaiserreich
       Liberalismus, Feudalismus, Militärstaat
4506   Richard H. Tilly: Der Gründerkrach
       Die Industrielle Revolution und ihre Folgen
4507   Helga Grebing: Arbeiterbewegung
       Sozialer Protest und kollektive Interessenvertretung bis 1914
4508   Rüdiger vom Bruch: Bildungsbürgertum und Nationalismus
       Politik und Kultur im Wilhelminischen Deutschland
4509   Wolfgang J. Mommsen: Imperialismus
       Deutsche Kolonial- und Weltpolitik 1880 bis 1914
4510   Gunther Mai: Das Ende des Kaiserreichs
       Politik und Kriegführung im Ersten Weltkrieg
4511   Klaus Schönhoven: Reformismus und Radikalismus
       Gespaltene Arbeiterbewegung im Weimarer Sozialstaat

4512   Horst Möller: Weimar
        Die unvollendete Demokratie
4513   Peter Krüger: Versailles
        Deutsche Außenpolitik zwischen Revisionismus und Friedens-
        sicherung
4514   Corona Hepp: Avantgarde
        Moderne Kunst, Kulturkritik und Reformbewegungen nach der
        Jahrhundertwende
4515   Fritz Blaich: Der Schwarze Freitag
        Inflation und Wirtschaftskrise
4516   Martin Broszat: Die Machtergreifung
        Der Aufstieg der NSDAP und die Zerstörung der Weimarer
        Republik
4517   Norbert Frei: Der Führerstaat
        Nationalsozialistische Herrschaft 1933 bis 1945
4518   Bernd-Jürgen Wendt: Großdeutschland
        Außenpolitik und Kriegsvorbereitung des Hitler-Regimes
4519   Hermann Graml: Die Reichskristallnacht
        Antisemitismus und Judenverfolgung im Dritten Reich
4520   Elke Fröhlich, Hartmut Mehringer: Emigration und Wider-
        stand. Das NS-Regime und seine Gegner
4521   Lothar Gruchmann: Totaler Krieg
        Vom Blitzkrieg zur bedingungslosen Kapitulation
4522   Wolfgang Benz: Potsdam 1945
        Besatzungsherrschaft und Neuaufbau im Vier-Zonen-Deutsch-
        land
4523   Wolfgang Benz: Die Gründung der Bundesrepublik
        Von der Bizone zum souveränen Staat
4524   Dietrich Staritz: Die Gründung der DDR
        Von der sowjetischen Besatzungsherrschaft zum sozialistischen
        Staat
4525   Martin Broszat: Die Adenauer-Zeit
        Wohlstandsgesellschaft und Kanzlerdemokratie
4526   Hartmut Zimmermann: Die Deutsche Demokratische Republik
        Von Ulbricht bis Honecker
4527   Ludolf Herbst: Option für den Westen
        Vom Marshallplan bis zum deutsch-französischen Vertrag
4528   Peter Bender: Neue Ostpolitik
        Vom Mauerbau bis zum Moskauer Vertrag
4529   Hans Heigert: Krisen und Reformen
        Die Bundesrepublik seit den sechziger Jahren
4530   Helga Haftendorn: Sicherheit und Stabilität
        Außenbeziehungen der Bundesrepublik zwischen Ölkrise und
        Nato-Doppelbeschluß

Personenregister

Ackermann, Anton 34f., 44, 63, 65, 68, 78, 80, 98, 154, 157, 199ff.
Adenauer, Konrad 11ff., 15–18, 26, 28ff., 32f., 34, 176, 185, 237
Appell, Georg 209f.
Attlee, Clement 43
Axen, Hermann 8

Baum, Bruno 79
Berija, Lawrentij P. 46
Böttge, Bruno 194, 197
Bolz, Lothar 146
Brandt, Willy 35
Brecht, Bertolt 105, 134f.
Bredel, Willi 98
Brill, Hermann L. 47, 88, 118
Buchwitz, Otto 28, 135f., 195, 197f.

Churchill, Winston 39, 43

Dahlem, Franz 157, 212
Dahrendorf, Gustav 82, 88, 196
Dennis, Eugene 17
Dimitroff, Georgi 65f., 67f., 72f., 81, 99, 155f.
Djilas, Milovan 73
Ebert, Friedrich 157, 194, 213, 236
Ehlers, Hermann 11
Ende, Lex 163
Engels, Friedrich 11, 77, 224
Euler, Hans Martin 32

Fechner, Max 82f., 87, 120, 195, 198f., 212
Felsenstein, Walter 134
Field, Noel H. 161
Fisch, Walter 33f.
Florin, Wilhelm 65
Friedrich, Rudolf 46

de Gaulle, Charles 41
Georgescu, Luca 24
Germer, Karl 197
Gerstenmaier, Eugen 19, 29
Gniffke, Erich W. 82, 194, 212, 226
Göring, Bernhard 233
Goldenbaum, Ernst 146
Gomulka, Wladyslaw 24, 72, 162

Gottwald, Klement 72f.
Gradl, Johann Baptist 30, 226
Grimm, Ernst 206ff.
Grotewohl, Otto 11, 33f., 82, 84, 112f., 114–117, 121, 135, 154–158, 169, 175, 179, 183, 195, 198f., 213, 236f.

Hallstein, Walter 32
Hamann, Karl 146
Harnisch, Hermann 194, 198
Hennecke, Adolf 135f.
Hermann, Karen 33
Hermes, Andreas 93, 111, 142, 233
Herrnstadt, Rudolf 7
Hitler, Adolf 75f.
Hodscha, Enver 24
Höcker, Wilhelm 46
Hoffmann, Heinrich 194, 197f.
Honecker, Erich 187, 233
Hübener, Friedrich 46

Jendretzky, Hans 105, 233
Jesse, Willi 122

Kagan, Boris A. 204
Kaiser, Jakob 30, 93f., 144f., 235
Karsten, August 195, 197
Kastner, Hermann 146
Klingelhöfer, Gustav 82, 117, 194, 199
Klinger, Max 220
Kolesnitschenko, Iwan S. 212
Koplowitz, Jan 11
Kostoff, Traitscho 161
Kreikemeier, Willy 163
Külz, Wilhelm 94, 144, 146, 235

Lehr, Robert 14
Lemmer, Ernst 30f., 93, 145f., 233, 235
Lenin, Wladimir I. 11, 140, 153, 174
Lieutenant, Arthur 146
Linse, Walter 27
Leppin, Rudolf 25
Loch, Hans 146

Mao Tse-tung 24
Marshall, George C. 148, 164

Marx, Karl 11, 77, 219, 224
Matern, Hermann 70
McCarthy, Eugene J. 161
McCloy, John J. 12
Meier, Otto 157, 197
Mende, Erich 31 f.
Merkatz, Hans-Joachim von 22 f.
Merker, Paul 157, 162
Moltmann, Carl 194 f., 197 f.
Mücke, Albert 98
Müller, Vincenz 23

Neubecker, Fritz 197
Noske, Gustav 114
Nuschke, Otto 235

Oelßner, Fred 7, 178
Ollenhauer, Erich 28

Pauker, Anna 24
Paul, Rudolf 46 f.
Pieck, Wilhelm 11, 17 f., 24 ff., 28, 33,
    44, 63, 70 f., 78, 81, 113, 135,
    155–159, 168, 175, 184, 202, 204 ff.,
    235 f.

Rajk, Laszlo 161
Rau, Heinrich 23, 126, 235
Reiman, P. 72
Reimann, Max 14, 27 f.
Roosevelt, Franklin D. 42

Sauckel, Fritz 104
Seelenbinder, Werner 11
Selbmann, Fritz 56, 124 ff.
Semjonow, Wladimir S. 43, 46
Severing, Karl 114
Sielaff, Renate 33
Slansky, Rudolf 24, 161
Smirnow, I. S. 212
Sobottka, Gustav 44, 79 f., 98
Sokolowski, Wassili D. 43
Schäfer, Hermann 23

Schäffer, Fritz 23 f.
Schdanow, Andrej A. 46, 148, 221
Schiffer, Eugen 93
Schmid, Carlo 21 f., 29, 31
Schreiber, Walther 111, 142, 233
Schukow, Georgij K. 43, 119, 121
Schumacher, Kurt 21, 28, 31, 82, 89,
    92, 113–116, 119, 195 f., 213
Stachonow, Alexej G. 136
Stalin, Josef W. 8, 11, 14 f., 17, 22, 26,
    40 f., 66, 74, 80, 108, 154 f., 160 ff.,
    169, 178, 183, 186, 221
Stampfer, Friedrich 114
Steinhoff, Karl 46, 157
Strauß, Franz-Josef 26 f.
Strempel, Horst 220

Thälmann, Ernst 236
Tillmanns, Robert 27
Tito, Josip 24, 161, 163
Tjulpanow, Sergej I. 43, 45 f., 121
Truman, Harry S. 42, 147 f.
Tschuikow, Wassili I. 43, 169

Ulbricht, Walter 8, 10, 12, 15–19,
    22–26, 32, 44, 56, 69, 72, 78, 80–84,
    86, 93, 99, 110, 119, 135, 153, 157 f.,
    169, 175, 179, 184 f., 187 f., 212, 222,
    237

Varga, Eugen 74 f.

Warnke, Hans 89
Warnke, Herbert 137, 140
Wehner, Herbert 23, 29 ff.
Weimann, Richard 198
Wollweber, Ernst 7

Xoxe, Koci 161

Zaisser, Wilhelm 7
Ziller, Gerhart 98

Zur Geschichte der beiden deutschen Staaten

Thilo Vogelsang:
Das geteilte
Deutschland

dtv-Weltgeschichte
des
20. Jahrhunderts

4011

Wilfried Loth:
Die Teilung der Welt
1941-1955

dtv-Weltgeschichte
des
20. Jahrhunderts

dtv 4012

Deutsche Geschichte
der neuesten Zeit

Wolfgang Benz:
Die Gründung
der Bundesrepublik
Von der Bizone
zum souveränen Staat

dtv

4523

Deutsche Geschichte
der neuesten Zeit

Dietrich Staritz:
Die Gründung
der DDR
Von der sowjetischen
Besatzungsherrschaft
zum sozialistischen Staat

dtv

dtv 4524

Alfred Grosser:
Geschichte
Deutschlands seit 1945
dtv 1007

Bewegt von der
Hoffnung aller
Deutschen
Zur Geschichte des
Grundgesetzes
Herausgegeben von
Wolfgang Benz
dtv 2917

Neubeginn und
Restauration
Dokumente zur
Vorgeschichte der
Bundesrepublik
Deutschland 1945-1949
Herausgegeben von
Klaus-Jörg Ruhl
dtv 2932

Mein Gott, was soll aus
Deutschland werden?
Die Adenauer-Ära
1949-1963
Herausgegeben von
Klaus-Jörg Ruhl
dtv 2941

Hermann Weber:
Geschichte der DDR
dtv 4430

DDR
Dokumente zur
Geschichte der
Deutschen
Demokratischen
Republik 1945-1985
Herausgegeben von
Hermann Weber
dtv 2953

Peter Bender:
Neue Ostpolitik
Vom Mauerbau zum
Moskauer Vertrag
dtv 4528

dtv dokumente

Ordnung, Fleiß und
Sparsamkeit
Texte und Dokumente
zur Entstehung der
»bürgerlichen Tugenden«
Hrsg. v. Paul Münch
dtv 2940

Das Klassische Weimar
Texte und Zeugnisse
Hrsg. v. Heinrich Pleticha
dtv 2935

Kinderstuben
Wie Kinder zu Bauern,
Bürgern, Aristokraten
wurden. 1700-1850
Herausgegeben von
Jürgen Schlumbohm
dtv 2933

Parole der Woche
Eine Wandzeitung
im Dritten Reich
1936-1943
Herausgegeben von
Franz-Josef Heyen
dtv 2936

Hitlers Machtergreifung
1933
Herausgegeben von
Josef und Ruth Becker
dtv 2938

Die russische Revolution
1917
Herausgegeben von
Manfred Hellmann
dtv 2903

Anatomie des
SS-Staates
Band 1
Hans Buchheim:
Die SS –
das Herrschafts-
instrument
Hans Buchheim: Befe
und Gehorsam
dtv 2915

Band 2
Martin Broszat:
Konzentrationslager
Hans Adolf Jacobsen:
Kommissarbefehl
Helmut Krausnick:
Judenverfolgung
dtv 2916

Rudolf Höß:
Kommandant in
Auschwitz
Hrsg. v. Martin Brosza
dtv 2908